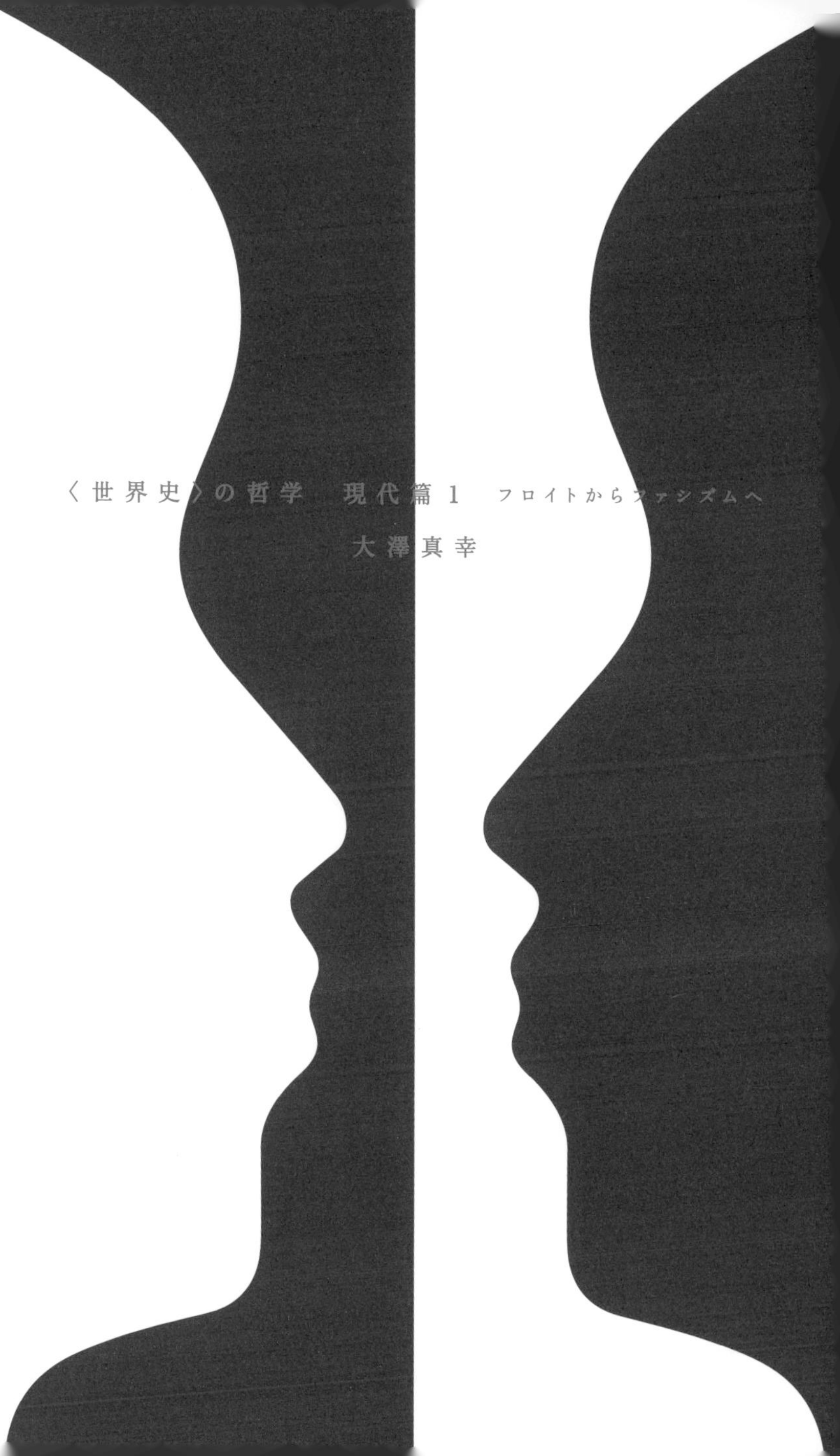

〈世界史〉の哲学　現代篇1　フロイトからファシズムへ

大澤真幸

講談社

〈世界史〉の哲学　現代篇1　フロイトからファシズムへ

装幀　帆足英里子

まえがき

本書は、「〈世界史〉の哲学」と題したプロジェクトの『現代篇』の最初の一巻である。ここで、「現代」と呼ぶのは、基本的には二〇世紀である。とりわけ第一次世界大戦後の二〇世紀だ。われわれが歴史を見るのは、言うまでもなく、われわれ自身を知るためである。『現代篇』に来ているということは、われわれの視線の対象が、直接的なものに、つまりわれわれ自身の現在に近づいてきている、ということである。ところで、私は、『近代篇1　〈主体〉の誕生』の「まえがき」で、「近代」はすでに「われわれの時代」である、と述べた。「近代」と「現代」の関係について、ここで簡単に説明しておきたい。

「近代」に対しては、しばしば、「ポスト近代」「後期近代」「脱近代」「近代の超克」など、否定を意味する語が付けられてきた。しかし、これらの語は、必ずしも近代のトータルな終結や、近代の「後」を意味してはいない。もし「中世」に対して、あえて「ポスト中世」と言えば、「近世」「近代」といった端的に中世よりも後の時代を指すだろう。しかし、「ポスト近代」等は、近代の終わった後の段階を指しているようでいて、ほんとうは近代をトータルには否定していない。なぜ、「近代」という語には、否定的な含みをもつ語が付きやすいのか。

それは、「近代」と呼ばれる社会システムが、絶えず変化しているからである。それ以前の社会システムでは、基本的には不変であることが、システムが安定し崩壊しないための条件であった。しかし、近代は違う。それは、常に変化し続けることにおいて安定する、それまでにはなかったタイプの社会システムだ。近代は、変化を煽り立てる熱いシステムである。これは、近代が、広義の「資本主義」と深く結びついていることからくる条件なのだが、その点については、本書の本文で、あるいは『近代篇』二冊で詳しく論じたところだ。

ともあれ、近代は、変化し続けることにおいて安定するシステムである。そうだとすると、近代は、自身のうちに、自らの否定や転換を、つまりは「ポスト近代（へのポテンシャル）」を孕んでいる、ということになる。近代は、結局、「近代からポスト近代（等々）への移り行き」によって定義される、と言うこともできる。自らの概念のうちに、自らの（部分）否定が含まれているのだ。

近代は、常に、近代の否定そのものを含むことにおいて近代である、と述べているわけだが、近代に内在するこの転換は、一様のわけではない。海は常に波立っているが、波がすべて同じ大きさのわけではない。それと同じように、近代が内在させる転換の中に、際立って大きなものもある。その極大の転換の指標となっている出来事こそ、——後から振り返ってはじめてわかったことだが——、二〇世紀の初頭の第一次世界大戦である。『現代篇』の最初の巻である本書は、この転換において何が起きていたのかを解明することを目的としている。

二〇世紀初頭のこの転換が特別に大きいと見なしうるのは、それが同時に——あえて誇張して言えば——、西洋なるものの終焉をも意味したからだ。西洋は、一九世紀末から二〇世紀への転換点で一旦、頂点を迎え、その極限において、死を迎えるのだ。この終焉、この喪失は、補償されもするので、結果的には、西洋は生き延びる。「狭義の近代／現代」という転換が、近代に内在していると述べたが、そのことを今、西洋という文明的実体に即して言い直している。

とにかく、西洋は、終焉＝死を越えて生き延びる。が、死を経由したことの意味は、はっきりとした刻印を残す。つまり、西洋は蘇るが、死を内部化した上でのことなので、何か肝心なところに関して変容を被る。どう変容したのか。それは、本書を含む『現代篇』の展開の中で示されることだ。とりあえず外見的なことだけ言っておけば、西洋なるものの中心が――政治的にも経済的にも文化的にも――、西ヨーロッパから、大西洋を隔てたアメリカへとシフトする。「アメリカ」は、本書に続く、『現代篇』の次巻の主題となるだろう。本書は、このシフトがどうして起きたのか、その理由を暗示するところまで論じている。

＊

本書の流れをかんたんに予告しておこう。本書は、精神分析の誕生劇を探索するところから始まる。その探索は、ジークムント・フロイト自身の精神分析のような形態をとることになる。が、関心の中心は、フロイトという個人の人生ではない。なぜ、精神分析の誕生が本書の冒頭に置かれているかというと、エディプス・コンプレックスの理論に説得力を与えるような〈主体〉の誕生、つまりは精神の「エディプス化」こそは、一九世紀までの西洋の到達点、それまでの展開の中で蓄積されてきた西洋の精神的＝社会関係的な要素の結晶のようなものだからだ。『近代篇』が終わった地点から、『現代篇』は始まるのだ。フロイトが、『夢解釈』で、エディプス・コンプレックスの理論を発表し、精神分析という知が誕生したのは、一九〇〇年である。

フロイトは、その後、第一次世界大戦の時代を経験し、ナチス（国民社会主義ドイツ労働者党）の台頭に立ち会い、第二次世界大戦の勃発直後まで生きた。晩年は、ナチスの迫害から逃れるため、住み慣れたウィーンを離れ、ロンドンに亡命した。この間、フロイトは、精神分析の理論を、試行錯誤を重ねながら何度も改訂する。そして、死の直前に、フロイトは、癌の苦しみに耐えながら、モーゼについてのたいへん奇妙な文章を書く。モーゼは、フロイトにとって、エディプス的な父を代表する特別な意味をもつ人物である。しかし、最晩年の著書に登場するモーゼは、フロイトがそれまでに思い描いてきたモーゼとは、明らかに異なっている。

エディプス的なモーゼから、もうひとりのモーゼへの転換。これが、古典的な近代（一九世紀）から現代（二〇世紀）への移行に対応している。というのも「もうひとりのモーゼ」は、単なる、フロイトの妄想的な創造物ではないからだ。つまり、「もうひとりのモーゼ」に正確に対応する社会的現実があるのだ。第一次世界大戦後の「現代」を特徴づけるにふさわしい現象として、である。

その「もうひとりのモーゼ」について探究する前に、本書は、いったん、ニーチェ、キェルケゴールという一九世紀の哲学者の思考に回帰する。ふたりのモーゼの間の移行を説明する論理を準備するためである。エディプス・コンプレックスの要は、「死んだ父」にあるが、それは、ニーチェの「神は死んだ」に通じている。ニーチェは、一九世紀と二〇世紀を繋ぐ哲学者である。ニーチェの対極には、信仰の英雄であるキェルケゴールがいる……ように見えるがそうではない。キェルケゴールの「信仰」は、徹底のあまり、その反対物である「絶望」へと近接していく。すると、キェルケゴールの哲学は、ニーチェの対極どころか、むしろニーチェの哲学へと順接することになる。

こうした考察を経たあと、われわれは、「もうひとりのモーゼ」に立ち返ることになる。「もうひとりのモーゼ」に対応する現実の人物がいる。しかも三人。誰か？　それは、本文を読んでいただきたい。その三人によって覆われる領域は、二〇世紀という時代の全体的な広がりに対応している、ということだけは予告しておこう。

本書の後半は、主としてファシズムについて論じている。どうしてファシズムが生まれてきたのか。人類の歴史の中で最大の「悪」のひとつとも言うべきファシズムが、二〇世紀の前半に、一九世紀までのヨーロッパを土壌として、いかにして生まれたのか。そのメカニズムの骨格を抽出している。その際、われわれは、カール・シュミットの著作を——しかも（ナチズムを政治理論的に正当化しているとされている戦前の著作ではなく）主に戦後に彼が書いた著作を——、ヘーゲルの「具体的普遍」の論理を活用して読み解くことで、いや読み換えることで、この作業を遂行する。こうして抽出される過程を、スローガン的に要約すれば、「大英帝国から第三帝国へ」ということになるだろう。

最終的に、ファシズムを説明するための前提的な論理の枠組みとして、「特殊と普遍の間の独特な弁証法的な関係」を設定することになるだろう。こうした枠組みを前提にしておくと、三人の「もうひとりのモーゼ」に関連する体制を全体として位置づけるための地平が確保できる。また、論理の全体を、資本主義の原理と結び付けて理解するための鍵を得ることにもなる。この枠組みを使うと、ナショナリズムとファシズムの違いをもたらしている中核的な要因が何であるかを明快に示すことができる。

〈世界史〉の哲学 現代篇1　フロイトからファシズムへ　目次

まえがき　3

第1章　資本主義とエディプス化
1　動く彫像　18
2　モーゼ像　26
3　精神分析の精神分析　29
4　資本主義とエディプス　36
5　食卓と診療室　43

第2章　もうひとりのモーゼ
1　無意識の発見　50
2　原父殺害　55
3　消えた帝国　59
4　もうひとりのモーゼ　64

第3章　絶望としての信仰
1　父なる神の死に先立って　72
2　絶望としての信仰　75
3　宗教的信仰による倫理的なものの目的論的停止　79
4　キリスト教のユーモア　84
第4章　永劫回帰の多義性
1　ニーチェの映画的感性　92
2　オリーブ山で歌う　96
3　黒いヘビの幻影　99
4　後ろ向きに意志する　103
5　聴き取られなかった十二番目の鐘の音　109
第5章　〈しるし〉が来た
1　「窮境を訴える叫び声」はどこから……　114

2　ロバ祭り　120
3　〈しるし〉が来た　123
4　ニーチェの逆説／キェルケゴールの逆説　129

第6章　権力への意志と死の恐怖
1　「永劫回帰」観念の誤使用　134
2　権力への意志　138
3　死の恐怖――奴隷における　142
4　資本への意志　149

第7章　「気まぐれな預言者」と「決断する主権者」
1　「死んだ父」を殺す――問いの再確認　156
2　ヴェーバーの「指導者民主主義」　160
3　カール・シュミットの「決断主義」　167
4　政治的／宗教的な問題　172

第8章　ふたつの全体主義とその敵たち
1　ふたり目のモーゼの現実的対応物　180
2　ファシズムとその敵　185
3　スターリニズムとその敵　192
4　「生きた声」と「死んだ文字」　200

第9章　もうひとりの「もうひとりのモーゼ」
1　「敵への態度」の原点　206
2　なぜ「ユダヤ人」が排除されたのか　208
3　もうひとりの「もうひとりのモーゼ」　214
4　「ニューディール、お前もか?」　218
5　攻略ポイント　225

第10章　ヨーロッパ公法の意図せざる効用
1　ナチスから見たアメリカ　232

2　陸地取得による「友／敵」分割　238
3　ヨーロッパ公法の意義　244
4　鍵はここに……　252

第11章　〈ラッセルの逆説〉と〈ヘーゲルの具体的普遍〉

1　「ユートピア」へ　258
2　ラッセルの逆説からヘーゲルの論理を読む　264
3　「サッカー以上のサッカー」そして「高貴は下賤」　268
4　国家と教会　272

第12章　大英帝国《ブリティッシュ・エンパイア》から

1　陸と海と　280
2　海賊と貿易商人　282
3　文明化された民族たちの権利として　288
4　なぜイギリスだったのか？　291

第13章　第三帝国《ダス・ドリテ・ライヒ》へ
1　まぬけな端役　302
2　グローバルな国際法──「正義」の欺瞞　306
3　第三帝国 Das Dritte Reich　312
4　絶滅戦争への執着　315
第14章　特殊と普遍の弁証法的関係
1　普遍性にとり憑かれた特殊性　326
2　「特殊性と普遍性の間の弁証法的関係」　330
3　ゲマインシャフトからゲゼルシャフトへ　336
4　ナショナリズムとファシズム　340
あとがき　348

第1章　資本主義とエディプス化

1 動く影像

精神のエディプス化。西洋の近代が行き着いた先は、これである。[*1] ジークムント・フロイトは、一九世紀の最後の年、『夢解釈』で「エディプス・コンプレックス」の理論を正式に発表した。精神分析という知は、このとき実質的に始まったと言ってよい。父を殺し、母と交わったエディプスの神話によって自己了解されるような精神の構造に、近代までの西洋文化を成り立たせていた諸要素は最終的に収斂したのだ。ここで、われわれとしては、神話の筋にこだわる必要はない。客観的に見て——つまりわれわれの観点から捉えて——、何が中核的な要素なのか。つまり、何が、エディプスの神話を呼び寄せているのか。それは、「死んだ父」である。

父はすでに死んでいる。父の死を私は密かに欲していたのかもしれない。とすれば、私が父を殺したも同然である。父は死んだのだが、しかし私は父から解放されない。まったく逆に、父は死んだことによって、ますます私を拘束する。父に帰せられる命令、父の禁止は私の人生を規定しており、私はそこからどうしても自由にはなれない。……このような感覚があるとき、これをひとつの物語のように説明しようとすると、エディプス・コンプレックスの理論となるだろう。

『夢解釈』の中で、死んだ父についての夢がいくつか紹介されている。夢の中で、死んだはずの父が普通に活動している。夢をみている本人は、「父は自分が死んだことに気づいていないのだ」と思う。この、死んでいるのにそれを自覚していない（ために生きている）父こそは、エディプス的な父、エディプス・コンプレックスの理論に説得力を与えている「第三者の審級」の姿である。

実際、フロイトの「エディプス・コンプレックス」の発見は、彼の父の死と関係しているように見える。この理論に思い至った日は、発表の二年余り前、つまり一八九七年十月十五日であることが、フロイトが親友の耳鼻科医ヴィルヘルム・フリースに宛てた手紙でわかっている。その一年前、厳密には一八九六年十月二十三日に父のヤーコプ・フロイトは亡くなっている。この「父の死」を、フロイトは、自分の男としての人生の中で最も忘れがたい出来事だ、と述べていた。それから一年の間に、フロイトは、神経症の原因についての別の理論――すぐあとに述べるがかなりの確信をもっていた理論――を放棄して、人間の精神の普遍的な型としてエディプス・コンプレックスがあるとする理論へと考えを改める。「僕はもう僕の神経症理論を信じない」とそのことをフリースに宛てて伝える、右に言及した手紙の中で、フロイトは突然、わけのわからないことを書く。自分の「アンソロジー（選集）」のなかにある小話のひとつが心に浮かんでくる、と。「レベッカ、ドレスを脱げ、お前はもう花嫁じゃないんだ！」

レベッカとは誰のことなのか。なぜフロイトはこんなことを書き付けたのか。実のところ、フロイトにおける精神分析の誕生、とりわけエディプス・コンプレックスの誕生こそ、まさに精神分析されるにふさわしい現象である。このフロイトの手紙に注目しているマリー・バルマリの研究が、この点で示唆に富んでいる。[*2]

＊

精神分析の教えるところによれば、最も重要な秘密はたいてい、一見どうでもよい癖や習慣、あるいはちょっとした言い間違い等に隠れている。実際、フロイトにはいくつもの奇癖があり、フロイトの伝記の著者たちの目を惹いてきた。たとえばフロイトは、茸に対するふしぎな情熱に取り憑かれていた。人生の大半をウィーンで過ごしたフロイトは、ウィーンの森を好まなかったのだが、その理由は、森に茸がないということにあった。これだけだと、ささいな趣味の問題に思えるが、フロイトの茸狩りの様子を知ると、そこに、フロイトにとっては譲れない何かただならぬことがあったのではないか、と思わざるをえない。アーネスト・ジョーンズによる伝記に書かれていることを、バルマリの著書から引用しよう。

休暇になると、フロイトのお気に入りの仕事は茸さがし、茸つみであった。彼には茸のありかを探し出す神秘的な能力があり、汽車に乗っている間にもどこに茸があるかを言うことができるのだった。散歩の途中、しばしば彼は子供たちのもとを離れ、そうするとまもなく勝利の雄叫びを上げるのが聞こえるのがつねであった。当時、彼はいつもそっと忍びより茸の上に飛びかかり、まるで鳥か蝶でもあるかのように帽子をかぶせて捕えるのだった。[*3]

フロイトにとっては、茸は蝶のように動くらしい。しかも、彼には、茸の上に帽子をかぶせることが重要だった。その証拠に、彼は、シルクハットをかぶり、傘を持ち歩いている友人をひどく嫌がった。茸（＝傘）が帽子の上になってしまうからだ。

フロイトは、彫像に対しても、似たような偏執をもっていた。夥しい数の彫像を彼は蒐集した。[*4] その彫像に対する態度が、また独特だ。茸についてのエピソードに続けて、ジョーンズは次のように書いている。

彼はいつも新しく手に入れた品物――たいがいは小さな彫像だったが――を、丁度客のように食卓に招き、自分の真前に置くのであった。それからその品物はもとの場所に戻され、しかし数日の間はまた食卓に連れてこられるのだった。

彫像は食卓に招かれている。ところで、茸もまた食べるためのものなのだから、やはり食卓に招かれている、と言えるはずだ。茸と彫像は似ていないか？　バルマリはこれに答えていう。似ている、と。どこが？　どちらも脚部と上部から成っている。フロイトの心的世界の中で、茸と彫像は同じものではないか。

フロイトは、茸を、自由に動き回る小動物のように扱っている。では、彫像も動くのか？　動くのだ。モーツァルトのオペラ『ドン・ジョヴァンニ』のラスト・シーンに、まさに動く彫像が登場する。フロイトは音楽を嫌っていたが、モーツァルトのこのオペラだけはこれを熱愛したという。

『ドン・ジョヴァンニ』の筋は以下の通りだ。ドン・ジョヴァンニ（ドン・ファン）とは、もちろん、女たらしで知られた伝説の貴族だ。オペラは、彼が、騎士長の娘アンナを誘惑し、手込めにしようとするところから始まる。これに気づいた騎士長、つまり父親は、娘と家を守るため、ドン・ジョヴァンニと決闘するが、逆に彼に殺されてしまう。その後、ドン・ジョヴァンニは、昔捨てた貴族の女に追いすがられたり、結婚しようとしている村の娘を口説いたり、する。重要なのは、彼が、下男レポレルロと墓場で落ち合うシーンである。この墓場にはたまたま、ドン・ジョヴァンニが殺したあの騎士長の墓があった。騎士長の彫像の墓石をもつ墓が、である。ドン・ジョヴァンニが、自分の悪行をレポレルロに話していると、突如、騎士長の声が聞こえてくる。レポレルロの方は恐怖に戦慄するが、ドン・ジョヴァンニは平然としている。レポレルロに、彫像の台座に刻まれた碑文を読ませると、「わが命を奪った不信心者への復讐を、われここに待つ」とある。ドン・ジョヴァンニはこれに動じず、死の予告も無視して、むしろ嘲笑的な態度で応じた。そして怯えるレポレルロの口を通じて、騎士長(彫像)を晩餐に招待した。騎士長はこれに応えて、ほんとうに晩餐にやって来る。晩餐の参列者たちを皆、恐怖に陥れながら。しかし、ドン・ジョヴァンニだけは動揺しない。騎士長=彫像は、返礼としてドン・ジョヴァンニを招待しようとする。ドン・ジョヴァンニを回心へと誘っているわけだが、彼はこれを拒否した。最後に、彫像に手をつかまれながら、ドン・ジョヴァンニは死んでしまう。地獄の責苦が彼を待っていることが暗示される。

フロイトが執着した彫像=茸は、『ドン・ジョヴァンニ』の騎士長に違いない。

＊

モーツァルトの『ドン・ジョヴァンニ』は、今紹介したように、不道徳なドン・ジョヴァンニを罰する物語である。では、フロイトの周辺に、ドン・ジョヴァンニに比定できる人物はいたのか。まずフロイト自身はどうか。彼は女性関係についてはとても厳格だったので、ドン・ジョヴァンニには見えない。バルマリは、フロイトの伝記的事実に関する精密な実証研究をもとにひとつの結論を導いている。フロイトのすぐ近くに、確かに、ドン・ジョヴァンニがいたのだ、と。それは、彼の父ヤーコプ・フロイトである。*5

ヤーコプは、いわゆるアシュケナージのユダヤ人で、オーストリア帝国のモラヴィアで毛織物の商売を営んでいた。彼は、ジークムント（ジキスムント）が三歳のとき、妻子を連れてウィーンに移り住んだ。ヤーコプは、公式には、生涯二人の妻をもったことになっている。最初の妻とは死別している。ジークムントは、ヤーコプの二番目の妻の子として、一八五六年に生まれた。そのときヤーコプは四十歳だった。だが残されている資料を精査してみると、ヤーコプは最初の妻とフロイトの母との間にもう一人別の女性を妻としていた、と推定できる。ヤーコプのほんとうの二番目の妻は、この女性で、ジークムントの母は実際には三番目の妻である。その二番目の妻の名こそ、「レベッカ」である。レベッカのことは、秘密にされており、公式の記録は残っていない。彼女は、ある日、突然失踪している。どうして消えたのか、理由や原因はまったくわからない。おそらく、ここにヤーコプの女性関係についてのスキャンダルがある。女性に関して不道徳な放蕩者、つまりドン・ジョヴァンニとは、フロイトの父である。

では、フロイト自身は、自分の父ヤーコプの二番目の妻のことを知っていたのだろうか。知っていたことを確証する資料はない。フロイトは、誰にもこのことをはっきりと語っていないし、どこかに書いたりしたこともないようだ。しかし、ここでは紹介しないが、バルマリが提示しているいくつもの状況証拠は、フロイトがレベッカと父との関係を知っていた、ということを強く示唆している。[6] とりわけ重要な状況証拠は、先に引いたフリースへの手紙である。フロイトが何も知らなかったとしたら、どうして、肝心なことを書いているとき突然、「レベッカ」などという名前が出てくるのか。だが――ここからはまったくの推測だが――、フロイトは知っていたのだが、自分が「知っているということを知らなかった」のではないか。つまり、彼は、無意識のうちでのみ知っていたのではないか。精神分析の教えによれば、人は自分が知っていることをすべては自覚していない。無意識に知っていることは、しかし、ちょっとした言い間違いや連想の中で姿を現す。あるいは、精神分析の臨床の場では、自由連想の中で、出てきたりする。だが、それにしても、無意識に知っている、とはどういうことなのだろうか?

いずれにせよ、エディプス・コンプレックスの理論に到達したことを知らせる手紙の中で、父の隠された、もう一人の妻のことが言及されているのだ。このことが、何らかの意味で、「エディプス」と関係している。しかし、どう関係しているのか。

*

状況の複雑さに、もう少し注意しておかなくてはならない。ドン・ジョヴァンニは、父ヤーコプであろう。しかし、ドン・ジョヴァンニを罰した騎士長＝彫像もまた父ではなかったか。騎士長は、娘アンナの死んだ父――ドン・ジョヴァンニによって殺された父――である。

先に述べたように、彫像と茸は等価である。茸に関して、バルマリは、フロイトの息子マルティーン・フロイトの著書『わが父、フロイト』に、マリー・ボナパルト[7]が寄せた解説から、次のような部分を引用している。

マルティーンは、彼にとっては父であったあの偉大なる人物と共に生きた幼年時代の印象を、そして野いちごや彼の父があれほど愛した森の中で樅の大木の下に見つけては大喜びしていた大きな茸（*Herrenpilze* ヤマドリタケ）の香りに満ちた山の中の夏休みを、生き生きと描き出している。*8

ここからわかることは、フロイトが愛した茸が Herr という名をもっていたということである。Herr、つまり主人、支配者、あるいは神でもある。もちろん、それは「父」にも通じている。したがって、父は、対立した二つのポジションに分裂している。ドン・ジョヴァンニでありかつ、騎士長（彫像）でもある。ではフロイト自身はどこにいるのか。『ドン・ジョヴァンニ』の中で。さしあたって彼は端役である。フロイトは、フリース宛の手紙で――あの「レベッカ」の手紙の五ヵ月ほど前の手紙で――「親愛なるヴィルヘルム、『すべての驚異のカタログ』を同封する、等々」と書いている。カタログとは、フロイトの著作目録のことだが、この言い回しは、『ドン・ジョヴァンニ』を踏まえている。オペラの前半に、下男レポレルロが、ドン・ジョヴァンニへの未練を断つことができず、彼を追いかけてきた貴族の女に対して、主人ドン・ジョヴァンニがこれまでものにした千三人の女性の名を記したリスト――誘惑者の悪行の記録――を読み上げる場面がある。このリストこそ「すべての驚異のカタログ」である。フロイトは、レポレルロに自分を同一化しているように見える。

2　モーゼ像

われわれは今、マリー・バルマリの研究に依拠しながら、エディプス・コンプレックスの理論の誕生自体を、精神分析的に解明しようとしている。エディプス理論への飛躍は、フロイトの父の死から一年の間に起きている。父ヤーコプが死を迎える頃、フロイト自身は、すでに神経症とりわけヒステリーの病因に関して、ひとつの理論を抱き、それにかなり強い確信をもっていた。これが先に引用した、フリースへの手紙の中で、「もう信じない」として退けられた「僕の神経症理論」である。エディプス・コンプレックスの理論によってとって代わられたその「僕の神経症理論」は、「誘惑理論」等と呼ばれている。

誘惑理論は、今日の立場から見ると、かなり現代風のものとも言える。つまり、現在の心理療法家がいいそうな理論だ。それは、神経症は、患者にとって支配的な地位にある者——通常それは父親である——が、患者が幼い頃、患者に対して行った虐待、とりわけ性的な誘惑（凌辱）に起源がある、とするものだ。誘惑者の行いは患者に強い嫌悪感を与えるが、幼い患者にはその意味はさしあたっては理解できない。後年、患者の強い嫌悪は、ヒステリー的な症状のかたちをとって再現する。誘惑理論によれば、支配者＝誘惑者の過ちが、その子供に、まるで遺伝のように伝達され、症状として現れる、ということになる。

この誘惑理論にフロイトは強い確信をもっていたのだが、父の死からあまりときをおかない頃に、これを放棄してしまう。代わってフロイトが提起したのが、精神分析の最も重要な公理となった、エディプス・コンプレックスの仮定である。両者の最大の違いはどこにあるのか。誘惑理論に従えば、神経症は、外部の他者（支配者、父親）からの伝達によってもたらされる。しかし、エディプス・コンプレックスを前提にした場合には、神経症の源泉は、患者自身の内面のドラマにある、ということになる。

バルマリの関心は、フロイトがどうして誘惑理論を放棄して、エディプス・コンプレックスの理論を打ち立てたのか、にある。われわれはこれをもっと広い歴史的・文化的なコンテクストにおいて再解釈してみたいのだが、そのためにも、何が起きたのかを、もう少し追究しておく必要がある。

実は、影像を蒐集するフロイトの習癖は、父の死後に始まっている。その他、私生活という点では、父の死とともにさまざまなことが変わった。フロイトの妻の妹が、フロイトの家族とともに同居するようになった。フロイトは、妻マルタとの間に六人の子供をもうけたが、父の死後には新たな子はつくっていない。そして、自分の人生にとっての父の意義の評価が、逆転する。父の死の直後には、フロイトは、英知と空想力をあわせもつ「父は、僕の人生のうちである大きな役割をはたした」と述べていたが、その一年後には、自分の人生のなかで父がいかなる重要な役割ももたなかった、とまったく逆のことを主張している。

＊

フロイトが執着した影像の中でも特権的なのが、モーゼの影像である。フロイトにとってモーゼが特別に重要だったということは、彼が、モーゼにかんする個性的な文章をいくつか書いていることからも明らかだ。

バルマリは、実に驚くべきことを発見している。先ほど述べたように、フロイトには、六人の子供がいた。六人の名前のイニシャルをとってみる（ただし六人目の子供のアンナについてはユダヤの洗礼名ハンナに書き直す）。*Mathilde*、*Martin*、*Olivier*、*Ernst*、*Sophie*、*Anna* → *Hanna*。これらイニシャルをアナグラム風に並べ替えると——二つあるMは一つに圧縮した上で並べ替えると——、MOSHE、すなわち——普通とは異なるスペルではあるが——モーゼを得る。[*9] これは偶然か。偶然でないとしても、フロイトは、意図的に自分の子にこのような名を与えたわけではないだろう。ここに働いていたのは無意識の思考である。

特権的なのはモーゼの彫像だと述べた。それは、ローマにある。ミケランジェロ作のモーゼ像だ。フロイトは生涯、何度かローマを訪れている。その最終目的先は、おそらくこのモーゼ像だったのだろう。フロイトは、一九一四年に——匿名で——「ミケランジェロのモーゼ像」を発表している。

実は、ローマ旅行についても、少し不可解なことがある。フロイトは、西洋文明の中心とも見なしうるローマに強い憧れをもっている。しかし、父が死ぬまでは、一度もローマに行ってはいない。父の死後、早速のように、ローマ行きを計画するのだが、どういうわけか、その度に、説明しがたい心的な障碍にぶちあたり、計画を取りやめてしまう。何か本人も理解できていないことが、フロイトのローマ行きを阻んでいるように見える。

フロイトが初めてローマに行ったのは、二〇世紀の最初の年、つまり一九〇一年である。このときをフロイトは自ら、「私の生涯の頂点」と呼んでいる。ローマ行きの前年に、『夢解釈』が公刊されている。

3　精神分析の精神分析

さて、謎を解いてみよう。どのようにして、エディプス・コンプレックスの理論が生まれてきたのか。見てきたようなフロイトの症状と、この理論の誕生とはどのような関係にあるのか。以下の説明は、実のところ、バルマリが与えている解釈とは少し異なっている。だが、細かな相違をひとつずつ指摘したり、批判したりしながら議論を進めることに重要な意味があるとは思えないので、以下に、私の考えを述べることにしよう。

フロイトが捨てた理論、誘惑理論とは、誘惑者＝支配者の過ちが、患者に伝達する――「遺伝」する――というものであった。フロイトはこの理論にかなりの自信をもっていたが、放棄してしまうのだった。しかし、ある意味で、フロイトの症状――茸や彫像に対する異常な蒐集癖――は、まさに誘惑理論的な現象になっているのだ。

支配者にあたる父ヤーコプ・フロイトの過ちとは何か。言うまでもない。ドン・ジョヴァンニのように女性に対して不道徳だったことである。この過ちは、フロイトに「遺伝」しているだろうか。フロイトは、女性に対して臆病なほどに潔癖だったので、父から同じ過ちは、引き継がれてはいない……と先に述べた。しかしよく目を凝らしてみよう。ここで、彫像の中の彫像、彫像の原点は、（ローマの）モーゼ像であることを思い起こす必要がある。つまり、父を表象する騎士長の彫像とモーゼ像は同一視することができる。モーゼ＝父とは何者であったか。言うまでもなく、イスラエルの指導者であり、最大の預言者である。彼こそが、神から十戒を授かったのだ。十戒の中で、最も重要な命令は何か。偶像崇拝の禁止である。人は偶像を作ってはならず、これを拝んではならない。

彫像を集め、これらを愛することは、偶像崇拝に他なるまい。フロイトは、ドン・ジョヴァンニが次々と女性を誘惑したのと同じように、禁じられている偶像を次々と集めてきては、それらを身の回りに置き、モーゼを通じて与えられた戒めを破っているのだ。女性を偶像（彫像）に置き換えて、フロイトは父の過ちを引き継いでいることになる。ここまではバルマリも同じように分析している。が、問題はその先である。

どうして、父の過ちは子に引き継がれてしまうのか。どうして、フロイトは、かたちを変えて、父と同じ過ちを繰り返さずにはいられないのか。このことが説明できると、誘惑理論的な現象を通じて、フロイトが、エディプス・コンプレックスの理論を打ち立てざるをえなかった理由が理解可能なものとなる。

この問題、つまり子（フロイト）は父の過ちをなぜ引き継がざるをえないのか、つまりどうして、子は父と同じ罪を犯すのか、という点については、次のように説明されるだろう。父＝支配者は、これに従属する者（子）にとって、規範＝法の妥当な効力を保証する原点、妥当性の根拠である。神に従う者にとっては、神が、そしてまた預言者モーゼが、律法をまさに妥当なものとして成立させている。だが、もし、神や預言者が過ちを犯していたらどうか。法の妥当性の根拠となる支配者自身が罪を犯していたらどうなるのか。このとき、規範の妥当性は否定され、規範はその効力を停止してしまうだろう。支配者を規範・法の原点と認めつつ、同時にその規範・法に反する過ちを帰属させることは不可能だ。支配者自身が公然と過ちを犯していれば、そこに源泉をもつ規範の妥当性も停止してしまうからだ。

それにもかかわらず、従属者が「過ち」を認知してしまった場合にはどうすればよいのか。過ちは、誰かの過ちでなくてはならない。過ちは、誰かに帰責されなくてはならない。しかし、今述べたように、父＝支配者は過ちを犯すことはできない。そうであるとすれば、その過ちは、従属者自身の過ちでなくてはならない。こうして、従属者は、自らが支配者のうちに直観的に見出した過ちを、自分自身の過ちとして引き受けてしまうのである。従属者は、その「過ち」が支配者の過ちであることを否認するために、どうしても自らがその過ちを引き受けざるをえなくなるのだ。これが、過ちの「遺伝」と見なしうる現象である。

フロイトは、父ヤーコプの過ちを――無意識のうちに――知っている。父にはレベッカという名の秘密の妻がいた。父は、ドン・ジョヴァンニのように罪を犯していたことを、フロイトは知っているのだ。しかし、父に過ちを帰すわけにはいかない。「そうだ、お父さんは悪くない。悪いのは僕だ」。いわば、フロイトは父の罪をかぶっているのである。最初、父に見出された欠点、父において見出された過ちは、子であるフロイト自身が自らの過ちとして引き受け、行動に移す。こうして、フロイトは、ドン・ジョヴァンニのように、彫像を集めることになる。

「レベッカ、ドレスを脱げ、お前はもう花嫁じゃないんだ!」という宣言は、こうした文脈で理解可能なものとなる。子であるジークムントが罪を引き受けた以上は、ヤーコプの罪は贖われている。つまり、ヤーコプは、過ちを犯してはいなかったことになる。だから、レベッカは今や、父の秘密の妻ではない。彼女は、「花嫁」の資格を失ったのだ。そうである以上、レベッカはウェディング・ドレスを脱がなくてはならない。

さらに、精神分析のその後の展開を先取りして、次のことを思い起こしてもよいだろう。精神分析が臨床の場で見出す最も重要なことは常に、患者の罪、患者の（過ちに関する）責任ということであった、ということを、である。『夢解釈』の中で最も大事な夢は、「イルマの注射の夢」として知られているフロイト自身が見た夢である。イルマとは、フロイトが治療にあたっていた患者である。夢は、フロイトの誤診をめぐるものだ。フロイトは、自分がイルマを誤診したかもしれない、とんでもない過ちを犯したかもしれない、という不安を抱いていたのである。

＊

だがこのような効果が、つまり（父から子への）過ちの「遺伝」のようなことが起きるためには、ひとつの条件が満たされていることが必要だ。条件とは、支配者＝父の「実体としての同一性」が確定的で、曖昧さがないものとして、従属者＝子には現れていなくてはならない、ということである。つまり、支配者が何者であるのか、ということが確定的なものとして、従属者に認知されていなくてはならない。そのときはじめて、「A（正しい法の与え手）」でありかつ「非A（過ちを公然と犯す者）」でもあるという両義性をもつことが不可能になるからだ。フロイトの父ヤーコプは、最初の設定の中では、極端な両義性を帯びている。ヤーコプは、罰する騎士長であると同時に、彼に罰せられるドン・ジョヴァンニでもあった。だが、フロイトが、ドン・ジョヴァンニの役を引き受けることで、父は騎士長として純化されることになる。こうして父の同一性が確定的なものとなる。

過ちは、このように支配者（父）から従属者（子）へと転移され、前者は浄化される。しかし、このことは、支配者の方に代償を要求することになる。つまり、支配者は、その存在の仕方を根本的に変容させざるをえなくなる。たとえば、フロイトは、ほんとうは、父ヤーコプには秘密の妻がいて、父が道徳的にいかがわしいことを知っているのだった。だが、真の支配者、ほんとうの父は、過ちを犯しえないはずだ。そうだとすれば、今、自分の目の前にいる、欠点だらけの具体的な父は、ほんものの支配者、ほんものの父ではないことになる。こうして真の支配者、ほんとうの主人は、具体的なこの父の向こう側に、その彼方に措定されることになる。要するに、支配者＝父は、具体的な現れから離れて、完全に抽象化され、理念化されてしまう。それこそが、死んだ父にほかなるまい。「死んだ父」によって表象されているのは、具体的な現れとしては否定され、抽象化され尽くした父である。

だから、真の父は死んでいなくてはならない。つまり、父は殺害されなくてはならない。こうしてエディプス・コンプレックスが生まれる。「死」という様態で抽象化・理念化されている父と具体的な父との関係から、かつて『近世篇』で論じた、王の二つの身体――政治的身体と自然的身体の二重性――を思い起こすかもしれない。確かに似ている。しかし、決定的に異なってもいる。王の政治的身体が機能するためには、自然的身体の支えを絶対的に必要とした。しかし今や、死んだ父は、生ける具体的な父を必要としない。

『ドン・ジョヴァンニ』がフロイトを魅了したのは、これが、死んだ父が不道徳なドン・ジョヴァンニを制裁する物語だからである。騎士長が物語の冒頭でいきなり殺されていなければ、そして騎士長が墓石でもある彫像として再来するのでなければ、このオペラはフロイトを惹きつけることはなかっただろう。

フロイトは最初は、父が彼の人生の中できわめて重要な役割を担ったと述べていたのに、エディプス・コンプレックスの理論を発見する直前には、父は彼の人生の中ではたいした価値をもたなかったとまったく逆の趣旨のことを述べている。どうしてこんな極端な逆転が生じたのか。それは、「父」があまりにも抽象化され、フロイトが父に抱いていた具体的なイメージから遊離してしまった結果である。フロイトにとって最終的に重要だったのは、抽象化され、理念と化した父である。その父は、フロイトがイメージすることができる具体的な「あの父」ではもはやない。*10

フロイトは、茸の上に帽子をかぶせることに執着したのであった。これは、現実の具体的な父を、あるべき理念的な父へと置き換える操作そのものだったのだ。このことは、『夢解釈』にフロイト自身が記しているエピソードから直ちにわかる。フロイトが十歳か十二歳の頃のことだという。

ある時、父は、私の生まれた時代が父のときよりどれほど良くなっていることかと言って、次のような話をした。「若かった頃の話だが、君の生まれたあの街で、土曜日に、父さんは一張羅を着て真新しい毛皮の帽子を被って通りを歩いていた。すると、あるキリスト教徒がすれ違いざまに父さんの帽子をぬかるみの中に叩き落として、歩道を歩くんじゃない、ユダヤ人、と言ったものだ」。「で、お父さんはどうしたのです?」と私が尋ねると、父は穏やかに「車道に降りて帽子を拾ったさ」と答えたのだった。*11

これを聞いて、少年は「小さな私の手を握っている大きくて強い男にしてはまるで英雄らしからぬ話だ」と思う。そして、この話は、ハミルカル・バルカスが息子のハンニバルに、家の祭壇の前で、ローマ人に復讐を誓わせた話に置き換えられるべきだ、と空想する。だから、後年、フロイトは、帽子を父（茸）の頭に置きなおし、父の身体に英雄としての威厳を――ハミルカル・バルカスのような威厳を――取り戻していたのだ。

*

ところで、あのローマ旅行についてはどうであろうか。どうしてフロイトは、憧れのローマに、なかなか行くことができなかったのか。この疑問に対しては、バルマリがまことに巧みに答えているので、それを紹介せずにはいられない。[*12]

フロイトのローマ旅行の目的は、ミケランジェロのモーゼ像を見ることにある。モーゼは、『ドン・ジョヴァンニ』の騎士長が放蕩者に制裁を加えたように、神との契約を守らなかった者を厳しく罰する。フロイトは最初、下男レポレルロに同一化するのだった。不信心者（ドン・ジョヴァンニ）の従者たるレポレルロは、騎士長の彫像が語り、動くのを見てひどく怯える。彼は自分が悪行を繰り返してきた主人と一緒に罰せられるのを恐れているのだ。同じように、不信心者（ヤーコプ・フロイト）の息子も、モーゼの眼差しを恐れたのだ。だから、彼は、モーゼ像の前に行くことができない。後年――エディプス・コンプレックスの理論に思い至ったとき――、フロイトは自分自身をドン・ジョヴァンニの位置に代入するが、モーゼ＝騎士長を恐れなくてはならない、という点は変わらない。
しかし、父の死後五年してから、突然、ローマ旅行への心的な抵抗が消えてしまった。それは、『夢解釈』を書き上げたからなのだが、どうして、この書物にそのような効果があったのか。それは、ミケランジェロのモーゼ像がどのように配置されているかを見るとわかる。

サン・ピエトロ・イン・ヴィンコーリ教会のモーゼの座像は、教皇ユリウス二世の墓の中に組み込まれている（騎士長の彫像が騎士長の墓でもあったように）。そのモーゼの両側には、レアとラケルの像がある。レアとラケルは旧約聖書に登場する人物だが、モーゼとは直接の関係はない。この二人の女性は姉妹で、同じ一人の男と相次いで結婚した。その男とは、族長ヤコブである。ヤコブは、もちろん、フロイトの父ヤーコプと結びつけられる。ヤーコプも、公式には、二人の妻をもった。

レベッカを無視すれば、フロイトは、公式には、ヤーコプの二番目の妻の長男である。では族長ヤコブの二番目の妻（ラケル）の長男は誰なのか。ヨセフである。ヨセフは、不幸な経緯の後にエジプトに送られ、そこの宮廷で夢の解釈者として成功する人物だ。彼は、父ヤコブからも愛されていた。[*13]『夢解釈』を上梓したフロイトは、今や、自らをヨセフと同一化させることができる。ヨセフならば、ヤコブ（＝モーゼ像）を恐れる必要はない。

4　資本主義とエディプス

精神分析という知の成立自体を――エディプス・コンプレックスの理論の誕生を――精神分析

的に説明してきた。するとこんなふうに思われるかもしれない。精神分析は、フロイトの非常に個人的な事情を母胎として生まれてきた、と。しかし、そうではない。そうではないということを示すためにこそ、精神分析的なフロイトの人生の解釈を提示してきたのだ。フロイトの人生を、本プロジェクトで論じてきたこと、とりわけ『近代篇』で論じたことのコンテクストに置けば、彼の人生において起きていたことが、徹底的に社会的な現象であったことがわかってくる。その人生は、まさに個性的で特異的であることにおいて、鋭敏に社会的なダイナミズムを反映しているのである。ただし、この点を理解するためには、どうしても、人生をめぐる事実に精神分析的な解釈をほどこしておく必要があった、というわけだ。

まず、フロイトの態度、フロイトの彫像に対する執着は偶像崇拝のようなものであり、一神教の擁護者であるモーゼ（死んだ父）がこれを罪と見なし、罰する、という構図が成り立つのであった。この偶像崇拝的なものから一神教へという転換は、『近代篇』の中で何度か参照した、ヘーゲルの宗教哲学が提起しているダイナミズムと類比的である。[*14] つまり、フロイトのここでの態度は、措定的反省に対応する古代ギリシアの宗教から外的反省に対応する一神教（ユダヤ教）への転換と同じ形式の論理に従っている。一神教の立場からは、ギリシアの美の宗教は、偶像崇拝に見えるはずだからだ。

ギリシアの宗教は、多様な精神的個体に美を見出し、そのことにおいて直接無媒介にそれらを世界の本質として措定する。ドン・ジョヴァンニが、多数の女たちを次々と愛したように、である。

それに対して、一神教（ユダヤ教）は、多様な個体を包摂する究極の一者との関係ですべてを規定する。一神教では、さまざまな個体に関して直接「これが本質だ」とする措定は廃棄されている。しかしなお、世界を意味づける規定は、一者〔唯一神〕を無媒介で与えられた前提としなくてはならない。それが「外的反省」と見なされる所以はここにある。一神教は――美の宗教との対比で――崇高の宗教である。フロイトは、ミケランジェロのモーゼ像について、こう述べている。それは「教皇自身の像〔ユリウス二世の像〕と同じように、崇高な静止状態のうちにとどまりうるものでなければならない」と。ここで「崇高な hehr」は、Herr〔主人、神〕に通じる語である。*15

ただし、ここには、反省の三幅対の最後に置かれる反省、規定的反省に対応する契機は欠けている。

*

その代わり、「措定的反省から外的反省へ」という運動の反復がある。どういうことか。いくつもの彫像への愛は、一種の偶像崇拝であり、美的対象の無節操な享受である。それは、モーゼが代表する一神教的な態度の中で、過ちや罪として意味づけられる。偶像という特殊な個体への愛を、神への普遍的な愛と取り違えていたことになるからだ。しかし、フロイトの幻想的世界の中で、モーゼもまた彫像ではないか。そうだとすれば、いったんは唯一神として措定された彫像もまた、すぐにもうひとつの偶像として相対化されなくてはならない。

たとえば、フロイトは、ミケランジェロのモーゼ像を見たとき、今しがた述べたように、そこに崇高な不動性を見て感動するのだが、すぐに、それがまったく動かないことに失望する。「今にもこの彫像が身を起して跳び上り、石板を大地にたたきつけ、怒りを爆発させるのが見られるだろう」とひそかに期待していたからである。これは、もちろん、フロイトにとって、「モーゼ像」と「騎士長の彫像」とが等価であった、ということまでの議論にさらなる傍証を与える事実だが、同時に、こうも言える。モーゼ像が、あちこちを動き回るはずのものとして見えていると き、彼は、そこに、世界を統括する唯一神ではなく、偶像を見ている、と。とすれば、このような見方は、再び、一神教的な世界の中に包摂され、相対化される必要がある。

だから、「美」の宗教に見立てられる態度から「崇高」の宗教に比せられる態度への転換、措定的反省から外的反省へという飛躍は、何度も繰り返されるのだ。すると、ここからすこぶる重要なことが導かれる。エディプス化への道、つまりエディプス・コンプレックスの理論に説得力を与えるような世界観への過程は、資本主義的な動態である、と。ここで「資本主義」の意味に気をつけなくてはならない。この概念は、本プロジェクトの議論の中で明らかにしてきたような意味で理解しておく必要がある。

なるほど、ごく表面的に見ても、茸や彫像への異様な執着、これらの物の蒐集癖は、資本の運動の隠喩のように解することができるだろう。資本主義を定義している条件のひとつは、資本蓄積が無限になる、ということである。「ここまでで十分」という蓄積の水準があるわけではない。すべての資本は、どこまでも価値の増殖を目指さなくてはならない。そうしなければ、敗者としてシステムの外に放逐されてしまうのが資本主義である。フロイトの蒐集への情熱、彫像をあくことなく集めようとする欲望は、確かに、無限の資本蓄積を連想させる。

「茸」とか「彫像」といえば、些細な趣味や余技の類ではないか、と思うかもしれない。だが、それらは、(ドン・ジョヴァンニにとっての)「女」の代理物であることを無視してはならない。「女」であれば、人間の——少なくとも男の——本源的な欲望の対象である。また、フロイトが自分の著作目録を、ドン・ジョヴァンニの「驚異のカタログ」に見立てていたことをもう一度、思い起こしておこう。フロイトが書いた膨大な量の著述物は、ドン・ジョヴァンニの女にあたる。ドン・ジョヴァンニが次々と女を誘惑し、「女のコレクション」を増やしていったのと同じように、フロイトは書きまくった。そして彫像と茸が、「女」と「著作」との等価性を媒介していることを思えば、それらを蒐集する習癖を重く見なくてはならない。

それゆえ、茸・彫像を集めることへのフロイトの執念を、無限の資本蓄積に類比させることは悪くはない。しかし、真に重要なポイントは、ここにあるわけではない。どうして蒐集が止まることがないのか。無限の蓄積は何に媒介されているのか。これが肝心なことである。この点においてこそ、資本主義についての深い理解が要求される。エディプス・コンプレックスが資本主義的な現象だとする命題も、そうした理解に支えられて有意味なものとなる。

資本主義は経済現象ではない。資本主義は、はっきり言えば、宗教である。もう少し特定すれば、資本主義は、変形されたキリスト教、ある種のタイプのキリスト教の転換された形態だ。資本主義は、自分自身が宗教であることの自覚を完全に欠落させた宗教である。宗教としての資本主義が、経済現象にもなるところに興味深い点があるわけだが、まずは宗教現象であることを前提にしておかなければ、経済現象における資本主義の特徴も理解できない。これらのことは、このプロジェクトの中で繰り返し示唆してきたことだ。

資本主義についてのこうした理論にとって、最も重要なインスピレーションの源泉は、もちろん、マックス・ヴェーバーの研究である。われわれも何度もヴェーバーを参照してきた。だが、ここでは、ヴァルター・ベンヤミンのエッセイ「宗教としての資本主義」の助けを借りることにしよう。[*16] ベンヤミンの論には、もちろん、ヴェーバーのような分厚い実証性はないが、しかし、彼は、ヴェーバーの言おうとしていたことをヴェーバー以上に徹底させて論じている。ヴェーバーの議論は、資本主義は、プロテスタントの信仰の世俗化であるという含みがある。つまり、ヴェーバーによれば、資本主義において、宗教性は希釈されている。ヴェーバーは、常識的な経済の理解の方に譲歩したのだ。ベンヤミンには、そんな妥協はない。資本主義はそれ自体ですでに、本質的に宗教現象である、と。

＊

資本主義がそれ自体固有の宗教であるということを前提にすれば、精神分析と資本主義とのつながりが見えてくる。実際、本章のここまでの議論は――フロイトの人生の精神分析は――、エディプス・コンプレックスがどれほど深く宗教に根ざしたことであるかを証明しているだろう。このことは、フロイト自身がどのような意識的信仰をもっていたか、ということとは直接には関係がない。資本主義もまた、自分の信仰を意識しているわけではないのだから。

ベンヤミンによれば、宗教としての資本主義には、他の宗教とはまったく異なったところがある。それは、贖罪による救済ではなく、罪を創ることを指向している、と。宗教は一般には、苦悩からの解放や罪の贖いを目指している。しかし、資本主義という宗教は違う。逆に罪を作り、それを決して消すことはなく、むしろ永続化する。資本主義という宗教が、キリスト教から派生していることを思うと、これは驚くべき逆説である。キリスト教の最大の主題は、贖罪、原罪からの解放だからだ。しかし、資本主義は消えない罪を作るメカニズムを内蔵している、というのは事実である。

その証拠は、先ほど指摘した現象、資本蓄積の無限化である。資本蓄積の衝動がどうして止まらないのか。資本主義に内在する者にとって、それがきわめて自然な欲望に見えるのはどうしてなのか。資本主義というシステムの中にいる誰もが本来的に、消えない負債を負っているように感じているからである。蓄積すればするほど、獲得すればするほど、むしろ負債が大きくなっていくように感じられている。こうして資本蓄積の衝動が止まらなくなる。そして——言うまでもなく——負債こそ「罪」の経済的な表現である。[17]

ここで、精神分析の方へと目を転じてみよう。前節でフロイトに即して述べたように、精神のエディプス的な構造にとって要となる条件は、従属者である子が自ら、過ちや罪を引き受けることにある。子は、父のものとして察知した罪や過ちを、自分自身の罪・過ちに転じてしまうのだった。その反作用として父は抽象化される（死んだ父になる）。エディプス・コンプレックスは、人が、決して消えない罪を負った者として自らを同定することで構成される。この意味で、エディプス・コンプレックスは、宗教としての資本主義の特徴を、そのまま現実化していることになる。

エディプス・コンプレックスを内面に獲得したものは、それゆえ、ほとんど強迫的に、罪深い偶像崇拝に淫するることになる。どんな行為が偶像崇拝になるかは、一義的には決められない。それは、必ずしも、通常の道徳の見地からして「悪いこと」ではない。フロイトにとっては、彫像を蒐集すること、そして著述することさえも偶像崇拝だった。貨幣によって表現される価値の増殖を目指して活動することもまた、一種の偶像崇拝だ。[*18]

ここで本節の冒頭で述べたことを繰り返せば、止まらない偶像崇拝への罪の意識から、「措定的反省（美の宗教）→外的反省（崇高の宗教）」という転換が繰り返される。もう詳しくは説明しないが、この転換は、神（第三者の審級）がその視野に収める領域の反復的な普遍化を含意している。偶像崇拝とは、特殊な個体に過ぎない物を、普遍的な意義をもつ神と取り違えることだからだ。偽の神（偶像）たちを相対化し、それらを包摂する唯一神が登場することは、だから、前者を特殊性として内部に組み込む普遍的な世界を、唯一神の視線の相関項（対象）として措定することを意味している。ところで、このような普遍化をめざすダイナミズムこそ、資本の本質であった（『近代篇2』の第6章でドストエフスキーの『白痴』を題材にして論じたことを参照）。

5　食卓と診療室

ベンヤミンによれば、宗教としての資本主義は、聖日と労働日との間の区別を廃棄してしまうところに特徴がある。重要なのは、廃棄の仕方である。聖日の方が労働日に吸収されて、区別が消えるのではない。労働日もまた一種の聖日と化すことで、つまり労働そのものが宗教的に意義深い活動と化すことで、両者の区別が捨てられるのである。この現象は、ヴェーバーが「世俗内禁欲」という語で指し示したことに等しい。

そこで、本章の考察の最後に、もう一度、フロイトという主題に立ち返り、彼に関連した二つの空間を見ておこう。二つの空間とは、聖日や祝祭との結びつきが強い空間と、労働に関連した空間だ。前者はフロイト家の食堂。後者は、フロイトにとっての労働の場である診療室。それぞれの空間が宗教性を帯びており、空間に置かれた物たちによって、ここで提起した精神分析的な解釈の妥当性を再確認させるものになっている。

フロイトの家族の食事の風景は、次のようなものだった。[*19] この食事には、——第1節に引いたジョーンズの言葉が示しているように——しばしば、「彫像」が招かれていた。食事は規律に支配された厳粛なものだったという。食事が載せられた食卓Tableは、モーゼが神から授かった、十戒を記した石板を連想させる。先に、フロイトは、父が死んだ後、妻マルタの妹ミナを呼び、一緒に暮らしていた、と述べた。すると、フロイト家の食堂に、ローマにおける教皇ユリウス二世の墓が、つまりミケランジェロのモーゼ像が再現されていることがわかるだろう。テーブル（石板）、彫像、頭文字を並べると「モーゼ」となる子どもたち、そして一人の男（フロイト）と生活している二人の姉妹（レアとラケルのようなマルタとミナ）。

では、仕事場、つまり診療室はどうだったのか。患者を寝かせるための長椅子を囲むように、三つの物が置かれていた。[*20] 一枚の絵とレリーフと写真である。絵が最もわかりやすい。それはスフィンクスとエディプスを表していた。謎を前にしたエディプスだ。

複製のレリーフは、「グラディーヴァ」という女性の像である。グラディーヴァは、ヴィルヘルム・イェンゼンの小説『グラディーヴァ——あるポンペイの幻想小説』（一九〇三年）に登場する女性だ。フロイトは、ユングに教えられて知ったこの小説をいたく気に入り、シュルレアリスムの一派に圧倒的な影響を与えることになった論文「W・イェンゼンの『グラディーヴァ』における妄想と夢」を書いた（一九〇七年）。まず注目すべきは、この小説が歩く彫像を――またしても動く彫像だ――主題としている、ということである。主人公の若い考古学者は、美術館で見た、若い女性が裾を持ち上げながら歩く姿を描いた古代のレリーフに魅了され、その女性に「グラディーヴァ」という名を与える。彼は旅先のポンペイで、グラディーヴァとそっくりそのままの姿で歩く女性と出会う。考古学者は、最後に、この女性グラディーヴァ（ベルトガング）と結ばれる。

フロイトが診療室に置いたのは、小説の題材になったとされるヴァチカン美術館所蔵のレリーフの複製で、実際に、裾をもって歩く女性が描かれている。この「グラディーヴァ」は、本章で分析の対象としてきた彫像の一種と考えてよいのではないか。性別が男性ではなく女性であることに問題はないだろうか。ない。フロイトが蒐集した彫像の源泉は、ドン・ジョヴァンニが追いかけ回した女性たちだったことを思い起こせばよい。動く彫像が女性化するのは、きわめて自然な変換である。

診療室に置かれた写真は死者の肖像だ。死者とは、フロイトが崇拝していた友人フライシュルである。私の考えでは、この友人の肖像写真は、「死んだ父」の写真と等価な機能をもっている。そのように考える根拠を述べよう。フロイトは、フライシュルを父のように尊敬していた。何より重要なことは、この友人の死にフロイトは責任がある、ということだ。フロイトがフライシュルを殺したと言ってもよいくらいだ。フライシュルは、モルヒネによる中毒症状で苦しんでいたので、フロイトは、モルヒネの代わりにコカインを与えたのだ。フロイトは当時、モルヒネと違ってコカインは無害だと信じていたのだ。フロイトは善意によって、友人の死をかえって早めてしまったのである。死んだ友人の肖像写真は、それゆえ、フロイトに、取り返しのつかない過ち、消えない罪を思い起こさせる。「死んだ父」は、子である主体に消えない罪を刻み込む機能をもっていたことを思えば、フロイトにとって、フライシュルの写真は、死んだ父の写真よりもなお効果的だっただろう。つまり、それは――エディプス・コンプレックスのコンテクストで――父性の機能を、フロイトがその死になんの責任もなかった父の肖像写真よりもずっと効果的に果たしたはずだ。

こうして、フロイトの労働のための部屋も、また祝祭のための部屋も、そこに配置されたさまざまなアイテムを通じて、あたかもエディプス・コンプレックスの成り立ちを図解しているかのようである。つまり、二つの部屋は、ここで提起した精神分析的な解釈の妥当性を支持していると言ってよい。

本章でわれわれは、『近代篇』で見出した、西洋近代を成り立たせているメカニズム――とりわけ「宗教としての資本主義」――の最終的な結果として、精神のエディプス的な構造がもたらされている、ということを示してきた。エディプス・コンプレックスの理論は、一九世紀近代を成り立たせていた諸契機が結集することで生まれたものだ。この点を明らかにしたことには実は、さらなる狙いがある。この後、フロイトの理論に、とてつもなく大きな転回が生ずる。このことは、近代の後に、そして近代の延長線上に大きな断絶が現れることを示唆している。この断絶こそが、『現代篇』の主題となる。次章では、まずは、フロイトの理論に現れる転回とは何かを見定めることから始めなくてはならない。

1 『近代篇』参照。

2 マリー・バルマリ『彫像の男――フロイトと父の隠された過ち』岩崎浩訳、哲学書房、一九八八年（原著一九七九年）。

3 同書、七八頁。Ernest Jones, *The Life and Work of Sigmund Freud*, London: Hogarth Press, Vol.1 1953, Vol.2 1955, Vol 3 1957.

4 ロンドンのフロイト博物館に行くと、彼の膨大な彫像コレクションの一端に触れることができる。

5 バルマリ、前掲書、九〇―九六頁。

6 同書、一五七―一九九頁。

7 マリー・ボナパルトは、ナポレオンのボナパルト家の一員で、フロイトとも親交があった精神分析学者である。彼女の助けで、フロイトは晩年、ナチスから逃れイギリスに亡命した。

8 バルマリ、前掲書、一〇〇頁。

9 同書、一一〇頁。

10 ここで、『近代篇』で考察した、ドストエフスキーの『カラマーゾフの兄弟』のことを思い起こしておきたい（『近代篇2』第1章）。兄弟の父、田舎地主のフョードル・カラマーゾフは、どう見ても立派な人物とは言い難い。吝嗇で、長男と一人の女を争い合うほど好色だ。好色さに関して、フロイトの父ヤーコプも同じである。カラマーゾフの兄弟は、父殺しへの密かな欲望を抱いている。しかし、父が実際に何者かに殺されたことで、彼らは解放感を味わうわけではない。逆に、（自分たちが殺したわけでもないのに）罪の意識に苦しむことになる。彼らを道徳的に拘束するのは、死んだ父である。フロイトの場合も同様だ。ドストエフスキーに「父殺し」の欲望があると最初に見抜いたのは、ほかならぬフロイトだった。

11 フロイト『新訳夢判断』大平健編訳、新潮社、二〇一九年。

12 バルマリ、前掲書、一二六―一四三頁。

13 ヨセフの波乱万丈の人生は、『旧約聖書』の中でも最もよく知られた物語のひとつであろう（「創世記」）。ヨセフはヤコブにことのほか愛されたため、異母兄弟に妬まれ、エジプトに売り飛ばされてしまう。しかしヨセフは、エジプトの宮廷で王パロの夢を解いたことで認められ、宰相にまでなった。後に飢饉になったとき、彼は、ヤコブと彼を騙した兄弟たちを迎え、彼らを救った。

14　ただし、イルミアフ・ヨヴェルによって修正を施されたヘーゲルの宗教哲学――『宗教哲学講義』にある反ユダヤ主義的なバイアスを除去した上での論理でなくてはならない（『近代篇2』第7章）。

15　バルマリ、前掲書、一四四―一四五頁。

16　ヴァルター・ベンヤミン「宗教としての資本主義」内村博信訳、『ベンヤミン・コレクション7』ちくま学芸文庫、二〇一四年。また、ベンヤミンのこのエッセイを発展させた、ジョルジョ・アガンベンの以下の論考を参照している。Giorgio Agamben, *Creation and Anarchy*, Tr. Adam Kotsko, Stanford: Stanford University Press, 2019, Chapter 5.

17　ベンヤミンは、資本主義は人にSchuld（罪）を負わせる、と論ずる。Schuldは、「負債」という意味ももつ。

18　精神分析と資本主義との類比は、フロイトの人生についての先の考察に重要な留保をつけることになる。資本主義の特徴は、人はほんとうは負債はなくてもまるで消えない負債があるかのように振る舞う、ということである。それが、無限の資本蓄積につながっていく。同様に、エディプス・コンプレックスにおいて、人は、犯してもいない罪を背負う。その罪は、彼が、父のうちに見出した「過ち」を自らに転嫁したものだ。その父のうちに見出した「過ち」は、客観的な事実である必要はない。資本主義のもとで人が感じる本源的な負債感に客観的な根拠がないのと同様に、である。そうだとすると、フロイトの父ヤーコプの秘密の妻レベッカは、客観的には実在していなくてもよい、ということになる。それは、フロイトの幻想だったのかもしれない。エディプス化した主体は、父のうちに過ちを見たがっているのだ。その過ちが、否定的な媒介となって、「死んだ父」の支配が構成される。

19　バルマリ、前掲書、一四九―一五六頁。

20　同書、三七六―三七九頁。

第2章　もうひとりのモーゼ

1 無意識の発見

一九世紀近代を通じて、西洋は、エディプス・コンプレックスの図式による記述が適合するような精神の構造を確立した。このとき同時に、無意識という心的領域が見出され、精神分析なる知も誕生した。ところで、無意識とは何であろうか。無意識について、しばしばこんなイメージがもたれている。それは、意識の下の層にあって外には現れない何か、本人の内省によっては探り出すことができない深部のプロセスである、と。しかし、このイメージは間違っている。無意識は、このすぐ後に述べるようにはっきりと現れている。だが、そうだとするとただちに疑問が生ずる。どうして、無意識は、一九世紀が終わるときまで、発見されなかったのか？ どうして、このときに無意識が突然、発見されたのか？

まず、「無意識」という現象の逆説性に思い至らなくてはならない。私が何かを経験し、それゆえ私に対して何ごとかが立ち現れている。しかし、にもかかわらず、「それ」が——つまり私が経験し私に立ち現れている（と私が思っている）そのことが——、私がほんとうに経験したり、私にほんとうに立ち現れていることとは違う、と見なされるときに、無意識という現象が認定される。「無意識」は、経験の背後で働いている、不可視の因果関係や心理的な操作ではない。私が考えたり、感じたりしているとき、私の脳の中では、私自身に自覚されることなくさまざまな物質的な因果関係が作用しているわけだが、無意識とは、「別のシーン」で展開しているこの種の過程ではない。重要なことは、無意識もまた経験であり、私に対して現象しているということである。経験に、特殊な自己分裂が生じているとき、無意識は現出する。

フロイトが『日常生活の精神病理学』――『夢解釈』の翌一九〇一年に発表された――の中で紹介している症例によって、無意識とは何かを例示してみよう。[*1] それは、ある若い既婚女性の、ちょっとした「失敗」に関係したケースである。その女性は、自由連想のなかで突然、「昨晩、爪を手入れしていて、甘皮を傷めてしまった」という話をした。それは、文脈を外したあまりにも唐突な話題であった。その不自然さを補償する何かがあるはずだ。傷つけられたのが結婚指輪をはめる薬指だったこと、昨日は彼女の結婚記念日だったこと、そして、彼女が夫の不器用さや自らの不感症を暗示する夢を報告していたこと、これらの事実をもとに、フロイトは、爪の手入れの失敗には明確な意味があるのではないか、と推測する。とりわけ、フロイトは、傷つけられたのが左手だったのはなぜか、という点に注目する。（彼女の国では）結婚指輪をはめるのは右手が普通だったからだ。この疑問に対するフロイトの解釈はこうである。彼女の夫は、弁護士、つまり「法学博士 Doktor der Rechte（doctor of right）＝右の博士」である。それに対して、彼女が、結婚前に密かに愛していた男性は医者で、彼女は、彼を、親しみを込めて――「右の博士」と対照させて――「左の博士 Doktor der Linke（doctor of left）」と呼んでいた。ここからフロイトが暗示している結論は、次のようなものだと解釈することができる。彼女の些細な傷は、彼女の「結婚は失敗だった」という認識や、ほんとうに愛する人を選ばなかったことへの深い後悔を圧縮し、表現しているのだ、と。指を傷めることで、彼女は、誤った結婚相手を選んだ自分を懲罰しているのである。

この女性は、ただ偶然の過ちによって甘皮を傷めただけだと思っているはずだ。また特に深い理由もなしに、「昨晩の失敗」を話題に出しただけだ、と考えているに違いない。しかし、にもかかわらず、彼女には、あのとき――甘皮を傷めたとき――、ほんとうは自身の結婚に対する後悔の念が立ち現れていたのである。彼女は、自分の結婚が失敗だった、とは言わない。むしろ、結婚に満足しているとすら主張するだろう。また、彼女は、あの「医者（左の博士）」への未練がある、とも言うまい。にもかかわらず、彼女は、ほんとうは、自分の結婚が失敗だということを知っており、「左の博士」をまだ愛しており、そして、欺瞞的な妥協を図った自分に罰を与えるために、左手の薬指に傷をつけたのである。このように、経験している（と思っている）ことが、ほんとうに経験していることから乖離しているとき、無意識が宿る。

だが、すぐこう問われよう。私が経験したと自覚してはいないことが、いかなる権利においても、なお、私の真の経験だと言えるのだろうか、と。私に立ち現れている（と私が自覚していること）とは異なることが、なぜ「私にほんとうに立ち現れていること」としての身分を獲得することができるのだろうか？　経験されていないことが経験されており、立ち現れてはいないことが立ち現れている。この捩れはいかにして可能なのか？

一般に、無意識は――患者の無意識は――、精神分析家との関係の中で見出される。この事実がポイントである。私は、私の経験に関して何ごとかを認知している。たとえば、先の女性は、自分の爪の手入れ中の行為を偶発的な失敗として認識する。このように、私が直接に認知していることは、「意識」の水準に属している。それに対して、無意識の思考内容は、他者（精神分析家）に対して、立ち現れているのである。だが、他者に対して現れていることが、どうして、私の無意識だということになるのか。どうして、それが、私の意識以上に、私にとって真実であると言えるのか。

その他者は、私をただ外部から観察する者ではない。他者の外部性自体が、私自身によって媒介されているのだ。どういうことか。私は、その他者の存在をあらかじめ前提にしている。どのような他者を私は前提にしているのか。（私についての）真実を知っているはずの他者、知っていると（私によって）想定されている他者である。私が知らない（直接には自覚していない）真実を知っているはずの他者が存在していることを、私は前提にしている。要するに、その他者は、あるタイプの第三者の審級である。このような構成があるがゆえに、私は、私自身が意識していない真実を、その他者（第三者の審級）を通じて知ることになるのだ。

だが、私自身の内面に無意識という領域が実在性を確保するためには、その他者、その第三者の審級は、ひとつの条件を満たしている必要がある。その他者は、直接に具体的に私に対して現れてはいないそのときにもなお、（私を）知っているはずの者として、（私にとって）存在し続けていなくてはならない。その第三者の審級は、「直接には（私に）現れていない」ということをこそ条件として存在するものでなくてはならない。私の真実を知っているはずの他者は、要するに、死んだものとして――抽象性を要件として――存在しているのだ。ここで明らかになっただろう。無意識なるものに実在性を与える第三者の審級は、エディプス・コンプレックスの要となっていた「死んだ父」と同じ存在論的なステータスをもっているのだ。「エディプス」の完成とともに、無意識が発見されたことには、それゆえ、強い必然性がある。エディプス・コンプレックスの誕生と無意識の発見は、同じことの二つの側面である。

*

このことは、精神分析の臨床の現場を見ることによって検証される。フロイトは、分析医と患者との関係を「転移」という術語で説明した。分析が成功するときには、患者は、自分と父との関係を、自らと分析医との関係に投射しているからである。この術語からも明らかなように、フロイト自身、分析医が、患者にとって父的な機能を担った他者を代理していることをよく自覚していた。精神分析の臨床でとりわけ特徴的なのは、分析医と患者の位置関係である。患者は、長椅子に横たわるなどリラックスした状態におかれる。そして分析医は、患者の背後に立つのだ。分析医は患者から直接見られてはならない。分析医は、患者にとって抽象的な存在——死んだ存在——でなくてはならないからである。

このような状況の中で、患者は、何であれ思ったことを自由に語るように求められる。それは、〈主体〉を生み出した告白と同じ形式の言語行為である。『近代篇』で述べたように、次の等式が告白が何かを表現している（『近代篇1』第17章）。

$$\lim_{n \to \infty} 「私_n」 = 〈私〉$$

左辺の「$私_n$」は、「（n回目の告白において）語られた私」、そして右辺の〈私〉は、「語る私」

である。後者は、無限に繰り返される（n→∞）告白の極限において、一個の対象として現れる。無意識は、この等式には直接には表されていない。それは、〈私〉と「私$_n$」の間の差分である。

無意識は、さしあたって、「私$_n$はXである」という言明の文字通りの意味には回収されない、という形式で否定的・消極的に姿を表すのみである。これが、積極的・実定的な同一性をもったひとつの心的領域となるのは、どのようなときなのか。告白の原型が、神を前にした告解であったことを思い起こそう。神の存在を前提にしなければ、告白が特別な価値をもつことはなく、またそれが強迫的に反復されることもない。告解は、神の存在を意識したときに（だけ）遂行される。無意識という心的領域が結晶するのは、神を代理する第三者の審級が、〈私〉について）あらかじめ真実を知っているものとして措定され、かつ抽象性（死）という様相のもとで語る主体に永続的に作用し続けているときである。要するに、「死んだ父」によって表象される第三者の審級が機能しているとき、右の等式が表現するメカニズムの延長線上に無意識が析出される。告白は、本来、私が何であるかを言語によって意識化する実践である。しかし、それが最終的に生み出すのは、無意識の〈主体〉、無意識においてその真実が表現される〈主体〉である。

2　原父殺害

フロイトは、エディプスの神話に仮託して自分の理論を提示した。その後も、彼は、神話を用いて、ときに自ら神話を創造して、理論を補っている。中でも重要なのは、第一次世界大戦勃発の前年に発表された『トーテムとタブー』（以下『トーテム』）である。[*2] これは、エディプス・コンプレックスの理論の完全な解説であり、そしてその社会理論への応用でもある。それは、死んだ父が、規範に効力を与える審級として回帰してくるのはどうしてなのか、という問いに対する、フロイトの回答である。

いわゆる「未開社会」のトーテミズムは、二〇世紀前半の西洋の学者たちを魅了したようだ。とりわけフランスの社会学者や人類学者は、トーテミズムに強い関心を寄せている。フロイトは、彼らとはまったく異なった視角からトーテミズムを論じた。トーテミズムとは、いくつかの部族に分かれた社会において、部族ごとに、特定の動物をトーテムとして崇める信仰の形態である。トーテム動物をめぐって、独特のタブー（禁止）がある。第一に、それぞれの部族は、自分たちのトーテムとなっている動物を食べてはならない。そもそも、自らの部族のトーテム動物を殺すことも禁じられている。他の部族の者がその同じ動物を殺し、食することは許されるが、当該部族に属するメンバーには、同じことが禁じられる。第二に、同一のトーテムのもとにある部族のメンバーの間では、結婚が禁止される。トーテム仲間の間の結婚は、近親相姦と解釈される。このようにトーテミズムは、人間の二つの基本的な活動、すなわち「食」と「性」に関する禁止を伴っている。

この禁止はどこから来るのか。フロイトは次のような神話によって答える。かつて――有史以前の原始時代において――、人類は、強力な首長が支配する部族に分かれて暮らしていた。彼は部族における独裁的な父である。その父は、つまり原父は、部族の中の女をすべて独占して、快楽をほしいままに貪っていた。部族の女たちは、首長にあたる一人の男、原父に独占されており、部族の中の他の男たちは、そのハーレムから排除されていた――とフロイトは推測する。

この状況に不満を感じていた部族の他の男たち、つまり原父の息子たち――したがって互いに兄弟の関係にある男たち――は、あるとき、一致団結してその淫乱な父を殺害してしまった。のみならず、息子たちは一緒になって、父の肉体を食べてしまった――とフロイトは想像する。言わば息子たちは、父の身体を自らの身体の中に取り込むことで、父との一体化を実現したのだ。この「クーデタ」によって、父による女の独占は終わった。こうして息子たちも女を享受することができるようになった……となるはずだったが、そうはならなかった。結果は、まったく逆だったのである。父殺しは、息子たちに代償を要求したからである。代償とは、罪の意識である。

フロイトの想像では、この罪の意識を解消するために、部族には二つの伝統が残った。まず、父に見立てられたトーテム動物を殺し、食べることが禁じられた。これは、父を殺害し、その肉を食べたことに対する呵責の念からくるものだ。女はどうなったのか。息子たちが父を排したのは、女を得るためであった。しかし、父への罪の意識のゆえに、息子たちは、女を自分のものにすることはできなかった。逆に、部族の女を性の対象とすることが厳しく禁じられたのである。結果として、結婚の相手は他の部族から得るほかなくなった。このようにして、トーテミズムを特徴づける二つの禁止が説明される。

『トーテム』の以上の論はよく知られている。しかし、これは、いかなる実証的な根拠もないフロイトの創り話である。人類史の起源に、ほんとうにこんなことがあったと考える人類学者や歴史学者はひとりもいないだろう。これを、過去に起きたことの記述として受け取ろうとすれば、まったくのナンセンスだということになる。

これは、論理を解説するための寓話と解釈すべきである。フロイトの考えでは、人が「文化」の中に入った瞬間、常にすでに起きてしまっていたことになるトラウマ的な出来事が措定される。文化は、あたかもその出来事があったかのように、機能するのだ。そのトラウマ的な出来事とは、原父の殺害である。それは実際に起きた出来事ではない。しかし——フロイトの観点からは——文化が成り立つための論理的な前提である。

この寓話において最も興味深い点は、女を独占していた父を殺したのに、息子たちはずっと欲していた女たちとの——母や姉妹との——近親相姦的な結合を果たすことができない、という展開である。どうしてこのような逆説が生ずるのか。禁止の真の担い手は、生きている暴力的な父ではなく、死んだ父だからである。逆にこう言ってもよい。禁止の規範が効いているときには、その担い手である父は——実際にはまだ生きていても——すでに死んでいる者として、あるいは殺害された者として命令し、人を拘束するのだ、と。

*

『トーテム』は、エディプス・コンプレックスの理論の解題であり、その社会論への展開である。フロイトの考えでは、ここに描かれた物語は、文化の一般的な条件だ。しかし、われわれは、エディプス性が人間の文化の条件に見えるということ、それ自体が、近代の産物であり、広義の（宗教としての）資本主義と連動する現象だということを示してきた。

さてここで、しかし、フロイト自身の理論的な発展という点では、ひとつ不可解なことがある。見てきたように、フロイトは、堅実な実証研究や生まじめな論理によってではなく、神話を寓話的に用いながら、自身の理論を提示する。『トーテム』は、エディプス・コンプレックスの理論の完璧な神話的解題である。だが、フロイトは、なぜかもう一本、よく似た神話のようなものを書いているのだ。エディプス・コンプレックスを例解する神話的な語りは、だから二つある……ように見える。『トーテム』では、無文字社会のトーテミズムを題材にして、理論の骨格が示されている。もう一本の神話の題材は、一神教（ユダヤ教）の誕生である。もう一本とは、フロイトにとって最後の著作となった『モーセという男と一神教』[*3]（以下『モーゼ』）である。タイトルにあるように一篇の主人公はモーゼである。モーゼは、前章で述べたように、フロイトにとって特別な意味をもつ人物だ。モーゼ（像）こそは、「死んだ父」の究極の実例だった。

『モーゼ』は、一九三七年から一九三九年にかけて、三回に分けて書かれている。一冊の本として出版されたのは、フロイトの死の直前である。そのとき、フロイトはすでにウィーンを去っている。ナチスの勢力が拡大してきたので、友人たちの強い勧めと助けによって、一九三八年六月に、フロイトはロンドンに亡命したのだ。この頃、フロイトは癌に冒されていた。彼は癌の苦痛に耐えながら、『モーゼ』の執筆に異様な情熱を傾けたことになる。すでに、『トーテム』で、エディプス・コンプレックスの寓話的な解題は完成しているのに、どうして、フロイトは、もう一本、似たような意味をもつ文章を書く必要があったのか？

3　消えた帝国

先に進む前に、一種の間奏曲《インテルメッツォ》として、スティーヴン・トゥールミンとアラン・ジャニクが『ウィトゲンシュタインのウィーン』の序論で述べていることを引いておきたい。

この本は、次のような趣旨で書かれた思想史の研究書だ。ルートヴィヒ・ヴィトゲンシュタインの『論理哲学論考』（以下『論考』）は非常に難解である。ただその難解さは、書かれている命題群の意味（字義）が理解しがたい、ということにあるわけではない。ヴィトゲンシュタインがそもそも何を問題にしているのかということが分からないのだ。『論考』の命題体系は、どんな問いに対する応答になっているのか。そのことを知るために、ヴィトゲンシュタインがその中で生まれ育ったウィーンの知的・文化的環境を探る必要がある。これが、トゥールミンとジャニクの著書の狙いである。

「ウィトゲンシュタインのウィーン」とは、具体的には、一九世紀の最末期から第一次世界大戦が終わるまでのハプスブルク朝ウィーンのことである。それは、オーストリア＝ハンガリー帝国の最後の二十五年から三十年ほどの期間にあたる。ヴィトゲンシュタインは、フロイトよりも三十歳以上若いが、「ウィトゲンシュタインのウィーン」は「ジークムント・フロイトのウィーン」とも重なっている。『論考』が発表されたのは大戦後の一九二一年だが、実際にこれが執筆されたのは戦争の最中、つまり一九一八年であったことがわかっている。フロイトの『トーテム』が書かれたのは大戦開始の直前であった。そして『モーゼ』は戦争が終わってから二十年近く後に書かれている。

さて、トゥールミンとジャニクは、『ウィトゲンシュタインのウィーン』の「序論」で、——ウィーンというより——ウィーンを首都として含むオーストリア＝ハンガリー帝国について論じている。この帝国は、今日の政治の基準からすると一つの国と見なすべきなのか、二つの国と見なすべきなのかよくわからない。オーストリアとハンガリーという二つの王国とも見なしうるし、全体として単一の帝国だったとも見ることができる。そうした曖昧さも与って、帝国はいろいろな名前で呼ばれていた。第一次大戦の終結は、この多数の名前をもつ帝国の終焉をも意味していた。この終焉について、トゥールミン等は次のように論ずる。

例えば、その多くのさまざまな名称から、三つだけをとり出してそれを呼ぶとして、「オーストリア＝ハンガリー」、あるいは「二重王国」、あるいは「ハプスブルク家」は、十九世紀末葉の基準からみると、広大な領地、基礎のしっかりした権力構造および長期に及ぶ憲法上の明白な安定記録をもった、一般に承認された「超大国」の一つであった。一九一八年、幾世紀にもわたる政治の営みが、砂上の楼閣のごとく崩れ落ちた。（中略）ハプスブルクという超大国においては、軍事的な敗北に引き続いて、単に王国の権威が滅びただけでなく、帝国全体を結びつけていた、これまでの、すべての政治的な絆がたちどころに消失したのであった。ハプスブルク家の存在は、何世紀もの間、その祖先伝来の領地を通して、歴然たる政治的事実であり、おそらくは政治的事実そのものですらあった。それにもかかわらず、城郭や市庁舎の建築様式と、トランシルヴァニアや太守領といったドイツ語を話す地方を除くと、バルカン諸国には、かつてハプスブルク帝国が存在していた痕跡を示すものは今日ほとんどなにもない。

この後、オーストリア＝ハンガリー帝国の「痕跡の不在」の徹底ぶりが、ヒトラーの占領地

（一九三八～一九四四年）や日本の大東亜共栄圏（一九四一～一九四五年）との対比で強調される。ヒトラーが侵略した占領地や大東亜共栄圏は、その存続期間からすると、ハプスブルク帝国の何十分の一にしかならないが、敗戦の後に「かつてそれらがあった」という形跡を残した。オーストリア＝ハンガリー帝国と同じ第一次大戦の敗戦国で、非ヨーロッパのオスマン帝国でさえも、バルカン諸国の生活と習慣に永くその痕跡を残した（トルコ語が話されたり、モスクがあったり）。

しかしながら、二重王国の標準的な政治史を読むと、第一次世界大戦がハプスブルク朝の支配力に全く破局的な効果と影響をもたらしたことに、いくぶん当惑させられる。一八四八年革命の嵐、プロシアによる軍事的敗北、マジャール人とチェコ人の間に、またルーマニア人と南部スラヴ人の間に起きた、一連の民族主義的な運動を乗り切った後で、なぜ、その時、かくも決定的かつ完全に崩れたのであろうか。[*4]

トゥールミンとジャニクは、マカートニーの『ハプスブルク帝国　一七九〇年―一九一八年』[*5]のような権威あるテクストを読んでも、枝葉の事実が分かるだけで、この疑問は――帝国という森の全体に関係するこの疑問は――解けない、と嘆く。つまり、「何か」が第一次世界大戦の終結とともに決定的に終わったのである。それは、おそらく、一九世紀までのヨーロッパというものに深く関係する要素だったと考えられる。その要素に最も大きく依存していたのが、一九世紀のヨーロッパ諸国の中では、ハプスブルク帝国だったのではないか。その一九世紀的な要素はおそらく、第一次大戦後の二〇世紀的なるものとは両立しがたく、後者が支配的な環境の中では消え去ってしまうのだ。ハプスブルク帝国以外の諸国では、たとえばプロイセンでは、一九世紀末の段階から、現代性へとつながりうる要素がすでにあったために、一九世紀的なものの消滅が、はっきりと検出されなかったが、純粋に一九世紀的な要素から成り立っていたオーストリア＝ハンガリー帝国は、その徹底した崩壊、「それがかつてあった」ということを思い起こすことすら難しくなるほどの崩壊によって、「何か」の消滅を示したのだろう。そうだとすると、一九世紀的なものと二〇世紀的なものとは何なのか？　どのような意味で、両者が共存できないのか？こうしたことは、これからの探究の課題である。

われわれは今、その探究の入り口にいる。とりあえず、フロイトに関して言えば、『トーテム』は、破局の前に——今から振り返れば破局は迫っていたのだがともかく前に——書かれており、『モーゼ』は、破局の後に書かれている。『トーテム』の骨格をなすエディプス・コンプレックスの仮説が、前章で述べたように、一九世紀近代を特徴づけるメカニズムの結晶のようなものだったとするならば、それが、大戦の終結後にも無傷で残っていて、フロイトに同じような内容のテクストを再び書かせるなどということがあるものだろうか。

ちなみにヴィトゲンシュタインについてはどうなのか。『論考』は、『トーテム』よりもさらにいっそう、オーストリア＝ハンガリー帝国の崩壊によって示される破局に迫った状況の中で——ほとんど破局そのものの渦中で——書かれている。ヴィトゲンシュタインの場合、その後に書かれたもの、たとえば『哲学探究』は、『論考』からは明らかに大きく転回している。ヴィトゲンシュタインの思考は、第一次世界大戦の終結がメルクマールになるような破局的な変化に敏感に反応しているように見える。フロイトはどうなのか。

4 もうひとりのモーゼ

いったい『モーゼ』には何が書いてあるのか。このフロイト最後の著作は、『トーテム』以上にふしぎな本である。表面的には、歴史学や考古学の論文のような体裁をとっている。実際、すべてが空想によって書かれた『トーテム』と違い、『モーゼ』には、古代エジプトの王アメンホテプ四世等、実在の人物の名前が登場する。しかし、この本の議論が経験的な証拠や論理的な推論によって組み立てられているかと言えば、そうではない。はっきり言えば、書かれていることはフロイトの創作であり、むしろ小説に近い。実際、『モーゼ』はもともとは「モーゼという男――歴史小説」というタイトルの論文として構想されていた。

『モーゼ』の中で、フロイトは、二つの奇抜なことを、実証的な根拠もなしに主張している。第一に、ユダヤ人の救世主だったモーゼは、ユダヤ人ではなくエジプト人だった。第二に、このモーゼとは別に、もうひとりモーゼがいた。どちらも通説をまったく無視した驚くべきテーゼだ。この二つの主張が、どのような筋の中で関連しあっているのか。フロイトはどんな物語を描いたのか。

モーゼは――最初の方のモーゼは――、フロイトの直観では、エジプト人の貴人だった。彼は一神教の信奉者なのだが、エジプトでは偉大な王（ファラオ）の死後、人々は多神教的な信仰へと堕落した。そこでモーゼは厳格な一神教を実践すべく、それをユダヤの民衆の中に持ち込み、彼らを一神教のもとにひとつにまとめあげた。『旧約聖書』にあるモーゼの最も重大な事業は、出エジプトである。出エジプトは、しかし、フロイトの解釈では、エジプトで奴隷化していたユダヤ人を解放するためのものではない。モーゼは、ユダヤ人がエジプト人の多神教によって汚染されないように、彼らをエジプトから遠く離れた地に移住させたのである。それゆえ、出エジプトは、一神教の純粋性を守るための宗教的実践だったことになる。

モーゼは、たいへん厳格な人物だった。彼は、ユダヤ人たちに一神教の律法を厳密に遵守させた。ことに、多神教への退行を含意する偶像崇拝に関しては厳しかった。神は近寄りがたいものであって、図像的な表現を決して許さない。つまり神は、図像として表象し親しむことが原理的に不可能な実体である。それゆえ、断じて偶像を崇拝してはならない、ということになる。ここからも分かるように、このモーゼの一神教は、知的な宗教——信者たちが知性によって自らを律することを要求する宗教——である。

だがモーゼの律法は厳しすぎた。これを守り通すことは、ユダヤ人にとってはあまりにも負担が大きい。そのため、やがてユダヤ人たちはモーゼを憎むようになった。そしてついに、ユダヤ人は反抗した。全員で謀って、モーゼを殺してしまったのだ。

その殺害の後、ユダヤ人（セム族）の中から新しい指導者が現れた。彼は、死んだモーゼに追随する者であり、そしてレビ（祭司）でもあった。この二番目の指導者もまた、「モーゼ」と名乗った。つまり、「モーゼ」という名の人物はふたりいる、というのがフロイトの説である。しかし、今日のわれわれは、名前が同じふたりのモーゼを完全に同一視してしまっている……というわけだ。

このもうひとりのモーゼもまた一神教を維持しようとした。しかし、彼の信ずる一神教は、最初のモーゼの一神教とは性格を異にするものだった。最初のモーゼの一神教は知的な宗教だった。それに対して、もうひとりのモーゼの一神教は感覚的なものだった。ユダヤ人たちは、やがて、このもうひとりのモーゼを深く崇拝するようになる。ヤハウェは、起源にまで遡れば、このふたり目のモーゼ、（エジプト人ではなく）セム族の方のモーゼにほかならない。つまり、ヤハウェは、このもうひとりのモーゼを原型としている。これが、フロイトが暗示していることである。

＊

以上が『モーゼ』のおおよその内容だ。これは、『トーテム』の焼き直しなのか。『トーテム』で書いたことと実質的に同じ理論が、ユダヤ教を素材にして展開されているだけなのか。普通は、そのように解釈されている。父的なものが殺害されて、真の神がやってくる、という構成が同じだからだ。

しかしよく見よ。いや、そんなにていねいに見なくても、とりたてて技巧的で緻密な読みなどしなくても、今ここに要約した筋だけでも明らかではないか。『モーゼ』は『トーテム』の繰り返しではない。まったく逆である。『モーゼ』は、『トーテム』が到達した地点を否定し、その先を描いているのだ。『モーゼ』において殺害される、エジプト人のモーゼとは何なのかを考えれば、すぐに分かることだ。『モーゼ』でユダヤ人たちに殺されるのは、『トーテム』の原父——女を独占して淫らな快楽に耽る父——ではない。ユダヤ人が殺したのは一神教の指導者で、厳格な律法の執行者だ。ということは、『モーゼ』で殺害されたのは、『トーテム』では原父殺害の後にやってくる「死んだ父」――抽象化された第三者の審級――の方にほかなるまい。『モーゼ』でユダヤ人たちによって殺されてしまうのは、『トーテム』においては結論的に導き出される方の父（死んだ父）、エディプス・コンプレックスの図式の中心に位置している父、フロイトがミケランジェロの彫像にその姿を見出したモーゼである。だから、フロイトは『モーゼ』で、エディプス・コンプレックスの神話的な解題をもう一本書いたわけではない。そうではなく、むしろ、エディプス・コンプレックスの仮説は斥けられているのである。

では、エジプト人のモーゼが殺されたあとに出現するもうひとりのモーゼ、ヤハウェの原点となったモーゼは、『トーテム』で殺された原父の復活なのか。それも明らかに違う。もうひとりのモーゼもまた、一神教の指導者である。しかし、エジプト人のモーゼの唯一神と、セム族のモーゼの唯一神はまったく異なってもいる。どう違うのか。前者は、知的で合理的な神である。後者は、感覚的な神なのだが、旧約聖書の表現を借りれば、妬む神である。ヤハウェ（セム族のモーゼ）は民の裏切りに敏感ですぐに妬み、またすぐに怒る神である。エジプト人のモーゼと相関する唯一神を特徴づけているのが合理性であるとすれば、セム族のモーゼと相関する唯一神を特徴づけているのは意思の恣意性（気まぐれ）である。パスカルのよく知られた区別を用いるならば、前者が「哲学者の神」であり、後者が「神学者の神」にあたる。

＊

このようにフロイトは、最後の著作で『トーテム』の主張をただ繰り返したわけではない。『トーテム』は、エディプス・コンプレックスの理論を声高に主張するものだが、『モーゼ』は、その理論を棄却して、別のことを唱えている。フロイトが癌と闘いながら、『モーゼ』を何としてでも書き上げようとしたのは、それまでとは異なることが彼には真理と見えていたからである。フロイトは、第一次大戦後から最晩年までの期間のどこかで、自らが提起したエディプス・コンプレックスの理論への信頼を失ったのだ。最後に彼は、別の立場から、神について論じておく必要があったのである。[*6]

こうしたことが、われわれの探究にとってどのような意味があるのか。われわれは、フロイトの理論の展開や変化そのものに関心をもっているわけではない。またフロイトが主張したことの妥当性にも興味がない。フロイトのトーテミズムの発生論もまたユダヤ教の成立についての物語も、率直に言えば、まったく事実には合致しない。それらはほとんど妄説である。

ならばどうしてフロイトに注目したのか。フロイトの学説が、時代精神の変化と対応する社会変容の全体を敏感に反響させているからである。世紀の転換期には、フロイトには、エディプス・コンプレックスの理論が人間の精神についての一般的な真理に見えていた。このような認識の体制が、つまり「精神のエディプス的構造」が真理であるという見え方そのものが、西洋近代(一九世紀)を成り立たせていたメカニズムが全体として作用した結果として生まれたものである。ところが、第一次世界大戦を経験した後の晩年のフロイトには、もはや、エディプス・コンプレックスの説は真理には見えていない。エディプス的な父が廃棄され、別のタイプの神的な審級が出現するという展開の方に、人間についてのより深い真理がある、とフロイトは直観していた。

もしエディプス・コンプレックスの理論が、『近代篇』で抽出した精神と社会の変容を規定するメカニズムの収斂する場所だったとすると、晩年のフロイトの変化は、そうしたメカニズムには還元できない別の社会的なダイナミズムが出現したことを暗示している。近代のそれとは異なるそのダイナミズムとは何なのか。これは『現代篇』の扉を開く問いとなる。

1　S・フロイト『日常生活の精神病理学　フロイト全集7　1901年』高田珠樹訳、岩波書店、二〇〇七年（原著一九〇一年）。
2　S・フロイト『トーテムとタブー　フロイト全集12　1912―13年』須藤訓仁・門脇健訳、岩波書店、二〇〇九年（原著一九一三年）。
3　S・フロイト『モーセという男と一神教・精神分析概説　フロイト全集22　1938年』渡辺哲夫・新宮一成・高田珠樹・津田均訳、岩波書店、二〇〇七年（原著一九三九年）。
4　S・トゥールミン、A・ジャニク『ウィトゲンシュタインのウィーン』藤村龍雄訳、平凡社、二〇〇一年（原著一九七三年）、二五―二七頁。
5　Carlile A. Macartney, *The Habsburg Empire, 1790-1918*. London: Macmillan Pub. Co. 1968.
6　フロイトがユダヤ性についてあらためて探究したのは、もちろん、ナチスが台頭し、ユダヤ人が迫害されていたからであろう。ただ、フロイトがユダヤ人を救うために『モーゼ』を書いた、という説明は単純すぎる。そもそも、モーゼは実はエジプト人だったとか、もうひとりモーゼがいたとか、といったテーゼが、ナチスに苦しめられていたユダヤ人にとって何か助けになるだろうか。

第3章　絶望としての信仰

1　父なる神の死に先立って

エディプス・コンプレックスの図式によって記述されるような〈主体〉の誕生こそは、西洋の近代、一九世紀近代の最終産物だった。それゆえ、精神分析という理論とそれに基づく臨床技法の創出は、近代なるものを成立させた諸要素を凝縮して表現していると見なすことができる。フロイトは、第一次世界大戦の直前に、エディプス・コンプレックスの理論の、いわば社会学的な応用として、『トーテムとタブー』（以下『トーテム』）を書いたのだった。ところが、フロイトは、最晩年に、ということは戦間期に――第二次世界大戦も迫っている頃に――、『トーテム』を全面的に否定するような作品を書く。『モーセという男と一神教』（以下『モーゼ』）だ。『トーテム』は、死んだ父（殺された父）によって表象される知的で合理的な神、「哲学者の神」が誕生する機制を寓話的に語っている。『モーゼ』は、まさにその「哲学者の神」が殺害されて、ひどく感情的な妬む神、「神学者の神」が生まれた、と語る。前者と後者の間の断絶が、一九世紀的な「近代」から二〇世紀的な「現代」への転換に対応しているのではないか。これが、前章で述べた、われわれの見通しである。この見通し自体は、さして驚くような独創性はない。第一次世界大戦を超えたところで、「神学者の神」に類するものが、思想や学知の領域でも、また政治的・社会的な現象としても、同時多発的に生まれている、ということはかんたんに示すことができる。

しかし、拙速を避けなくてはならない。重要なことは、こうした転換を記述することではない。転換を説明すること――なぜ、そしていかにしてそのような転換が起きたのかを説明することだ。フロイトという単一の個人の理論の展開の中に――つまりフロイトと彼より若い別の研究者や臨床家との違いにではなく、フロイト個人の認識の変化の中に――現代への転換の徴候が検出されるということには、ある暗示がある。転換は内在的だということ、それが暗示である。すなわち、「近代」を成就させたメカニズムが、そのまま脱構築的に機能し、「現代」への転換を促している可能性が高い。

そうだとすると、われわれは、一九世紀末に「近代」を完成させた精神のダイナミズムのエッセンスを再確認しておく必要がある。ここまでは、完成された「近代」から「現代」への転換の予兆を見るために、フロイトを主に参照してきたわけだが、今度は、その完成までのダイナミズムを復習するために、別の思想家を呼び出すことにしよう。フリードリヒ・ニーチェこそ、こうした探究にふさわしい戦略上の拠点になる。

フロイトよりも十歳強年長の――厳密には十二歳年長の――ニーチェは、一九世紀の後半に思索し、執筆し、その成果を発表している。彼の精神が滞在先のトリノで崩壊してしまう一八八九年までの二十年に満たない期間が、ニーチェの主要な活動期間だということになる。そのニーチェが死んだのは、一九世紀の最後の年、つまりフロイトの『夢解釈』が発表された年だ。ニーチェは一九世紀の哲学者としては、特権的である。ニーチェほど、二〇世紀の哲学者に影響を与えた思想家はいない。ハイデガーをはじめとして二〇世紀の重要な哲学者はほとんど全員、ニーチェを参照し、ニーチェから刺激を受けている。しかも、他の一九世紀の哲学者とは違い、ニーチェは、批判や否定の対象として、二〇世紀の哲学者から引用されるわけではない。むしろ、二〇世紀の哲学者たちにとって、ニーチェの思索は、主に肯定的に継承すべきものに見えている。彼らは、ニーチェに、自分たちの先駆者を見たのである。ニーチェは、二〇世紀が始まる前にこの世を去ってはいるが、最初の二〇世紀的な――現代的な――哲学者でもある。

その上、何よりわれわれの関心を引かざるをえないのは、ニーチェが「神の死」の宣告者だからである。ニーチェほどあからさまに「神が死んだ」と宣言した思想家は、西洋にはいなかった。『ツァラトゥストラ』の序文に次のような場面がある。ツァラトゥストラは、十年の山籠りにピリオドを打って、人里へと降りていくことを――「没落」することを――決意する。下山の途中で、ツァラトゥストラは一人の隠者に出会う。ツァラトゥストラが最初に出会う人物だ。この隠者は神の死をまだ知らない。ツァラトゥストラはこのことに驚く。この隠者は、ツァラトゥストラの分身、山奥の洞窟に引きこもる前の過去のツァラトゥストラの姿であろう。ニーチェの「神は死んだ」は、言うまでもなく、フロイトの「父は死んだ」に通じている。フロイトは、死んだ父が支配する精神の構造を描いた。ニーチェは、父なる神の死を公式に確認した。

だが、ニーチェだけを見ていてもわれわれの目的は果たされない。ニーチェによる「神の死」までの過程が重要だからだ。「神の死」と対照的なポジションにいる別の思想家や哲学者――しかも一九世紀という「近代」に属する思想家――を呼び出し、二つの思想の中間で何が起きているかを考察すること、これが重要だ。ニーチェと対照させるにふさわしい思想家は、セーレン・キェルケゴールをおいてほかにいない。キェルケゴールは、信仰の英雄である。神の存在をめぐって、ニーチェとキェルケゴールは対立的である。

キェルケゴールは、一九世紀の前半から中盤までを生きた。西洋の思想史の舞台において、キェルケゴールに交替するようにニーチェは登場してきているのだ。だが、神への信仰を説くキェルケゴールを、前近代的で、反啓蒙的な思想家と見るのは、根本的に間違っている。一九世紀になって科学が発達し、その知識が普及した結果、信仰が衰え……といった凡庸な物語は、まったく通用しない。キェルケゴールが徹底して追究したのは、信仰の近代性である。キェルケゴールからニーチェへとつなぐ線の中で何が起きているのか。

2　絶望としての信仰

キェルケゴールの著作の中で最も広く読まれている『死に至る病』を最初の手がかりとしてみよう。ほぼ一九世紀の中頃に、つまり西欧に革命の嵐が吹き荒れ、マルクス＝エンゲルスが『共産党宣言』を発表した一八四八年の翌年に発表されたこの著作は、『信仰宣言』、『キリスト教宣言』とも見なすべきものである。「罪の自覚」が主題だとされる、この著書は、「救済」を主題とするもうひとつの著書『キリスト教の修練』（以下『修練』）とセットになって一つの完結した著書になることが予定されていた。

最初に注目しておいてよいことは、今日われわれが「キェルケゴール著」として認知している

『死に至る病』は――『修練』とともに――、もともと「アンティ＝クリマクス」の筆名で書かれていたことだ。キェルケゴールには、自身のアイデンティティを匿すための筆名がいくつもある。アンティ＝クリマクスと対比的な関係にある筆名はヨハンネス＝クリマクスで、『哲学的断片』や『哲学的断片の後書』は、こちらの名で書かれている。二つの筆名は、意図的に使い分けられている。キェルケゴール自身の説明によれば、二人のクリマクスは共通点もあるが、ヨハンネスは自分を卑下しており、ときに自らをキリスト者ではないとまで主張することがあり、逆にアンティの方は、過剰なまでに自分をキリスト者だと思い込んでいる。そして、キェルケゴールは、自分はヨハンネス＝クリマクスよりは高いが、アンティ＝クリマクスよりは低い、と位置づける。これは驚くべきことではないか。キェルケゴールは、自分がキリスト者であることに確信をもてずにいるのだ。いずれにせよ、『死に至る病』は自身のキリスト者としてのアイデンティティに完全な確信をもっている者の立場で書かれている。だが、今述べた筆名の使い分けと、キェルケゴール自身の位置づけからわかるのは次のようなことだ。『死に至る病』の匿名の著者の自己確信は、キェルケゴール自身が到達していない境地だということ、それどころかこのような自己確信は本来は獲得不可能なのではないか、という懐疑が、この著書の書かれざる前提になっているということ。

『死に至る病』の結論的な主張はよく知られている。死に至る病とは絶望のことである。そして、神を離れた人生の本質はすべて絶望だ。……と、これだけ聞くと、ある種の宗教者がときどき説くあの「ありがたい話」のひとつだと思ってしまう。「確かに絶望すると死にたくなる、自殺する者もいるよね。でも、神が必ず救ってくれるとわかっていたら絶望せずにすむ、という話だね」と。そうだとすると、これは真に絶望している人には何の助けにもならない駄弁のひとつだ。しかし、このような感想は、この本を一頁も読まなかったときにだけ出てくる類のものである。そもそも、「死に至る病」の「死」は、自殺を含む肉体の死のことではない。肉体の死によっても解放されない病、人格の死のことだ。

本文（第一章）ののっけに提起される、抽象的で難解な命題は、その「人格」を定義するものである。それは、人格＝人間を実体として前提にすることを徹底して拒否するもの、純粋な関係性によって規定するものだ。

　人間とは精神である。精神とは何であるか？　精神とは自己である。自己とは何であるか？　自己とは自己自身に関係するところの関係である……（中略）……自己とは単なる関係ではなしに、自己自身に関係するところの関係である。[*1]

精神であるところの人間＝自己とは、自己準拠的な関係である、ということになる。だが、この主張は、このすぐ後の「神」へと導く展開といきなり矛盾しているように見える。自己自身へと関係する関係は、それを措定する外的な力、つまり他者が必要だという趣旨のことが述べられることになるのだ。するとどう考えればよいのか。自己とは、自らへと関係する関係だが、それは不可能だ、ということになる。その不可能性を補償しているのが、他者である。この他者こそ、神の原型である。

他者との関係を見失うと、自己は自己関係として成立しなくなる。わかりやすく言い換えれば、有限な自我の殻にしがみつくことになる。これが、キェルケゴールが言うところの「絶望」である。他者＝神による措定の力をまって、自己は、有限性を超えた永遠者（無限者）の境地に到達することができる。

『死に至る病』は続いて、絶望を分類したり、絶望の諸段階を確定したりする。フィヒテやヘーゲル等のドイツ観念論への当て付け的な批判が含まれたりして論としては興味深いが、先を急ごう。ただ、こうした展開のいささか不可解な帰結にだけ注目したい。絶望の反対物は、もちろん信仰であり、それは、「自己が自己自身であり且つあろうと欲するに際して、同時に自己自身を自覚的に神に基礎づけること」[*2]と定義される。不可解だと言うのは、絶望の典型と見なされているあり方、つまり「罪としての絶望」は、ほとんど、信仰と区別ができないからだ。罪としての絶望とは、神の観念をもっている絶望である。

神の観念をもっているのならば、それは信仰ではないか。この疑問に対するキェルケゴールの答えはこうである。神を知るだけでは——つまりソクラテスでは——まだ足りない。ここに意志の飛躍がつけ加わらなくてはならない。神からの啓示を理解しようと欲することが重要だ。キェルケゴールはこのように説明するわけだが、しかし、十分に明快とは言い難い。神の観念をもっている状態と、そこに意志が付加されている状態とでは、どう違うのか。

ここでわれわれが確保しておきたい論点は、キェルケゴールにあって、絶望と信仰とは必ずしも真っ向から対立しているわけではない、ということだ。絶望そのものが、ときに信仰に酷似している。むしろ絶望しないこと——厳密には絶望を自覚しないこと——こそ、最悪だとされている。キェルケゴールは、絶望の可能性があるということは、人間の偉大さ、人間の高貴さの証だとまで述べている。つまり、実際に絶望すること、絶望の現実性はよくないことだが、絶望の可能性は、人間にとって必然である。

したがって、キェルケゴールにあっては、絶望（神から離れた人生）と信仰との間の距離はほんのわずかである。この距離をどこまでも小さくすることができる。理念的な極限においては、両者の距離はゼロになってしまうのではないか。つまり、信仰と絶望とが一致してしまうのではないか。少なくとも、キェルケゴールはこう言っていることにはなる。すなわち、真に絶望を自覚する者だけが信仰に達する、と。

この反対物の一致は、一九世紀近代において神を信ずるということの独特の性格を暗示している。どうして絶望と信仰とが（ほとんど）一致してしまうのか。キェルケゴールに即して、そこで働いている論理を繊細に見定めておかなくてはならない。

3　宗教的信仰による倫理的なものの目的論的停止

『死に至る病』は、キェルケゴールの短い著作活動の中では、すでに後期のものに属している。信仰の逆説は、しかし、最も初期の著作から、キェルケゴールの関心の中心である。その逆説を要約して表現しているのが、彼が『おそれとおののき』（一八四三年）で提起している「宗教的信仰による倫理的なものの目的論的停止」という概念だ。この概念の意義は、その前の著書『あれか、これか』（一八四三年）を前提にしたとき理解可能なものになる。

『あれか、これか』は、感性的な快楽を得ることにだけ没頭する審美的な生き方と倫理的な生き方とを対照させ、読者に対して、これら二つの人生のうちのどちらを取るか、選択を迫る。第一部は、審美的な生き方をしている若い独身の青年の手記という形態をとっており、第二部が、その青年の友人で、妻帯し、まじめに家庭生活を営む中年の判事が、青年に対して警告する手紙という形式になっている。『あれか、これか』が説いている最終的な結論は、はっきりしている。審美的な人生はむなしく、真の充実は倫理的な人生の方にある。つまり、人は、審美的な人生か、倫理的な人生かという選択において、後者をとるべきである。

審美的な人生はきまぐれである。人はその都度の感性的な快楽にしたがって行動する。それに対して、倫理的な人生においては、人は普遍的な義務にしたがって行動する。人間が人間であるかぎりそうすべきである、という行為を実行するのが倫理的な人生である。ところで、その倫理的な命令の普遍的な妥当性は何を根拠にしているのだろうか。どこから、その普遍性は与えられるのか。究極的には神しかいない。神の命令に帰せられるということが、倫理の普遍的な妥当性を支えているのだ。その神への信仰ということを視野に入れたときの逆説を論じたのが、『おそれとおののき』である。

問題は、究極の信仰のモデルともいうべきアブラハムに即して探究される。旧約聖書の創世記(第二二章)には、アブラハムによるその子イサクの奉献の物語が記されている。神はアブラハムの信仰を試そうと、アブラハムに、彼が愛するひとり子イサクをモリヤ山で神に犠牲として捧げるように、と命令した。アブラハムはこの命令に従い、誰にもその理由をうち明けることなく、イサクをモリヤ山に連れて行き、神に捧げるためにイサクを殺そうとする。この後の幸運な展開、つまりアブラハムの信仰の堅さを認めた神が、アブラハムを許し、イサクに代わる犠牲として牡羊を与えてくれたという展開は、本質的ではない。最後に神がその命令を引き下げ、命令通りに行動しなくても済む、ということがわかっていれば、イサク奉献の物語はまったくインパクトのないものになってしまう。

イサクを殺害しようとするアブラハムの行為は、明らかに倫理に、つまり人間としての普遍的な義務に反している。アブラハムは、審美的な理由で、つまり快楽を求めてイサクを殺そうとしているのではない。アブラハムはイサクを愛しており、彼を殺したくはなかったことは明らかだ。しかし、それでも、アブラハムは神の命令であるがゆえに、イサクを殺さなくてはならなかった。

アブラハムは、単独者として神に直接対面している。アブラハムの単独性を神（の普遍性）へと媒介するような普遍的な媒体があるわけではない。このような関係においてもたれている信仰の前では、倫理的な命令の普遍性は中断される。信仰によって、倫理的な目的は、目的としての妥当性を失うことがあるのだ。これが「宗教的信仰による倫理的なものの目的論的停止」である。

ここで慎重にならなければいけない。「審美的なものか、倫理的なものか」という選択と、「倫理的なものか、宗教的なものか」という選択との間には、本質的な性格の違いがある。キェルケゴールにとっては、審美的なものより倫理的なものの方が価値が高く、倫理的なものよりも宗教的なものの方が価値が高い。しかし、前者と後者では、価値の高さの意味が異なっている。審美的な理由に基づく行動と倫理的な行動とは異なっているが、倫理的な行動の方をとるべきなのは、こちらにこそ生の真の充実があるからだ。では、倫理的な命令と信仰に基づく宗教的な命令が異なっているとき、後者をとらなくてはいけないのはなぜなのか。どうしてアブラハムは、神の命令に逆らうことができないのか。それは、結局、倫理的なものの妥当性そのものが、神に依存しているからである。

倫理的なものか、宗教的なものか、という選択に関して、神はときどき倫理に反することを命ずるが、そのときには神の言うことに従いなさい、ということが単純に述べられているわけではない。それだけならば、倫理に反する神の命令は拒否すべきだ、という論理の方が説得力があるだろう。だが、倫理の当為性、倫理の普遍的妥当性が神に依存しているとすれば、まさに倫理を維持するためにも、倫理的目的を中断させる神の命令に従わなくてはならない。だから、倫理は、その根拠の部分に自らに反する逆説をもっている、ということになる。倫理的な命令に普遍性を与えるためにも、単独者として直接対峙している神からの命令が必要だ。倫理の普遍性は、その根拠の部分で、単独性と短絡的に結びつく。その短絡性が、倫理的目的を否定する命令という形式をとる、というのがキェルケゴールの直観である。

だから、審美的なものか、倫理的なものか、宗教的なものか、という選択は意味をもたない。選択は、まず「審美的なものか、倫理的なものか」という形態をとり、そのあと、「倫理的なものか、宗教的なものか」という形態をとらなくてはならない。前者は、異なる価値基準の間の外在的な選択だが、後者は、倫理の領域に内在する選択である。前者において倫理的なものをとる理由よりも、後者において宗教的なものをとる理由の方が強力だと言わねばならない。というのも、後者においては、捨てられる選択肢（倫理的なもの）が、取られた方の選択肢（宗教的なもの）に依存してこそはじめて成り立つからである。

*

「倫理的なものの目的論的停止」という観念は、既述のように、『おそれとおののき』において明晰に取り出される。しかし、この主題は、その前の著書『あれか、これか』の中にもすでに予感のようなかたちで孕まれている。たとえば、『あれか、これか』の第一部の中で、キェルケゴールは、ギリシア悲劇のアンティゴネーについて考察している。もし——古代のではなく——近代的なアンティゴネーというものを考えたらどうなるだろうか、と。

ソフォクレスの『アンティゴネー』では、悲劇は、テーバイの王クレオンと前王オイディプスの娘アンティゴネーの葛藤をベースにしている。クレオンは、国家への反逆者として死んでいったポリュネイケスの埋葬と葬儀を禁ずる。それに対して、アンティゴネーは、兄ポリュネイケスの埋葬に執着する。彼女は、王クレオンの禁令に反して、ポリュネイケスの埋葬を実際に決行し、処刑されてしまう。

キェルケゴールの考えでは、近代的なアンティゴネーでは、クレオンは必要ない。「アンティゴネー対クレオン」の対立は、アンティゴネー自身の内面の葛藤へと転換されれば、それは、近代的なものになる。ここで、「国家への反逆者を埋葬してはならない」は倫理的な命令である。それに対して、「兄ポリュネイケスを弔わなくてはならない」が宗教的なものに対応する。

あるいは、この物語に先立つ、『オイディプス王』の物語に即しても近代的なアンティゴネーを描くことができる。彼女は、父王オイディプスを敬愛し、称賛している。これは、テーバイの救済者であり、それゆえに英雄であるというオイディプスに対する世間の評価とも合致している。しかし同時に、彼女は、父親についてのおぞましい真実も知ってしまった。オイディプスは自分の父ライオスの殺害者であり、自らの母との近親婚を犯している、と。そのような者を王として仰ぎ、彼に国家の統治を委ねるわけにはいかない。

彼女は、この件について、誰かと相談するわけにはいかない。アブラハムが、神からの命令について誰とも相談することができず、犠牲になるイサクに打ち明けることもできなかったのと同様に、である。ソフォクレスが描くアンティゴネーは断固たる行動によって特徴づけられるが、近代的なアンティゴネーは内面の葛藤で懊悩し、容易に行動することができないだろう。彼女はむしろ、自殺を選ぶかもしれない。

このような想像の中に、「宗教的信仰による倫理的なものの目的論的停止」という観念が先取りされている。そうだとすると、次のように言うことができるだろう。この観念によって記述されるような信仰のあり方は、(ギリシア的な)悲劇には適合しない、悲劇の枠組みには収まらないのだ、と。

4 キリスト教のユーモア

さて、われわれの疑問は、キェルケゴールの描く信仰が、つまり固有に近代的な信仰が、その反対物である絶望(神から離れた人生)にどこまでも近似していくのはどうしてなのか、ということであった。この疑問への回答は、前節で結論的に導いたことから手がかりが得られる。すなわち、キェルケゴールが着眼していたのは、キリスト教の反悲劇的性格である。つまり、キェルケゴールの見るところでは、キリスト教は喜劇性を、あるいはユーモアを本質としている。*3 どのような意味なのか、それがどうして、信仰と絶望との近接をもたらすのか、説明しなくてはなるまい。

「絶望」という主題に関連しているのは、一般には、悲劇であると考えられている。主人公が絶望して終わる物語こそが悲劇ではないか、と。ギリシア悲劇でも、シェイクスピアでも、主人公の絶望が悲劇の結末ではないか。だが、よく見てみよう。悲劇において、主人公は、まだ絶望の極限にまでは至っていないのだ。第2節で述べたように、キェルケゴールが前提にしているのは、絶望の可能性が必然であるような世界である。しかし、悲劇の世界では、未だ、絶望が——その可能性のレベルで——必然に至ってはいない。なぜならば、悲劇の主人公は、悲惨で不幸な結果の中で、なお救済されているからだ。

このことは、われわれがどうして、悲劇を見たり、読んだりすることに快楽を覚えるのか、を考えるとわかる。悲劇にはカタルシスの効果がある。アリストテレスが『詩学』で書いているように、それこそ、悲劇の中心的な意義である。どうして、他人の不幸を見ているのに、そんなに気持ちがよいのか。悲劇において、主人公は、極端に悲しい不幸を課せられることによって、かえって尊厳《ディグニティ》を与えられるのだ。分かりやすく言えば、悲劇の主人公はカッコいい。どうしてそのような効果があるのか。主人公は、（彼または彼女にとっては不幸な結果をもたらすことになる）運命を、つまり神が彼に与えた運命を、引き受けることで、神の世界計画の中ではっきりとした位置をもっていることになる。その意味で、主人公は、神に承認されており、その人生に、神という永遠性と結びついた意味を与えられる。だから悲劇の主人公が、悲惨を通じて救済されていることになる。
いわゆる「ハッピーエンド」は、このような効果をもたらしにくい。主人公にとって好都合な結果に関しては、主人公はわざわざそれを主体的に引き受ける必要はないからだ。それに対して、悲惨な結果に関しては、人は、それを主体的に引き受けることを通じてのみ——つまり「それもよし」としてあえて肯定し認めることを通じてのみ——、克服することができる。かくして、悲劇の主人公は尊厳を受け取り、救われる。
したがって、繰り返せば、悲劇においては、極限の絶望は描かれてはいない。では、極限の絶望はどのように描かれるのか。それは、喜劇においてこそ描かれる。われわれはときに、「それは悲劇を通り越して喜劇だ」と言うことがある。そのような意味での喜劇、悲劇を完全に通過してしまった後に出現する喜劇こそが、純粋な絶望に相関している。悲劇を超えたところにある喜劇においては、もはや、主人公は、尊厳を与えられることで救われることはない。そのような尊厳を通じての回復が不可能なとき、われわれは、そこに、悲劇以上のものを見ることになる。それはむしろ喜劇として現れる。[*4]
キリスト教の中核には、喜劇やユーモアがある。これが、キェルケゴールの洞察である。どこに喜劇が、ユーモアがあるのか。神の受肉という設定に、である。神がキリストとして受肉したということこそ、キリスト教の根幹の教えである。だが、これは喜劇とユーモアの原型ではないか。どうして？「これから皆様に神様をご紹介します」と言われれば、われわれは、どんなに凄いもの、どんなに荘厳なものが現れるかと期待するだろう。このとき、神として登場してきたものが、哀れな痩せこけた乞食のような男だったら、一斉にどっと笑うところではないか。福音書に書かれていることは実際、まさに、このようなことであろう。ポンテオ・ピラトが、衆人を前に、キリストを指して「この人を見よ！ Ecce homo!〔これが神だ〕」と言った場面は、福音書のハイライトのひとつである。

われわれはかつてこの主題に一度、出会っている。『古代篇』第7章で、である。そこでわれわれは、福音書は悲劇として読むこともできれば、喜劇として読むこともできる、と述べた。そして、後者の解釈の方に、福音書のより深い真実、より大きな衝撃がある、と示唆しておいた。キェルケゴールは、この福音書の真実を直視していることになる。言い換えれば、近代を俟ってようやく福音書のうちに含意されている真実が十全に対自化されたのだ。それまでは——そして現在でも一般には——、福音書は、悲劇の方に引き寄せて解釈されてきた。しかし、福音書にはほんとうにインパクトがあるのは、それが悲劇ではなく、喜劇だからである。*5

『古代篇』の当該箇所でも論じたことをあらためて確認しておけば、キェルケゴールに先立ってヘーゲルが関連することを論じている。ヘーゲルは、悲劇と喜劇の違いを、「表象作用」によって次のように説明する。悲劇は、表象の論理の枠内にある。それに対して、喜劇は、表象作用の限界を超えている。たとえば、天照大神は太陽を表象している。アポロンは音楽の神だと言われるとき、彼は、音楽の観念を表象している。ヒンドゥ教では、ブラフマーとヴィシュヌとシヴァの三神がひとつのセットになっているのだが、それは、三神がそれぞれ、創造／維持／破壊を表象しているからである。これらに対して、キリストは、神の観念を表象しているわけではない。キリストは神そのものである。ここでようやく、『死に至る病』で、キェルケゴールが、神の観念をもつだけでは不十分であり、それはまだ「罪としての絶望」のレベルであると論じたことの意味を示すことができる。罪としての絶望とは、神＝キリストを表象の論理の中で解釈してしまうことである。

キリストはまったき神にして、まったき人間である。半分神で半分人間なのではなく、キリストなるもののすべてが神であり、また人間である。この人間がまさに人間であることにおいて神であると見るためには、意志による飛躍が必要である。このことの含意を十全に引き出せば、どうして絶望と信仰がほとんど重なりそうになるまでに近くなるのか、が説明可能になる。キリストという人間が神であるとすれば、つまりキリストが神であるがゆえにまさに人間であるとするならば、それはほとんど、神は――神としての神は――存在しないということに等しい。もし神が存在しないならば、信仰においても、いや信仰においてとりわけ、人は神から離れていることになる。神から離れていることは、「絶望」の定義だった。

したがって、ニーチェとキェルケゴールの距離は近い。キェルケゴールからニーチェまでは、あと一歩である。ニーチェは神の死を誰よりもあからさまに宣言し、逆に、キェルケゴールは、神への信仰の純粋化と徹底を目指した。両者の間には最大の距離があるように思える。実際、われわれも、そのような前提からスタートしてみた。だが、キェルケゴールにしたがって、絶望を克服する信仰なるものを追究していくと、「神の死」のすぐ近くにまで来てしまう。次章では、ニーチェの思索を同じように概観してみよう。すると、今度は、同じ逆説が逆方向から姿を現すことになるだろう。

1　キェルケゴール『死に至る病』齋藤信治訳、岩波文庫、一九三九年（原著一八四九年）、一八頁。
2　同書、一三四頁。
3　この点に関して、私はトマス・オーデンが編集し、序文を書いているキェルケゴールのアンソロジーからヒントを得た。Thomas C. Oden ed., *The Humor of Kierkegaard: An Anthology*, Princeton: Princeton University Press, 2004.
4　それゆえ、物語は三つの形態をとることになる。第一に、主人公に単純に幸福や勝利が訪れるタイプの物語がある。第二に、その否定としての悲劇がある。そして、第三に、悲劇の否定としての喜劇がある。第一の類型に属する喜劇もあるので注意しなくてはならない。弁証法の三幅対において、端緒の形態と、それの否定の否定として生み出される形態は、しばしば外見的には似てくる。しかし、二番目の否定、最初の単純な否定とは違う。その否定は、第一の形態から第二の形態を導きだした否定が純化され、強化された結果として、過剰性を帯びたものである。
5　だから、人が福音書の記述にショックを受けたとき、そうとは自覚していなくても、無意識のうちにその喜劇性の方に反応したのだ。

第4章　永劫回帰の多義性

1　ニーチェの映画的感性

キェルケゴールは、近代における信仰の可能性ということを考え抜いた。絶望を克服するものは、信仰しかない。それは、近代以前の伝統への回帰ではない。徹底的に近代的な意味での信仰である。だが、われわれは前章で見た。キェルケゴールにおいて、信仰そのものが無神論へと近接しているさまを、である。信仰に背を向けることで無神論に近づくのではない。逆に、信仰に深く内在することで、無神論が目の前に姿を現してくるのだ。かくして、信仰と絶望とがほとんどひとつのものに収斂しそうになる。

だから、キェルケゴールはニーチェのすぐ近くにまで来ている。「神が死んだ」と宣言したニーチェのすぐ近くにまで、である。キェルケゴールは、「没落」を選択したツァラトゥストラが、山を降りる途上で出会ったあの隠者ではない。神の死をまだ知らずにのんびりしている人物ではないのだ。キェルケゴールはそれをすでに知っている……と言ってよいほどだ。だからニーチェは、キェルケゴールの「信仰」が潜在的に向かおうとしていたその地点をこそ、思考の出発点にしたと見なしてよいだろう。神の死を前提にした上で、キェルケゴール的な意味での絶望を乗り越えようとしたのがニーチェだからである。ニーチェの問いは、神が死んでいるときニヒリズム――とりわけその最悪の形態としての消極的ニヒリズム――はいかにして克服しうるか、である。

この問いへのニーチェの回答は、「力への意志」に裏打ちされた「永劫回帰」である。永劫回帰とは何であろうか。永劫回帰が、どうして（消極的）ニヒリズムへの対抗策となるのか。この点を明らかにしていくと、われわれは、キェルケゴールに見出したのとよく似た逆説を見出すことになる。ただし、その逆説は、キェルケゴールのケースとは反対を向いている。

＊

永劫回帰が何を意味しているのかを追尋する前に、ニーチェの顕著な「現代性」を再確認しておきたい。ニーチェが没したのは一九世紀の最後の年であり、彼の創造的な執筆活動はその十一年前に終わっている。にもかかわらず、前章でも述べたように、ニーチェは、二〇世紀現代的な思想家である。

そのことは、ニーチェに対する、二〇世紀の思想家の態度によく示されている。ソクラテス以前の哲学者を別にすれば、ニーチェは、ハイデガーが最も肯定的に継承しようとした過去の哲学者である。ジョルジュ・バタイユは、ニーチェが西洋文化に対して実行しようとした価値転換を、そのまま発展させた。ミシェル・フーコーの権力論、とりわけ牧人＝司祭的な権力についての議論は、ニーチェが『道徳の系譜学』で想像的に（のみ）論じたことに、経験科学的な裏付けを与え、それを精緻化したと解釈することができる。フーコーの「系譜学」という概念は、ニーチェからの借用である。『ニーチェ』という著書もあるジル・ドゥルーズは、欲望のトータルな肯定を中核にすえる倫理思想をニーチェから引き出した。ジャック・デリダの脱構築は、『善悪の彼岸』や『道徳の系譜学』での西洋形而上学批判や道徳批判の継承として解釈することもできる。……と、このように二〇世紀を代表する思想家たちの概念や議論は、ニーチェによって予告され、先取りされている。

こうしたことは、どんな思想史の教科書にも書いてあることなので、これ以上の精査は必要あるまい。ここでは、思想内容の面ではなく、それを規定する感性に関してニーチェが二〇世紀的だったということを見ておきたい。このことをわれわれに教えてくれるのは、フリードリッヒ・キットラーである。『近代篇2』の第17章で参照したテクスト――一九世紀の言説システムと二〇世紀の言説システムの間の断絶を証明したテクスト――の中で、キットラーは、一九世紀の初頭にあってこの時代の言説システムを全体として代表している形象として、ゲーテの『ファウスト』を挙げていたのだった。これとの対比において、二〇世紀の言説システム（への転換）を代表している形象は、他ならぬニーチェである。[*1]

たとえば、古代ギリシアの悲劇はアポロン的な理性（造形芸術的な側面）とディオニュソス的な情動（音楽的な側面）との総合の上に成り立っていると論じたかの有名なテクストの中で、ニーチェは次のように論じている。

われわれが太陽を凝視しようと努力して眩しさのため目をそらすと、いわば治癒手段として暗色の斑点がわれわれの目に浮かぶ。逆にソフォクレスの主人公のかの光像現象（光像の投射」、要するに仮面というアポロン的なるものは、自然の恐るべき内面へと投げられた眼の必然的な所産であり、戦慄すべき闇によって傷つけられた眼を治癒するためのいわば光り輝く斑点なのである。[*2]

アポロン的な主人公が現れる仕組みについて、譬喩によって語った部分である。明るすぎる太陽を見たことの補償として暗点が見えるように、深すぎる闇を見たときには、その補償として、光点が投射されるに違いない。その光点こそ、アポロン的な主人公だというのだ。ここでは明示的に書かれてはいないが、ディオニュソス的な側面は「戦慄すべき闇」に対応している。この直前には、ソフォクレスの主人公について、次のようにも書かれる。

主人公のこの表面に現われ目に見える性格――かかる性格は根本において暗い壁に投射された光像以上の何ものでもない、すなわち、徹頭徹尾現象である。[*3]

こうした記述のどこが二〇世紀的なのか。キットラーが気づかせてくれているように、アポロン的な主人公の現れのために活用されている要素をすべて合わせると、まさに「映画」になるのだ。第一に、光の選択に先立って闇がある。ニーチェにとっては、それは原初の夜闇だが、映画のコンテクストでは、運搬中のリールを保護するケースにあたる。第二に、光学的な――むしろ眼球的な――幻覚効果がある。そして第三に、光像が投射されるスクリーン（「暗い壁」）がある。

リュミエール兄弟が、スクリーン上に動く写真を投射し、公開したのは一八九五年のことである。誰でも知っているように、映画は熱狂的に受け入れられ、改造も加えられ、やがて二〇世紀を代表する技術メディアになる。ニーチェは、映画が実現する前に映画の譬喩で語っているかのようだ。彼は、古代ギリシアの悲劇を映画のように見たのである。映画なるものを自然なものとして享受する感性が、映画の発明の前に、ニーチェに準備されていたのだ。

2　オリーブ山で歌う

さて、神の死を受け入れているニーチェにとっては、ニヒリズムは不可避の前提である。ニヒリズムは、キェルケゴールの「死に至る病」、つまり絶望に対応する。ニヒリズムを前提においたとき、つまり人間の生に意味を与える絶対的で無条件な価値が存在しないとき、なお生に積極性を取り戻すことができるのか。これに対するニーチェの応答が、先にも述べたように、「永劫回帰」であった。永劫回帰とは、とりあえずは、すべてが同じものとして繰り返す、という意味だ。今起きていることはすでにあったことであり、またこれからも起きるだろう。このようなことへの信仰のような確信が、しかし、どうして、ニヒリズムへの対抗となるのか。永劫回帰という概念に込められていることは、実のところかなり複雑である。

この概念を提起しているニーチェのテクストは『ツァラトゥストラ』だ。ニーチェは、四十歳になる直前の、一八八三年二月から翌一八八四年一月までの期間に、同書の第三部までを書き上げた。第一部を八三年二月に、第二部を同年夏に、第三部を八四年一月に、いずれも十日から二週間で書き上げたとされている。分量から考えて、異常な集中力、異様な速筆だったということになる。第一部と第二部は八三年のうちに、第三部は八四年に出版された。これらから少しだけ遅れて八五年に、位置づけが難しい――というのも正典の一部のようにも外典のようにも見える――第四部が書かれた。『ツァラトゥストラ』は出版当時はほとんど売れず、いかなる反響も呼ばなかった。第四部に関しては、私家版がわずか四十部印刷されただけだった。

『ツァラトゥストラ』は、三十歳のときに故郷を発ち、それから十年間山にこもっていたツァラトゥストラという人物が、惜しみなく光を与える太陽に触発されて、山を下り、人々に教えを授けるべくさまざまな説教をする、という体裁をとっている。*4 すべての説教は、寓話である。『ツァラトゥストラ』の全体にゆるやかな筋があるが、そのストーリーよりも、ツァラトゥストラの個々の語りの方が重要である。ところで、ツァラトゥストラとは何者なのか。この名は、古代ペルシャの拝火教の宗祖（ザラスシュトラ）からとってきている。この人物は、名だけはよく知られているが、具体的な事績は、活動期間も含めてほとんど何も知られていない。ニーチェは、拝火教にとりわけ愛着があったわけではないだろう。主にその異教的なイメージを活用したのだ。

弟子を引き連れ、各地を説教しながら放浪するというスタイルからすぐに連想できるように、ニーチェのツァラトゥストラの主たる源泉、それが主にパロディの対象としているのは、まちがいなくイエス・キリストである。キリストだけが念頭に置かれているわけではないが、キリストが最も重要な発想源であろう。そのことは、いたるところで示唆されている。

イエスへの参照が最もあからさまな一箇所だけ、見ておこう。第三部の前半に「オリーブ山で」という節がある。ツァラトゥストラはオリーブ山に向かう。これは、イエスが、「最後の晩餐」の後に――逮捕される直前に――オリーブ山（ゲッセマネ）に行き、一人で神に祈ったという、福音書に記された出来事を踏まえている。イエスは、一部のユダヤ人が自分を憎んでいることと、彼らに捕らえられ殺されるかもしれないということをひしひしと感じている。この苦難から自分を解放して欲しいと願い、イエスは神に祈る。「あなたは何でもおできになります。この杯を私から取り除いてください……」と。しかも、この間、眠らずに待っているようにと命じておいたにもかかわらず、弟子たちは眠りこけている。これを見てイエスは「わずか一時も目を覚ましていられなかったのか」と嘆く。彼は弟子たちの無関心を直感し、自分の孤独を哀しんでいるのだ。前章で、福音書にあるイエスの物語は、悲劇としても喜劇としても読むことができると述べておいたが、このオリーブ山の場面で、悲劇性の側面が極大値に達する。

ツァラトゥストラも、イエスのように、イエスをあたかもまねているかのように、オリーブ山に登る。だが、ツァラトゥストラのそこでのふるまいはイエスとは正反対である。彼は、そこで陽気に楽しそうにしている。闇の中で祈る代わりに、日だまりで歌う。孤独を嘆くのではなく、逆に孤独を肯定し、人からの同情をあざわらう。要するに、ツァラトゥストラは、究極の悲劇が演じられた場所を、快活な喜劇の場所に転換する。

福音書のストーリーでは、ゲッセマネの悲しい祈りの後、イエスは捕まり、十字架に磔《はりつけ》になる。そして、十字架上で、父なる神に向かって、なぜ私を見捨てるのか、と叫んだところで、悲劇は、急転直下、極限の喜劇に転ずる。この叫びの瞬間、神（キリスト）自身が神の存在に不信を抱いているのだ！　オリーブ山での「この杯を私から取り除いてください」という祈りとゴルゴタの丘での「なぜ私を見捨てる」という呪いとの間の距離は、悲劇の極限と喜劇の極限の振れ幅である。[*5] ツァラトゥストラは、悲劇と喜劇を福音書のように時間的につなぐのではなく、悲劇の場そのものに喜劇的なアスペクトを重ね合わせようとしている。このように解釈することができるだろう。

3　黒いヘビの幻影

さて、問題は永劫回帰であった。ツァラトゥストラは、永劫回帰をどのように説いているのか。すると奇妙なことに気づく。『ツァラトゥストラ』の全体を、つまり四部を最後まで通読すれば、永劫回帰が『ツァラトゥストラ』の最も重要な主題であったことはわかる。しかし、最初のうち、ツァラトゥストラは永劫回帰についてなかなか説明しようとしない。たまにほのめかしてはいるが、その内実を説明しようとはしない。ツァラトゥストラはためらっている。永劫回帰について語ることに何か支障があるかのように、である。第二部までで、全体の半分が終わっている。少し性格を異にする第四部を外せば、第二部の終わりで、すでに全体の三分の二が終わったことになるのだが、一度も、最も重要な主題についてはきちんと語られていないことになる。

第二部の終わりまでの流れの中で、永劫回帰の内実に最も接近するのは、「予言者」という節の中の一言だ。この節は、第二部の二十二個の節の中の十九番目にあたる。ツァラトゥストラの分身のような予言者は、一つの教えが宣布され、それとともに一つの信仰が流布した、と言う。教え、信仰とは何か。「一切は空であり、一切は同じことであり、一切はすでにあったのだ！」。

実はこれは、旧約聖書の「伝道の書」からの引用である。ここで、一切は同じで、すでにあった、というのは、まさに永劫回帰のことではないか。予言者は、永劫回帰の教えの予感を語っているのである。しかし、とまどわざるをえない。すべてが同じことの繰り返しであるがゆえに、一切はむなしい（空である）とされていることに、である。永劫回帰の思想が、その敵対者であるところのニヒリズムとそのまま丸ごと合致していることになるからだ。

永劫回帰について初めて積極的に論じられるのは、第三部の始めの方である。全部で十六個の節から成る第三部の二番目の節「幻影と謎について」の中でだ。ツァラトゥストラは、第二部の結末からずっと、自分の山中の洞窟への帰路の中にある。この節では、ツァラトゥストラは、船に乗っている。あの「ツァラトゥストラ」が同乗している、ということが船乗りたちのあいだで噂となって流れた。ついに、ツァラトゥストラは、「謎に酔った者たち、薄明を喜ぶ者たち」[*6]である船乗りを相手に口を開くこととなった。彼は、自分が見たある幻影について語ったのだ。この幻影の中に、永劫回帰の教説が登場する。が、その語られ方がまた奇妙でもある。

幻影の中で、ツァラトゥストラは、峻険な山を登っている。しかし足取りは重い。彼の肩に、異形の小びと（重力の精）が乗っているからだ。小びとは、ツァラトゥストラに付着しているのだから彼の分身でもあるが同時に、敵である。ツァラトゥストラはいきなり、小びとに論争を仕掛けた。「待て！　小びとよ！」「わたしか！　それとも、おまえかだ！」[*7]と。小びとは、ツァラトゥストラの挑戦を受けて立つ。彼はツァラトゥストラの肩からおりて、その正面の石にしゃがんだ。

二人が立ち止まったところにちょうど通用門があった。通用門のところで、二本の道が出会っていることがわかる。一本の道が過去を、もう一本の道が未来をそれぞれ表していることは明らかである。通用門の名前は「瞬間〔今〕」である。ツァラトゥストラは、小びとを挑発するように質問を発する。二本のうちの一本の道をずっとどこまでも先に進んだらどうなるだろうか。「小びとよ、おまえは、これらの道が永遠にわたって互いに矛盾すると信じるか?」。小びとは答える。「一切の直線的なものは偽る、」「一切の真理は曲線的であり、時間自体が一つの円環である。」と。[*8]

何ということか。敵である小びとの方が、先に、永劫回帰について語っているではないか。しかし、ツァラトゥストラは、この答えを斥ける。「あまりに安易な言い方をするな!」そして、あらためて彼自身が、永劫回帰について論じる。

一切の諸事物のうちで、走りうるものは、すでにいつか、この小路を走ったにちがいないのではないか? 一切の諸事物のうちで、起こりうるものは、すでにいつか、起こり、作用し、走り過ぎたにちがいないのではないか?

そして、一切がすでに現存したのであれば、おまえ、小びとは、この瞬間をどう考えるか? この通用門もまた、すでに——現存したにちがいないのではないか?[*9]

これは、しかし、時間が円環で、同じことが繰り返されている、という小びとの主張とどう違うのだろうか。何かが違うはずだ。が、その違いは自明とはほど遠い。結局、小びととツァラトゥストラの論争に決着がつく前に、突如、犬の遠吠えが聞こえてくる。これを合図にして、場面が転換する。小びとも通用門も消え、第二の幻影が始まるのだ。

見ると、一人の若い牧人が身悶えし、けいれんし、顔面を引きつらせて苦しんでいる。彼の口から、一匹の黒いヘビがたれ下がっていた。ヘビは彼ののどのなかへ這いこんで、そこにかみついていたのである。ツァラトゥストラは、ヘビを引っ張り出してやろうとするが、うまくいかない。そこで、ツァラトゥストラは若者に向かって叫んだ。かみつけ、頭をかみ切ってしまえ、と。牧人は、ツァラトゥストラの勧めた通りにかみ、ヘビをはき捨てるのに成功した。

ここで注目すべきは、若者を苦しめていたのがヘビだということだ。怜悧さを象徴するヘビは――ワシとともに――、ツァラトゥストラの動物、彼の同伴者である。特にヘビは自分の尾をかんでウロボロスになったときには円環となるため、永劫回帰を可視化する動物として、『ツァラトゥストラ』の全篇を通じて肯定的に扱われている。しかし、この幻影の中では、ヘビの役割は正反対である。牧人を苦しめ、ツァラトゥストラと敵対している。ヘビの黒さが敵対性の印になっている。

「幻影と謎について」の二つの幻影――重力の精である小びとの幻影と黒いヘビの幻影――を通じて示されていることとは、永劫回帰が何であるかということよりも、その多義性である。永劫回帰の教えは、生は一般にむなしいとするニヒリズムに対抗するものであるはずだ。この教え、この概念をほんの少し誤って使用するとたちどころに、それはむしろ敵の武器になるようだ。永劫回帰には危うい両極性があるらしい。味方になるかと思えば、ほんのわずかな違いによって最大の敵にも転ずる。では、永劫回帰という概念の正しい理解、正しい使用法とは何なのか。

4　後ろ向きに意志する

先ほど引用した、重力の精である小びとに対するツァラトゥストラの反論をもう一度、ていねいに読み返してみよう。前半では、走りうるものはすでに走り、起こりうるものはすでに起こったに違いない、という。ここまでであれば、小びとが言ったことと変わらない。そう、だから時間は不可逆な直線ではなく円環なのだ、と。

しかし、この瞬間はどうなのかと反問し、この通用門もすでに現存したに違いないではないか、と論を進めたとき、小びととツァラトゥストラの間の違いが現れている。なぜなら、「この瞬間」というのは、ツァラトゥストラと小びとがいる「この今」のことだからだ。「この通用門」は、任意の時点にあるのではなく、「この今」にたいしてたち現れているからだ。時間が円環しているという言明を発するとき、人は時間の外にいて、時間を眺めている。それに対して、何が今かは、時間に内在している者にしかわからない。ツァラトゥストラが言おうとしていることは、永劫回帰は時間に内在している者にとってのみ意味をもつ、ということである。

すると、どうなるのか。視点を時間の内側においたとき、永劫回帰の思想は、どのようにしてニヒリズムへの対抗策となりうるのか。永劫回帰を知る者はこう言う。「《これが――生であったのか？》と、わたしは死に向かって語ろう。《さあ！　もう一度！》」[*10]。このように言えるならば、確かに生は肯定されているのであって、ニヒリズムも解毒されている。が、こう言えるためには、つまりこう言うことが当人にとって真実であるためには、なお条件がある。こんなふうに言いたくても、容易にそう思えるものではない。

ここで、よく知られているニーチェの基本的な主張を思い起こしておくのがよい。ニーチェが最悪なものと見なしたもの、人類が編みだしたものの中で最悪と解したものは何だったのか。ルサンチマンである。その源泉にあるのは復讐精神だ。*11 ルサンチマンと復讐精神こそは、生に対する否定的な態度を、ペシミズムやそのさらに強い形態であるニヒリズムを生み出している。

では復讐精神はどこから来るのか。われわれが復讐精神をもち、ルサンチマンを抱くのは、すでに起きてしまったことをとうてい受け入れられないと感じたときであろう。つまり、復讐精神は、「過去と『それはそのようであった』」への嫌悪からくる。この嫌悪は、意志の否定、意志の不可能性の確認、つまりはひとつの反意志である。ニーチェ（ツァラトゥストラ）は次のように語る。


《そうあった》。意志の歯ぎしりと、その最も孤独な憂愁とは、このように呼ばれるのだ。なされてしまったことに対して無力なるままに——意志は、一切の過ぎ去ったものに対して、一人の悪意をいだく傍観者である。


意志は過去を欲することができないのだ。

時間が逆行しないこと、これが意志の怨恨である。《あったところのもの》——意志がころがしえない石は、こう呼ばれる。*12

ならばどうすればよいのか。結局、復讐精神が生ずるのは不可避なのか。もしそうだとすると、生を悲観するペシミズムは必然である。そして、生にはしょせん価値も意味もないとして、生きることに対して消極的になること、つまり消極的（否定的）なニヒリズムには対処しえない、ということになる。

＊

問題の圏域を広げておこう。ニーチェが明示的に語っているわけではないが、ここで主題になっていることがらは、伝統的な存在論の難問と関係している。偶有性という様相には、存在論的な身分はあるのか、これがその難問である。偶有性は、「存在することもできると同時に存在しないことができるもの」の存在が真であること、と定義することができる。偶有的であるとは、実際にはこのようであったとしても「そうではなかったこともありえた」と言えるということだ。このとき、「そうではなかったこと」は生起しておらず、直接には存在していない。しかし、存在することもできたのだ。言い換えれば、それは「存在しないことができるもの」として存在していることになる。偶有性のために、存在論的な領域を確保することができるだろうか。これは、アリストテレス以来の問いである。[*13]

偶有性に存在論的な身分を与えることを阻む原則は二つある。つまり、偶有性に十全なる身分を与える上で、二つの障害物がある。第一の障害物は、条件的必然性の原則である。これは、「何であれ、存在するときには存在するのが必然である」とする原則だ。何かが存在しているとき、何ごとかが生起したとき、常にそれに関して「あるべくしてあり、なるべくしてなった」と見なすとすれば、それが条件的必然性だ。この原則が貫徹していれば、現に存在しているものに関して、存在しないことも可能だ、とは言えないということになる。現に生起したことに関して、別様でもありえた、と見なすことができない。要するに、偶有性なるものの存在の余地はここにはない。

だが、条件的必然性の原則に関しては、われわれの日常感覚からしても、まったく狭量すぎる、という印象をもつ。人間のごく一般的な日常の中には、この原則を確証させるものは何もない。私は今この原稿を書いているが、書かないことも可能だった、と私は思う。この原稿の存在に関して、条件的必然性は成り立たない、というのがわれわれの妥当な感覚である。早くはアリストテレスが『形而上学』で、条件的必然性の原則を打ち消そうとしている。「あらゆる潜勢力は、同時に反対物にとっての潜勢力である」と。たとえば、歩くことができる（という潜勢力をもつ）者は、同時に、歩かないこともできるという潜勢力をももっている。

この原則をアリストテレスよりもっとはっきりと斥けたのは、中世のスコラ哲学者——トマス・アクィナスの批判者——ドゥンス・スコトゥスである。われわれは普通、矛盾した現実は存在しえないと考える。歩きかつ歩かないことという出来事は存在しない、と。しかし、スコトゥスによれば、二つの現実の間に矛盾があったとしても、一方が現勢的状態で、他方が潜勢力を保持するということはありうる。意志において、それが顕著である。何かを現に欲する者（現勢的状態）は、欲しないこともできるということ（潜勢力）を経験する。原稿を書こうと意志する者は、そのように意志せず、書かないこともできるということをも経験しているのだ。だから、意志は、「なすことができる」ということと「なさないことができる」ということの間の共属関係の体験である。スコトゥスは、意志は矛盾律の支配の外にある、とまで言っている。

このように条件的必然性の原則を乗り越えることは不可能ではない（ように見える）。古代・中世を通じて、乗り越えは試みられてきたし、それは成功を収めているように見える。だが、偶有性の存在を阻む原則、偶有性が十全なる存在論的身分を確保する上で障害となる原則はもう一つある。こちらの方がずっと手強く、とうてい無効にはできないように見える。もう一つの原則とは、過去の撤回不可能性の原則である。すでに起きてしまったことに関しては、撤回することはできない。もう他ではありえない。過去に関しては、（起きなかったことや存在しなかったことの）潜在的可能性は、実在不可能だ……そのように思える。もう起きてしまったことに関して、偶有的であるとは言えない……のではないか。

条件的必然性には抵抗したアリストテレスも、過去の撤回不可能性の原則に対しては降参している。彼の表現を借りれば、こうなる。「トロイアが陥落したことを欲するものは誰もいない」。なぜなら、すでにトロイアは陥落してしまっているからだ。

＊

この小さな回り道を経れば、ニーチェ＝ツァラトゥストラの前に立ちはだかっている困難が何であったかがより明確に見えるだろう。復讐精神が湧き上がるのは避け難いように思える。その原因は、過去の撤回不可能性にある。となれば、ペシミズムとニヒリズムにただ従うほかないのか。

ここでツァラトゥストラは、まことにアクロバティックな戦略を提案する。過去の撤回不可能性の原則を回避できないのだとすれば、それをあえて肯定すればよい。そして、この肯定自体をひとつの論理へと高めればよい。これこそが、永劫回帰の思想である。どういうことか、説明しよう。

どのようにしたらルサンチマンを乗り越え、復讐精神を除去することができるのか。これが課題であった。これに対して、ツァラトゥストラは、意志に「後ろ向きに欲すること」「後戻りして意欲すること」を勧める。まず、「そうであった」という過去の現実がある。この「そうであった」を、「そうであることを私はまさに欲したのだ」に置き換えるのだ。これが、「後ろ向きに欲すること」にあたる。こうすれば、怨恨（ルサンチマン）は生じない。まさに欲していたことが起きたことになるからだ。私がそのように欲しているということは、それと同じことが何度でも帰ってこい、と思うことであるはずだ。そう思えないならば、私がそれを欲していたことにならないからだ。だから、生の終結、死に向けて、私は言うことになる。「さあもう一度！」と。こうして永劫回帰が意志される。

永劫回帰という概念の含意がこのようなものだとすると、この概念と、ニーチェのもうひとつの鍵概念「力への意志」との関係もはっきりしてくる。永劫回帰は、意志の領分の拡大、その十全なる一般化によってもたらされているのだ。先ほど、スコトゥスは、条件的必然性の原則を拒否するものとして「意志」を導入した、と述べた。意志の守備範囲を、過去の撤回可能性の原則が関係している領域にまで拡張すれば、永劫回帰の思想が得られる。スコトゥスは、条件的必然性を否定するために「意志」に訴えた。ニーチェは、過去の撤回可能性の原則に論理的な肯定を加えるために、「意志」を活用する。永劫回帰は、力への意志、意志そのものへの意志の拡大の果てに導き出される。

5　聴き取られなかった十二番目の鐘の音

ここまでだろうか。ここで永劫回帰という概念の中に含まれている真実はすべて汲み尽くしたことになるのだろうか。もし永劫回帰の概念をめぐる探究がここまでで終わりなのだとすれば、この概念には、やはり明白な限界がある、と言わざるをえない。次のように問い返してみるとよい。どんなに惨めな人生、どんなにひどい人生、どんなに不当な扱いを受けたと思われる人生に対しても、「さあもう一度！」と言うべきなのだろうか。極限のケースで考えてみよう。アウシュヴィッツの強制収容所で苦しんだ人に対しても、その人生の反復を意欲すべきだ、と勧めることができるか。もしそんなことをしたら、それはとてつもない冒瀆ではないか。「後ろ向きに欲する」ということを中核にすえた永劫回帰の思想は、明らかに限界がある。それは、すべての人生を救済することはできない。

永劫回帰がここまでの内容であるとすれば、それが効果を発揮するのは、「悲劇」の領分までである。悲劇の主人公は、自らの身に起きたことをまさに自身の意志によって再捕捉することで、その運命を引き受け、愛した者である。悲劇の主人公が偉大なのは、こうすることで、卑しいルサンチマンを克服し、清算しているからである。しかし、永劫回帰の含意が前節で述べたことにあるのならば、前章に述べたような喜劇、つまり「悲劇を通り越して喜劇」というようなタイプの喜劇には、この概念は通用しない。アウシュヴィッツの隠語で「ムーゼルマン（回教徒）」と呼ばれた人に効果をもつメッセージは、この概念にはない。キェルケゴールが見た「絶望」の全体にまで対抗しうる内容は、この概念には見出せない。

＊

と、このように言わざるをえないのは、しかし、永劫回帰の概念の中に孕まれている真実がすべては開示されていないからだ。ここまでに述べてきたことは、まだ中途半端な真実である。探究はまだ終わっておらず、真実のすべての解明にまでは至っていないのだ。

実際、「後ろ向きに欲する」ということについてのツァラトゥストラの説教は、第二部の終結部近くであって――厳密に言えば第二部全二十二節の中の終わりから三番目の「救済について」と題された節であって――、この段階では、実はまだ永劫回帰はその名ではっきりと指示さえされていないのだ。先に述べたように、永劫回帰がそれとしてはっきりとわかるように論じられるのは、第三部に入ってからだ。

つまりこの段階で示されたことは、暫定的な真実でしかない。仏教的な表現を用いれば、これは「世俗諦《せぞくたい》」であって、まだ「勝義諦《しょうぎたい》」にまでは至っていない。それは、最終的な真実に到達する上で通過する必要がある、不十分な真実である。

では、『ツァラトゥストラ』の第三部の中で、永劫回帰の概念のさらなる発展、より深い真実が示されていくのか。実は、そうではない。『ツァラトゥストラ』の展開には、不可解な部分があるのだ。第一部で、ツァラトゥストラは山から下り、一連の説教を終えたあと、弟子たちを捨て、再び一人で山に戻ってしまう。第二部で、彼は再び、山の洞窟を出発する。先にも述べたように、第三部は、このツァラトゥストラの第二の旅の帰途から始まる。第三部の中盤で、ツァラトゥストラは山に回帰し、いったん失神し、目をさましてから七日間、床に伏せる。ワシによる看病によって、ツァラトゥストラは回復する。そして、最後に、「七つの封印」という章句によって、永劫回帰の思想が詩的に表現される。この章句は、しかし、哲学的には、これまで述べてきた以上の内実はない。一連の物語は、大団円を迎え、ここで完結してしまっているように見える。

とするならば、やはり永劫回帰の概念には、述べてきた以上のものはない、と言わねばならないのではあるまいか。だが、『ツァラトゥストラ』は第三部まででされいに終わっているように見えるのに、さらに第四部が付け加えられた。何かが尽くされていなかったからである。そのことは、第三部の終わりにも暗示されていた。世界の深淵から十二個の鐘の音が聞こえてくるのだが、十二番目だけは聴き取られていないのだ。その十二番目の音が、第四部で聞かれることになる。

それによって、永劫回帰の概念に、さらにもう一歩の真実が含まれていることが明らかになる。ここまでの展開の中で、ツァラトゥストラは、生を肯定する方法を教えてきた。ルサンチマンを引き起こす生の否定に対して、生を肯定する方法を、である。しかし、述べたように、ここまでの展開には限界がある。肯定しきれない生があるからだ。この状況を乗り越えるためには、肯定を否定へと引き戻すのではなく、肯定を過剰な肯定へと発展させるしかない。永劫回帰の概念には、その可能性が秘められている。と、同時に、そうした展開は、この概念の危険な誤使用への可能性をも開くことになるのだが……。

1 Friedrich A. Kittler, *Discourse Networks 1800/1900*, tr. by M. Metteer, Stanford: Stanford University Press, 1990, pp.177-205.

2 F・ニーチェ『悲劇の誕生（ニーチェ全集2）』塩屋竹男訳、ちくま学芸文庫、一九九三年（原著一八七二年）、八三頁。

3 同書、八三頁。

4 すぐに気づくように、ツァラトゥストラの想定上の年齢と、ニーチェの実際の年齢はほぼ等しい。

5 『古代篇』第7章。

6 F・ニーチェ『ツァラトゥストラ　下（ニーチェ全集10）』吉沢伝三郎訳、ちくま学芸文庫、一九九三年、二二頁。

7 同書、二五頁。

8 同書、二六頁。

9 同書、二六頁。

10 同書、三三二頁。

11 F・ニーチェ『善悪の彼岸・道徳の系譜（ニーチェ全集11）』信田正三訳、ちくま学芸文庫、一九九三年。

12 F・ニーチェ『ツァラトゥストラ　上（ニーチェ全集9）』吉沢伝三郎訳、ちくま学芸文庫、一九九三年、二五四―二五五頁。

13 以下の偶有性についての議論は、ジョルジョ・アガンベンの論考、メルヴィルの『バートルビー』を論じつつアガンベンが展開したことに依拠しながら進める。ジョルジョ・アガンベン『バートルビー　偶然性について』高桑和巳訳、月曜社、二〇〇五年（原著一九九三年）。

第5章　〈しるし〉が来た

1 「窮境を訴える叫び声」はどこから……

『ツァラトゥストラ』の第四部の実質的なストーリーは、ツァラトゥストラが、「窮境を訴える叫び声」を聞くところから始まる。誰かが、「高等な人間」と呼ばれる者たちのうちの誰かが、助けを求めているのだ。「高等な人間」は、非常に優れた人間、超人に近づいた人間を指す語ではない。ここで「高等な höher」は、「そこそこましな」といった意味であり、揶揄的な含みをもつ。いずれにせよ、比較的まともな人たちでも、苦境を訴え、ツァラトゥストラによる救済を願っているようである。

『ツァラトゥストラ』は、第三部までで物語的な叙述に関しても、思想的な表現としても、いったん完結している。第三部の最後に十二点鐘が鳴り響き、七つの封印が閉ざされ、音楽で言えばコーダにあたる部分が書かれてしまっている。『ツァラトゥストラ』の第三部までの流れには自然さがある。第一部の初版には継続への予告は記されていないので、ニーチェは、第一部を公刊した段階では、第二部を書くつもりはなかったのかもしれない。それでも、第一部と第二部は、物語的にも文体的にも思想的にも違和感なく接続する。第三部は、第二部の印刷用原稿を仕上げている間に構想されたとされており、物語的な叙述の点でも第二部とのつながりはきわめて強い。だが、第三部(まで)と第四部の間には断絶がある。

物語の基本的なトーンの上でも、第三部までと第四部の間には大きな違いがある。第三部までの基調は悲劇である。前章で述べたように、第三部までの展開の中にも、福音書の深刻なシーンに笑いを挿入するなど喜劇的な断片はいくつもあるが、全体の枠組みは悲劇である。ここではツァラトゥストラは、その思想を受け入れられず苦悩する悲劇の主人公だ。それに対して、第四部は全体としてむしろ喜劇、一種のドタバタ喜劇である。すぐ後で紹介するように、第四部では、ツァラトゥストラを慕う——その意味ではツァラトゥストラの思想を受け入れたと称する——高等な人間たちが、下劣とも言えるほどに混乱した儀式(のパロディ)を執り行い、大騒ぎをする。

ニーチェ自身、第四部に対しては両義的な態度をとっていた。第四部はごく少部数の私家版しか作られなかった、ということは前章で述べた。ニーチェは、その私家版を贈った友人や妹エリーザベトに対して、第四部は実際には書かれなかったかのように、これを秘密にして欲しい、と訴えている。さらに、ニーチェは、今から振り返れば発狂の直前にあたる一八八八年暮には、すでに渡した第四部のすべての回収を懇請している。要するに、ニーチェは、第四部を鬼子のように、つまり第三部までのテクストの正統な継承者ではないかのように扱ったのだ。一種の自伝『この人を見よ』でも、『ツァラトゥストラ』に関して、三度の十日間の仕事で書かれたと記されており、第四部の存在は無視されている。

どうしてこのようなことになったのか。位置づけが不安定な第四部が、それでも書かれたのはどうしてなのか。ニーチェは、一旦は、第三部までで「同じものの永劫回帰」の思想を論じ尽くしたと考えたのであろう。だが、書き終えてみると、何か根本的に問題があると思うようになったのではあるまいか。いや、第三部の結末を書いている中ですでに、何かが足りないという予感のようなものを抱いたはずだ。その予感が、世界の深淵から響いてくる鐘の音の最後の一個、つまり十二番目の鐘の音だけが聞きとられなかった、というあの挿話の中に示されていた。

だから、第四部が書かれたわけだが、ニーチェ自身が、第三部までの結論と第四部の間のつながりを把握できていなかったのであろう。少なくとも、彼は、両者の間の順接性に確信をもてていない。ときに第四部の存在を否認しようとしたのは、そのためだと推測できる。

いずれにせよ、第四部の最初にツァラトゥストラが聞く「窮境を訴える叫び声」は、第三部までの展開の中にある欠陥の表現であろう。物語は次のように進む。叫び声は高等な人間たちから発せられていると予言者に教えられたツァラトゥストラは、八種類の高等な人間と次々と会い、彼らを自分の洞窟に招く。八種類とは、「大いなる疲労の予言者」「二人の王」「(ヒルを研究している)良心的な認識者〔学者〕」「魔法使い」「(神が死んだために)失職した教皇」「最も醜悪な者〔神の殺害者〕」「みずから進んで乞食となった者〔イエスのパロディ〕」「ツァラトゥストラ自身の影」である。これらの人物に順に会うのだが、ツァラトゥストラは叫び声の発生源が誰かを特定できない。そこで彼は、自分の洞窟に戻ることにする。探索途上に出会った以上の者たちが先に洞窟に行って、客として待っているはずだからだ。すると何と、窮境を訴える声がツァラトゥストラ自身の洞窟の中から聞こえてくるではないか。

それでは、わたしの聞いたのは、そなたたちが窮境を訴える叫び声であったのか？　かくて、今やわたしはまた知る、わたしが今日むなしく捜し求めた者、すなわち高等な人間を、どこに捜し求めるべきかをも――。

――あの者、高等な人間は、わたし自身の洞窟のなかに坐っているのだ![*1]

洞窟は、ツァラトゥストラ自身によって「わたしの領域」と呼ばれる。それは、ツァラトゥストラに固有に属する場所であり、永劫回帰の思想の支配地である。叫び声が洞窟に発していたということは、第三部までに展開してきた永劫回帰の思想に内在的な欠陥があることを暗示している。

＊

ニヒリズムをいかにして超克するか。これがニーチェの主題であるとして、「同じものの永劫回帰」の思想は――第三部までに定式化した内容の範囲にとどまる限りは――、この主題への十分な応答にはなっていない。これによっては真にニヒリズムは克服されない。これが、『ツァラトゥストラ』第四部の執筆へとニーチェを向かわせた直観であろう。

ここで、ニーチェの言う「ニヒリズム」を整理しておきたい。ニーチェはこの語を多義的に使用しているからだ。ニヒリズムは克服すべきネガティヴなことだが、同時に、ポジティヴなこともニヒリズムとされている。永劫回帰の思想も、ニヒリズムの「最も恐るべき形式」すなわちニヒリズムの「極限的形式」である、とされる(『権力への意志』第五五節)。正反対のことがともにニヒリズムの語で呼ばれていることになる。どのように解釈すればよいのか。

ニヒリズムの原型は、もちろん、神が死んだ、ということである。神が死んだ以上は、生には目的もなく、意味もない、ということになる。では、神が生きていれば、そのような神を信じられれば、ニヒリズムではない、ということになるのか。ニーチェの観点ではそうではない。神が存在しないという事実を直視せずに、虚妄の神を立てることは、やはりニヒリズムである。つまり、ニヒリズムを否認することもまたニヒリズムである。そうであるとすれば、ニヒリズムに対抗する思想もまた、神の死ということは前提にしなくてはならず、当然、ニヒリズムの中にある。ニヒリズムはニヒリズムにおいて克服されなくてはならない。

ならば、ニヒリズムを超克するとはどういうことなのか。それは、次のような問いだと解することができるだろう。神が存在せず、それゆえに生に目的も意味もないとして、このとき、どのように生を肯定することができるのか。神の存在を前提にすることなく、これに答えなくてはならない。

「神の死」「神の殺害」ということの意味についても慎重にならなくてはいけない。ニーチェがその著作の中で「神の死」について最初に明示的に論じたのは、『悦ばしき知識』(第一版)においてだとされている。『ツァラトゥストラ』第一部よりも一年前に、つまり一八八二年に出版された著作である。この中で、ニーチェは、「おれは神を探している!」と叫びながら市場を駆《か》ける「狂気の人間」について書いている。市場には神を信じない人が大勢いたので、この狂人は笑いものにされる。「神さまは迷子になったのか?」「神は隠れん坊しているのか?」「船で出かけたのか?」等とからかわれる(『悦ばしき知識』一二五節)。

ここで市場にいる平均的な大衆は神の死を知っていて、狂気の人だけがそれを知らない、とニーチェは言っているように見える。実際、一九世紀の末期の西洋には、「神など存在しない」「私は神を信じてはいない」等と言う人はごく普通にいくらでもいた。するとニーチェは、当時すでに当たり前だった「神の死」を、たいそうなこととして宣言してみせていたということになるのだろうか。そうではない。神を信じていないと自分で思っていることと、ほんとうに神の死を知っているということとは別のことである。神を信じていないと主張する者でも、実際には「背後世界」の存在を想定している。「背後世界」とは、典型的には、現実の世界の背後や彼方にあるとされる来世とか永遠の命のことだが、たとえば自分の行為に意味や目的があると見なすだけでもすでに背後世界を前提にしていることになる。このとき、当人は意識することなく、意味や目的の最終的な根拠になる背後世界（たとえば天国）や、あるいは意味・目的を与え、その価値を保証する神の存在を、行動の前提にしていることになるからだ。神など信じていないとうそぶく人も、ほんとうは神が死んだこと、神を殺したことを直視してはいないのだ。

今紹介した、『悦ばしき知識』の一節で、ほんとうに神の死を知っているのは、狂気の人の方である。彼は、むしろその由々しき影響を理解しているがゆえに狼狽し、神を探しているのだ。彼は、彼を嘲笑する市場の群衆に向かって叫ぶ。「おれたちが神を殺したのだ――お前たちとおれがだ！　おれたちはみな神の殺害者なのだ！……（中略）…神の腐る臭いがまだ何もしてこないか？――神だって腐るのだ！　神は死んだ！　神は死んだままだ！　それも、おれたちが神を殺したのだ！　殺害者中の殺害者であるおれたちは、どうやって自分を慰めたらいいのだ？……（後略）」。この熱弁に対して押し黙り、訝しげに彼を眺める聴衆に、狂気の人はさらに言う。「おれは早く来すぎた」「まだおれの来る時ではなかった。この怖るべき出来事はなおまだ中途にぐずついている——それはまだ人間どもの耳には達していないのだ」[*2]。市場の群衆は、自分たちが神を実際はすでに殺しているのに、そのことを自覚しておらず、またそこから招来されるニヒリズムの深刻さにも気づいていない。この狂気の人が、やはり市場で説教し、人々に嘲笑されるツァラトゥストラの前身であることは、言うまでもない。

ニヒリズムはニヒリズムによって超克されなくてはならず、実際それが可能だというのがニーチェの確信である。『ツァラトゥストラ』のあとの一八八七年に刊行された、『悦ばしき知識』の第二版の増補部分で、神の死は「悲しむべき暗鬱なものでは決してなく、むしろ筆舌に尽くしがたいようなある新しい光明、幸福、安心、晴朗、鼓舞、曙光といったものである」(『悦ばしき知識』三四三節[*3])と書いているのは、そのためである。

2　ロバ祭り

さて、ニヒリズムを超える極限のニヒリズムこそが、同じものの永劫回帰の思想であり、この思想こそが『ツァラトゥストラ』の主題である。第三部までの展開の中で示された永劫回帰はどのようなものだったのか、あらためて確認しておこう。すでに起きてしまったことに関して、失敗だった、無意味だったと後悔する復讐精神を無効化するべく、その過去を後ろ向きに意志することであえて肯定すること、これが第二部・第三部の中で実質的に言われている永劫回帰の思想の内実である。「私はそのように欲していたのだ、だからもう一度」と反復が意志されるのだ。

第四部の前半で、ツァラトゥストラは、高等な人間たちを自分の洞窟へと招じ入れるのだった。福音書のイエスのイメージを借りて、ニーチェは、ツァラトゥストラを、人間を漁《すなど》る漁師として描く。第四部の冒頭の節で、ツァラトゥストラは、人間の世界を海に喩え、「わたしの最良の餌で、わたしは今日、人間という名の最も奇妙な魚どもを、わたしのほうへおびき寄せるのだ！」*4と語る。彼は、山上から、人間の海に「黄金の釣竿」を投げ入れたのだ。そうして集めた魚たちが、高等な人間たちである。

さて、彼ら高等な人間たちは、ツァラトゥストラが少しばかり洞窟の外に出ているすきに、とんでもないことを始める。その直前には、ツァラトゥストラは、歓声をあげながら興じている高等な人間たちが、自分自身を笑うことを——自らを肯定することを——習得して、快癒に向かっていると安心していた。だから彼は虚をつかれたことになる。ツァラトゥストラが短い外出から洞窟に戻ってみると、高等な人間たちは、ロバを崇めながら愚かしい連禱を始めていた。ツァラトゥストラと高等な人間たちとの晩餐がすでに、キリストの「最後の晩餐」のパロディだったわけだが、彼らのこのロバ祭りは、これを再びパロディ化していると解釈することもできる。あるいは、このロバ崇拝は、モーゼがシナイ山に行っている間にイスラエルの民が始めた「金の子牛」崇拝を連想させる。

それにしても、なぜロバなのか。ロバは、高等な人間たちの中の「二人の王」が連れてきたものだが、ここでロバが崇められなくてはならない必然性はどこにあるのか。ロバにはさまざまな寓意が重ね合わされているが、最も重要なことは、その鳴き声にある。ロバは、ワインを飲まされて酩酊しており、高等な人間たちの連禱に調子を合わせながら「イーアー（I—A）」と嘶《いなな》く。この音は、ドイツ語の肯定の返答「然り《ヤー》Ｊａ」と重なって聞こえる。

われらの神は語らない。彼の創造した世界に対して、つねに然り《ヤー》と言う以外には。そう言って彼は自分の世界を称えるのだ。語らないことが彼の狡猾さだ。かくて、彼はめったに間違うことがない。

——するとロバはそれに対してイーアーと鳴いた。[*5]

これは、生と世界を徹底して肯定する永劫回帰の思想のグロテスクな実現である。ツァラトゥストラは、高等な人間たちのこの猥雑なお祭りを通じて、そこまで彼が説いてきた永劫回帰の思想の真実を、それを文字通り実行したときに、どのような姿をとりうるのかを見てしまったのだ。

『ツァラトゥストラ』第一部の「ツァラトゥストラの説法」の冒頭に、精神の三つの変化について論じた有名な語りが置かれている。精神は、ラクダからシシを経て、最後に子供へと至る。ラクダは、「なんじ、なすべし！」という命令に従う精神であり、あらゆる道徳の寓話的な表現である。道徳は、シシの「われ欲す」の精神によって破壊されたあと、最後に子供に至る。子供の精神とは、「一つの遊戯、一つの自力でころがる車輪、一つの第一運動、一つの神聖な肯定である」。[*6]これは、車輪、つまり永劫回帰の循環に対応している。ここでのロバの「イーアー」は、まさに「神聖な肯定」を表現している。永劫回帰の思想は、その最悪の形態においては、この醜悪なロバ祭りにまで堕落しうる。

理論的にも、「後ろ向きの意志」を中核にすえる永劫回帰思想の理解には限界がある。もともと、これは、復讐意志とルサンチマンを無効化する方法として提案されていた。だが――永井均が述べているように――、すでに起きてしまった現実にあえて「私は欲していた」という意志を添加するこの方法は、それ自体、ルサンチマンの発露ではないか。それは、すっぱい葡萄《ぶどう》のキツネの負け惜しみと同じである。キツネは、狙っていた葡萄を得られなかったことの悔しさを、「私はあんな葡萄を食べたくなかったのだ」「葡萄を食べないことを欲していたのだ」と言うことでごまかしている。*7 永劫回帰の思想は、これと同じ欺瞞を要求していることになるのか？

3 〈しるし〉が来た

ひとつの物語としてみた場合には、高等な人間たちのロバ祭りは、『ツァラトゥストラ』第四部の最大の山場である。ロバ祭りは、高等な人間たちがいかに下等であるかを示している。重要なことは、高等な人間たちが引き起こした騒動は、(ここまでの)永劫回帰の思想の限界を外化して表現しているということだ。

最終的に、ツァラトゥストラは、高等な人間たちを放置し、山を降りることになる。彼は「わたしの領域」である洞窟を去るのである。第三部までの流れでは、ツァラトゥストラは、山から人間の世界へと「没落」したあと、自らの固有の領域である洞窟へと回帰してきた。しかし、第四部の結末では、そうした基本の軌道を否定し、ツァラトゥストラは山を去る。このとき、彼は、高等な人間たちへの同情自体が、自分の罪であった、と悟っている。

このようにツァラトゥストラは同情への誘惑を断ち、自らに固有に属していた領域から去る。

こうしたことがツァラトゥストラにできたのは、その直前に、決定的な体験があったからである。その瞬間は、次のように記述される。

「しるしが来た」と、ツァラトゥストラは語り、彼の心は変化した。そして実際、彼の面前が明るくなったかと思うと、彼の足もとに一匹の黄色い逞しい獣が横たわっていて、頭を彼の膝にすり寄せ、愛のあまり彼から離れようとせず、さながら自分の昔の主人に再会するイヌのように振舞った。だがハトたちも、その愛にかけて、シシに劣らず熱烈であった。そして、ハトがシシの鼻先をかすめて飛ぶたびに、シシは頭を横に振って、いぶかりながら、笑った。

これら一切のことに対して、ツァラトゥストラはただ一言だけ語った、「わたしの子供たちが近くにいる、わたしの子供たちが」と――、それから、彼はまったく黙りこんだ。だが、彼の心は解け、彼の目からは涙がしたたり落ちて、彼の手に降りかかった。[*8]

この間、高等な人間たちは眠りこけている。オリーブ山で、イエスが祈っている間に弟子たちが眠っていたのと同様に、である。「弟子」である高等な人間たちの代わりに、ツァラトゥストラの周りには、彼固有の動物たちが集まってくる。ワシとヘビはすでに一緒にいた。加えて、笑うシシとハトとが寄ってきている。四動物から、キリスト教の四福音書を連想する者もいる。これらとは完全には合致しないが、福音書記者も動物によって象徴されてきたからである。[*9]

何よりも重要なことは、端緒にある「しるしが来た」ということである。〈しるし Zeichen〉

とは何か。これこそ、第三部では聞きとられなかった、あの十二番目の鐘の音である。ずっと聞き落とされてきた究極の鐘の音がここで響いてきた。ということは、この瞬間に、永劫回帰の思想のより高い理解――これまでの解釈を超える高い理解――が、ツァラトゥストラのもとに到来したということであろう。ロバ祭りへと堕落することがない真の理解が、この瞬間に訪れたのである。その証拠に、このときツァラトゥストラは、「わたしの子供たちが近くにいる」と（だけ）語っている。前節で述べたように、子供は、精神の変態の中の最終段階、永劫回帰に対応する段階であった。

もともと永劫回帰は、ニーチェが書斎で構築した理論ではない。『この人を見よ』によれば、この思想は、突然、彼のもとにやってきた。一八八一年の夏、ニーチェは、スイス東部の小村シルス・マリアに滞在していた。八月のある日、シルヴァプラーナ湖畔の森を通り抜けて歩いて行ったとき、ズルライからほど遠からぬところにあるピラミッド型にそびえ立った一つの巨大な岩塊のそばで、この思想はニーチェに降臨した。

ニーチェは、こうして得た構想をもとに『ツァラトゥストラ』を執筆した。第一部が成立したのは、このシルヴァプラーナ湖畔での劇的な体験から十八ヵ月後のことだった。しかし、ニーチェは、この体験の実態を、いささかも矮小化することなく記述するのに苦戦したのではなかろうか。第三部までは、この体験の衝撃に肉薄しつつも、完全には成功しなかった。第四部に至って、やっと〈しるし〉が来た。つまり、あの体験があのなまなましさのもとで再来した。〈しるし〉は、この決定的な体験の反復である。

＊

では、『ツァラトゥストラ』の第四部の結末においてようやく暗示されている永劫回帰の思想の、より高い、ほんものの理解とは何なのか。ニーチェは明示的には何も書いていない。彼は、ツァラトゥストラに、このことを積極的には語らせていない。語ることができなかったのだ。語ってはならないことなのかもしれない。ただ行動において示すべきことなのだろう。しかし、われわれとしてはそのように開き直るわけにはいかない。ニーチェが明示的に語ったことを超えて、その思想の内実を論じなくてはならない。

最大の手がかりは、当然、「しるしが来た」ということである。つまり〈しるし〉はすでにここにあるのだ。ということは、何を含意しているのか？

ここでもう一度、第三部までに提起された永劫回帰の思想の内容を思い起こそう。それは、すでにそうであったことを意志し、あえて肯定することであった。しかし、それは生のほんとうの肯定にはなっていない。このやり方は、ルサンチマン的な否定性の隠れ蓑にしかなってはいないのだった。ではどうすればよいのか？　ほんとうの肯定に至るにはどうしたらよいのか？

現に起きたことを追認的に肯定するのではなく、現に起きていることに抗して決定的な出来事はすでに起きたと想定すること、そのような想定において行動すること、それが答えではないか。起きたことをそのまま肯定するのではなく、起きていないことを起きたことのように肯定し、信じるのだ。これが、〈しるし〉が来た、ということの意味である。〈しるし〉、つまり決定的な出来事はもう起きたのだ。これこそ、真の永劫回帰である。われわれは常に、「すでに起きたこと」の反復として行動することになるからだ。

たとえば普通、メシアはやがて来るのを待たれている。言い換えれば、メシアは（いつも）まだ来てはいない。それに対して、メシアはすでに来たと想定することが、永劫回帰の思想である。「そのとき」はもう来てしまっているのだ。ツァラトゥストラの最後の言葉はこうである。「ツァラトゥストラは熟した。わたしの時が来た」「これはわたしの朝だ。わたしの昼が始まる。さあ、上がって来い、上がって来い、おまえ、大いなる正午よ！」*10。ツァラトゥストラの時はもう来てしまっており、彼の朝から正午への歩みはすでに始まっている。

生を未だ到達していない決定的な出来事を目指す過程として意味づけるならば、たとえば来世や天国への過程として意味づけるならば、それは、神の存在を前提にしているのと同じことになる。生に目的を与え、その妥当性と価値の保証人として神が必要になるからだ。永劫回帰の観念が命じていることは、生と世界についてのこうした目的論的解釈の逆を行うことである。それは、反事実的に「目的にすでに到達してしまっている」と想定することだからだ。

だが、このような思想にどんな価値があるというのか？　これが、ニヒリズムの克服になっているのか？　とても卑近な実例を使ってまずは説明してみよう。たとえば締切までに仕事を仕上げなくてはならないとしても、締切が「未だ」という様相を呈している間は、人はなかなか本気には仕事にとりかからない。「為さねばならぬ」と思いつつも、明日から本格的に取りくもう、明日から書き始めよう等と考えるだろう。人が真に本気に仕事に取りくむのは、締切がすでに来てしまっているときである。そのときには、「明日から始めよう」などと呑気なことを言ってはいられない。

「救済のとき」についても同様である。たとえば最後の審判がやがて来ると信じていたとしても──ときには最後の審判は差し迫っていると思っていたとしても──、いまは未だそれが来ていないとしたら、人は少なからず、のんびりとした緩みをもって暮らすだろう。罪を犯し、堕落に身を任せることもあるだろう。明日から悔い改めればよいのだから。しかし、メシアがもう来てしまっているとしたらどうだろうか。しかも、自分が救済されるに値することを未だ何もしていないことを自覚していたとしたらどうか。一刻の猶予も許されない。ただちに「こと」を為すだろう。人は、自らがすでに救済されているはずだと（反事実的に）仮定できるがゆえに、救済されたときに為したはずのことをあたかも反復するかのように遂行するのだ。このように生に対してほんとうに積極的・肯定的になりうるのは、メシアがすでに来てしまったと、つまり真にクリティカルな出来事はすでに起きていると仮定できるときだけだ。

ここで留意すべき重要なことは、以上のような意味で解釈した「永劫回帰の思想」は、「神の死」を真理として認識しているということだ。「すでにやってきている」とされる神やメシアの存在は、純粋な反実仮想である。反事実的にのみ、それらの存在を想定することに意味がある。言い換えれば、実際には神は存在しないということこそ、永劫回帰の思想にとっては絶対に動かせない真実である。だから、永劫回帰の思想はニヒリズムの枠内にある。ニヒリズムの極限においてニヒリズムを超克するとされる所以はここにある。

したがって、永劫回帰は、神も、また背後世界も排除している、と言うべきである。先ほど引いたツァラトゥストラの最後の言葉にも示されているように、彼は「正午」を好む。なぜか？　正午、つまり太陽が真上にあるこの時刻は、影になる部分（背後世界）が極小化しているからである。[*11]

4　ニーチェの逆説／キェルケゴールの逆説

永劫回帰の思想は、神の死を前提にした思想である。しかし、同時に、ここに述べてきたような永劫回帰の思想の真の理解、その最も高い理解は、キリスト教に接近してもいる。

キリスト教は終末論的に構成されている。世界の終わりのときにキリストが再臨し、「審判」がなされるだろう。しかるべきキリスト教徒は、この審判を経て、神の国に導かれ、そこで永遠の生命を得る。キリスト教にとっては、しかし、この基本構成から逸脱する側面も重要だ。キリスト教徒にとっては、メシア（キリスト）はすでに――二千年ほど前のパレスチナに――来てしまっているのだ。この出来事への信仰において、キリスト教は、他の唯一神教とは根本的に異なっている。そして、永劫回帰の思想とキリスト教は、この一点でほとんど接触しそうだ。

ニーチェにとって、キリスト教は最大の敵である。しかし同時に、永劫回帰の思想を突き詰めていくと、キリスト教に――その核にある一点のみに――近づいていく。実際、ニーチェは、キリスト教とキリストとを区別し、前者を批判しつつ、後者には共感を示している。『反キリスト者』には次のようにある。

私はキリスト教のほんとうの歴史を物語る。――すでに「キリスト教」という言葉が一つの誤解である――、根本においてはただ一人のキリスト者がいただけであって、その人は十字架で死んだのである。「福音」は十字架で死んだのである。この瞬間以来「福音」と呼ばれているものは、すでに、その人が生きぬいたものとは反対のものであった、すなわち、「悪しき音信」、禍音であった。「信仰」のうちに、たとえばキリストによる救済の信仰のうちに、キリスト者のしるしを見てとるとすれば、それは馬鹿げきった誤りである。たんにキリスト教的実践のみが、十字架で死んだその人が生きぬいたのと同じ生のみが、キリスト教的なのである。（『反キリスト者』三九節[*12]）

ニーチェは、イエスの弟子たちには厳しい。弟子たちはイエスを完全に誤解し、イエスの福音から、それとは正反対のもの（禍音）を作り上げた、というのがニーチェの見立てである[*13]。正反対のものとは、終末における救済の信仰のことだ。

とりわけパウロに対するニーチェの評価は、著しく低い。いや「低い」というより、ネガティヴな方向に極端に高いというべきかもしれない。パウロはキリストの死を「贖罪」として解釈したわけだが、ニーチェの眼には、この解釈は強いルサンチマンの産物に映る。パウロにおいて、「憎悪の、憎悪の幻想の、憎悪の仮借なき論理の天才」（『反キリスト者』四二節[*14]）が体現されている、とまで言っている。

『反キリスト者』でニーチェは、その独特の心理学をもとに、キリスト教の教義が成立してきた原因を探っているのだが、その詳細にはここで立ち入らない。ここで確認しておきたいことは、次の逆説である。永劫回帰の思想は、神が死んでいること、われわれが神を殺害したということを根本的な真実として受け取ることから始まっている。しかし、この思想の行き着く先は、あと一歩でキリスト（教）という地点である。神の死を前提にしたニヒリズムは、ニヒリズムとしての本質を維持したまま自らを徹底させていくと、その先にキリスト的なものを見出すことになる。この逆説は、（第3章で見た）キェルケゴール思想の逆説と対照をなしている。キェルケゴールの場合は、信仰を純化し徹底させていくと、逆に「神の死」に近づいてしまうのだった。そのため、対立しているはずの信仰と絶望が互いによく似てくる。

＊

ニーチェの哲学に関していえば、われわれの探究の全体にとっては、永劫回帰という観念の最も高い可能性を抽出することだけが重要なわけではない。この観念の正しい使用法（〈しるし〉が来たとの想定に基づく使用法）と誤った使用法（ロバ崇拝にまで行き着きうる使用法）とが相互に容易に反転してしまうほどに互いに近くにあるということ、このことこそ留意しなくてはならない。ニーチェ本人すら、「永劫回帰」を積極的に説明しようとすると、ほとんど誤使用に依拠したものになる。どうして誤使用への誘惑がかくも強いのか。一九世紀末から二〇世紀の転換期において圧倒的だった社会的現実は、誤使用の方にむしろ親和性があったからである。その社会的現実がどのようにニーチェの哲学に反響していたのかを見定めておく必要がある。その場合、鍵になるのは、ニーチェのもうひとつの重要概念「権力への意志」である。

1　F・ニーチェ『ツァラトゥストラ　下（ニーチェ全集10）』吉沢伝三郎訳、ちくま学芸文庫、一九九三年、二五六頁。
2 F・ニーチェ『悦ばしき知識(ニーチェ全集8)』信太正三訳、ちくま学芸文庫、一九九三年、二一九―二二一頁。
3 同書、三六八頁。
4 『ツァラトゥストラ 下』、一七八頁。
5 同書、三二二頁。
6 F・ニーチェ『ツァラトゥストラ 上(ニーチェ全集9)』吉沢伝三郎訳、ちくま学芸文庫、一九九三年、五〇頁。
7 永井均『これがニーチェだ』講談社現代新書、一九九八年、一七七頁。
8 『ツァラトゥストラ 下』、三四八―三四九頁。
9 村井則夫『ニーチェ――ツァラトゥストラの謎』中公新書、二〇〇八年、三二七頁。福音書記者ルカが牡牛、マルコが獅子、ヨハネが鷲、マタイが天使によって象徴される。
10 『ツァラトゥストラ 下』、三五一頁。
11 「偶像の黄昏」には次のようにある。「真昼。影の最も短い瞬間。最も長いあいだの誤謬の終焉。人類の頂点。ツァラトゥストラの始まり INCIPIT ZARATHUSTRA.」(F・ニーチェ『偶像の黄昏・反キリスト者(ニーチェ全集14)』原佑訳、ちくま学芸文庫、一九九四年、四七頁)。
12 「反キリスト者」『偶像の黄昏・反キリスト者』、二二二頁。
13 高等な人間たちが、ツァラトゥストラの教えからロバ崇拝を作り出したように。
14 「反キリスト者」前掲書、二二八頁。

第6章　権力への意志と死の恐怖

1 「永劫回帰」観念の誤使用

ニーチェにとって永劫回帰は究極の思想であった。ニーチェ自身、そのように語っている。が、そうだとすると、奇妙でもある。ニーチェは、公刊された著作の中で一度も、この観念が何を意味しているのかということを積極的には論じていないのだ。見てきたように、永劫回帰を主題としているはずの『ツァラトゥストラ』の中でも、ニーチェは、その思想を詩的に暗示するのみだった。だからこそ、われわれは前章で、あえて冒険し、永劫回帰の観念が何かを明示してみたのだった。

それにしても、どうしてニーチェが永劫回帰の思想を積極的には主張しなかったのか——あるいは主張できなかったのか——という疑問は残る。『ツァラトゥストラ』で、「永劫回帰」が間接的にではなく、はっきりとそれとわかるように最初に言及されるのは、第4章で述べたように、第三部の二番目の節においてであった。このときは、しかし、「永劫回帰」はむしろ拒絶の対象である。ツァラトゥストラの敵である重力の精（小びと）が、「永劫回帰まがい」のことを口にし、永劫回帰を連想させる動物であるヘビが——ただし不吉な黒色をしたそのヘビが——、牧人の喉に這いこんで彼を苦しめている。どうやら、永劫回帰の観念は、それを積極的に語ろうとすると、たやすく誤使用され、むしろ敵の武器にすらなりうるらしい。永劫回帰について語るときは、慎重でなくてはならない。いや、語ることは危険だ。そのようにツァラトゥストラ＝ニーチェは判断しているようにすら見える。

なにゆえに永劫回帰の観念はかくも誤使用に対して脆弱なのか。どうしてこの観念は、簡単に誤使用の方へと没落していくのか。われわれはすでに前章において永劫回帰の思想の意味を――ニーチェ自身のほのめかしを超えて――はっきりと把握し、見定めておいたわけだが、そのことを踏まえて、あらためてこの観念が誤使用へと傾きやすい理由を考えておこう。

永劫回帰を正しく把握するための鍵は、「〈しるし〉がすでに来た」という想定であった。決定的な出来事は、たとえばメシアの到来はすでに起きたと反事実的に仮定した上で行動すること、これが鍵である。このときメシアは、つまり神は実在しない、まさにその限りにおいて到来した――存在している――と仮定されることになる。ここには矛盾が、存在をめぐる最高度の矛盾がある。

だが、この過去に向けられた、存在と非存在の間の二律背反《アンチノミー》は、未来へと投射しなおせば、直ちに解消される。一方で、神は、どの現在においても存在してはいない。つまり神は、常に（まだ）到来してはいない。このことを前提にした上で、他方で、神はいずれ到来する、とされる。ただし、その「いずれ」という性質はいつまでも消えない。つまり、神は、いつまでも到達することがない未来において到来する（存在する）。こうして、神は（いずれ）存在し、かつ（まだ）存在しない。こう認識すれば、本来の永劫回帰の観念につきまとっている二律背反は完全に消える。

この状態、つまり永劫回帰に固有な二律背反を解消した状態は、カントの統制的理念——構成的理念に対置されているもうひとつの理念——のあり方に等しい。統制的理念は、そこへと（どこまでも）漸近していくことはあっても、決して完全に実現することはない理念のことである。この場合、現実《アクチュアル》の行為とそれが差し向けられている理念との間のギャップは、永遠に乗り越えられることはない。

あるいは、（一部の）プロテスタントの予定説に関しても、統制的理念の場合と同じことが言える。予定説は、もちろん、キリスト教の終末論のひとつの解釈なのだから、救済のときは実際に——有限の時間内に——やってくると想定されている。それは、統制的理念のように決して到達しない目的ではない。だが、予定説は、人間の現実の生と終末の救済との間の論理的なギャップ——時間的・経験的なギャップではなく論理的ギャップ——を最大限に保ち、このギャップが埋められることを拒否する教義である。神はすでに個々の人間に関して「救済／呪い」を決定してしまっており、人間は、自らの行為によってその決定に影響を与えたり、決定を覆したりすることはできないとされる。また、人間は、自らがどちらに——救済か呪いかのどちらに——予定されているのかを知ることができない。そうだとすると、人間は、この世界において生きて活動している限りにおいては、最終的な目的である救済を少しずつたぐり寄せている——いわば目的を実現しつつある——という実感をもつことができないし、そもそもそのような実感をもってはならない、ということになるだろう。[*1] それゆえ、予定説を前提にすれば、この世界に被造物として生きている限りは、最終的な救済に絶対に到達しない——到達しつつあると実感することすらできない。こうして、予定説の設定においても、統制的理念の場合と同様に、現実の行為と理念の実現の間の距離は永遠に隔てられたままになる。

永劫回帰の観念は、「過去」を舞台とした二律背反を含意している。この二律背反は、舞台を「未来」へと移すことで、矛盾を解消しようとする。そのとき生まれるのは、決して到達できない永遠の未来に目的や理念を定め、そうした目的や理念との関係でのみ現実が意味づけられる世界解釈である。現実はそれ自体として肯定されるのではなく、この世界からは到達できない神の国や決して実現されることがない統制的理念を媒介にしてのみ肯定される。こうした解釈が成り立つためには、もちろん、神や統制的理念の存在が先験的に前提にされなくてはならない。

とすれば、明らかであろう。このような目的論的世界解釈こそ、ニーチェが拒否し、克服しようとした当の思想である。「神は死んだ」とは、このような目的論的世界解釈は成り立たないということだ。永劫回帰は本来、こうした世界解釈を超克する思想としてやってきたものだ。しかし、永劫回帰という観念は、自らが敵対していた世界観へと反転する危険性と隣り合わせになっている。反転に論理的な必然性があるわけではない。しかし、この観念は、反転による裏切りに対して脆弱である。

反転には、いま述べたように必然性があるわけではないので、この脆弱性は永劫回帰の観念そのものの内在的な欠陥ではない。脆弱性の真の由来は別のところにある。永劫回帰の観念を誤使用へとたえず誘惑している要因は、ニーチェが発明した、これとは別の概念の中にあるのだ。別の概念とは、「権力への意志」である。

2 権力への意志

ニーチェのいう「権力への意志」とは何か。ニーチェは、この着想を、キリスト教に内在するニヒリズムの系譜学的な探究を通じて得た。まずは、ニーチェがキリスト教の誕生をどう説明したのかを振り返ることを通じて、「権力への意志」ということが何を意味しているのかを見ておこう。*2

ニーチェの考えでは、キリスト教の源泉は、僧侶的価値評価法にある。僧侶的価値評価法は、しかし、〈よい〉という判断の起源ではない。その前に、貴族的価値評価法がある。〈よい〉という判断は、高貴な者、力ある者の自己肯定から始まっている。この判断の端緒は「〈よい人〉たち自身にあった。すなわち高貴な者たち、強力な者たち、高位の者たち、高邁な者たち自身にあった。こうした者たちが、あらゆる低級な者・下劣な者・野卑な者・賤民的な者に対比して、自己自身および自己の行為を〈よい〉と感じ〈よい〉と評価する、つまり第一級のものと感じ、そう評価する」。*3 厳密には、むしろこう言うべきであろう。他者に依存することなく自律的に自らとその行いを〈よい〉と肯定できる者こそが、高貴な者である、と。貴族的に自己を肯定する強者に対する弱者の対抗として、僧侶的価値評価法が出てくる。

弱者は、高貴な者と違い、直接には自己を肯定できない。弱者は、自律的・直接的な価値判断によって自らを肯定できる高貴な者、すなわち強者を羨み、彼らに嫉妬する。そこで、弱者は、強者を否定することによって自らを肯定する。弱者の自己肯定は、他者（強者）の否定を経由してのみはじめて可能になっているのだから、間接的で他者依存的なものである。しかし、弱者の自己肯定はいかにして可能なのか。

強者が導入した評価法をそのまま採用していれば、弱者は、どうしても否定的なポジションに留まらざるをえない。弱者は、貴族的価値評価法において〈よい〉とされるものを、つまり〈よい＝力がある〉を否定的に評価する包括的な価値基準を導入しなくてはならない。その価値基準こそ、僧侶的価値評価法である。僧侶的価値評価法においては、貴族的には〈悪い〉とされていること、すなわち無力であったり、不幸であったり、苦難に満ちていたりすることが、神に選ばれ、愛されている証拠であるとされる。僧侶的価値評価法は、マックス・ヴェーバーがユダヤ教—キリスト教との関係でとりわけ重視したあの「苦難の神義論」への回答だともいえる。

たとえば他人から頬を打たれることは、本来は弱く惨めなことを示しているが、あえて打たれるにまかせ、もう一方の頬をも差し出せ、との命令に従ってそうすれば、この行為は、むしろ道徳的な卓越性を示していることになる。貴族的価値評価法においては、〈よい／悪い〉は、力とその効果の直接的な表現である。このとき〈悪い schlecht〉は、単に「劣っている（ので軽蔑すべき）」ということなので、〈よい gut〉にも、その反対語としての意味（「優良」等）しかない。しかし、僧侶的価値評価法は、〈よい／悪い〉に道徳的な含意を加えている。こちらでは〈悪い böse〉は、「邪悪な」「怯懦《きょうだ》」「下司《げす》」といった意味であり、それゆえ〈よい gut〉には「善良な」といった含みが宿る。

このように、僧侶的な人民は、貴族的価値評価法を相対化する価値基準をでっち上げる。この価値基準が定着すれば、弱者は反抗闘争に勝利したことになる。闘争のエネルギーは、弱者のルサンチマンから供給される。ニーチェは、ルサンチマンが創造性を発揮して価値を生み出したときに闘争が始まる、と論じている。この貴族的価値評価法から僧侶的価値評価法への転換こそ、権力への意志によって駆り立てられていると見なすことができる。僧侶的価値評価法が貴族的価値評価法にとって代わったとき、前者が後者より大きな「権力」をもったことになる。

*

ここから出発して、ニーチェは、キリスト教がどのようにして「原罪」という観念を発明したかを説明していく。基本的な前提は、人間は「約束する動物」だということにある。ニーチェの考えでは、約束とは記憶のことにほかならない。そして、約束の相手が自分自身だったとき、それは「意志」という形態をとる。持続的な意志をもつと自らに約束しうる人間は、責任能力と良心と理性をもつ。この自由意志という前提が、人間の内面に、良心の法廷を準備するだろう。

これに、(内面的な) 罪 Schuld の起源は (外形的な) 負債 Schulden である、とする次のような議論が続く。人は、他者から苦痛を与えられたら、その他者に苦痛を与え返す (報復する)。加害者と被害者の間には債務―債権の関係があると直感されているからである。苦痛はマイナスの贈与なので、それを与えた者は、負債をおう (債務者になる)。それへの報復は、暗黙の約束であり、また責任でもある。また、共同体は、自らの存在が祖先の犠牲や功績に負っていると意識しているので、祖先との間に債務―債権の関係をうちたてることになる。人は祖先に負債がある。その祖先が、やがて (一神教の) 神の表象へと変形される、というのがニーチェの見立てである。こうした負債の感覚が、やましい良心――これは人間の外部へと向けられていた攻撃本能が内側へと反転したときに生まれる――に取り込まれたとき、罪へと変容する。

さらに、ここに、キリストの磔刑死を、人間を救うための贖罪だと見なす、パウロの天才的な解釈が加わると、人間はみな原罪を負っている、という観念が生み出される。人は、身に覚えのない「負債」があるということに納得してしまうのだ。人間は、ほんとうは、誰にも負債などない。つまり、原罪は嘘の負債をもとにしている。その意味で、人間は無に対して負債＝罪をもち、無に支配されていることになる。キリスト教が、ニーチェによって、ニヒリズムであるとされる所以はここにある。

＊

キリスト教と原罪の起源をめぐる、ニーチェのこのような説明は妥当だろうか。ニーチェ自身を歴史的素材として見ているわれわれには、この点は関心の外である。ただニーチェがどんな論理を使ったのか、ニーチェにはどのような論理が説得力のあるものと感じられていたのか、そのことがわれわれにとっては重要だ。ニーチェは、権力への意志を基本的な説明因としている。彼にとっては、すべては権力への意志の現れである。

権力への意志とは何であろうか。権力への意志の最もはっきりとした発動は、貴族的価値評価法と僧侶的価値評価法の葛藤の場面で見られる。この場面の説明を一般化すれば、「権力」あるいは「権力への意志」ということでニーチェが何を意味しようとしていたのかがはっきりする。ニーチェのこの説は、パースペクティヴ主義に基づいている。*4

世界の認識とは、それぞれの視点（パースペクティヴ）からの解釈である。世界は常に、他の仕方でも、つまり他の視点からも解釈することができる。ニーチェにとっては、自分が「権力」を持っている状態とは、自分の視点から他者の（視点からの）解釈を解釈し、意味づけてしまうことだ。つまり、他者の解釈を、自分の視野の中に位置づけ相対化してしまえば、その他者に対して自分が権力をもっている、ということになる。たとえば、僧侶的価値評価法は、貴族的価値評価法そのものを評価し、相対化してしまっている。

ニーチェには、人間はみな、他者（の解釈）を、自らの解釈の中に部分として位置づけようとして、互いに競争しあっているとする基本的な直観、証明抜きの前提がある。それが、「権力への意志」という説になる。誰もが（ニーチェ的な意味での）権力を求めているということを基本的な説明要因として、すべての現象が理解可能だ、というわけだ。

3　死の恐怖——奴隷における

だが、どのような論理、どのような機制で、ある視点の解釈が別の視点の解釈に「勝つ」のだろうか。どうして、一方の視点は他方の視点への従属を受け入れることになるのか。ニーチェは、この点をどのように考えていた——ことになるのだろうか。ニーチェは、特定の現象、キリスト教的な道徳観念の発生のような特定の現象を、「権力への意志」を前提にして解き明かそうとしたが、権力をめぐる闘争を一般論としては説明していない。権力への意志を仮定しているということによって、権力をめぐる闘争が一般にどのような論理に支配され、どんな帰結をもたらすのか、ということはニーチェ自身が書いたものからは直接には知ることができない。

しかし、まことに都合のよいことに、ニーチェに代わって、ニーチェの論理を説明してくれる代弁者がいる。特にニーチェを解説しようとしているわけではないのだが、事実上、ニーチェの「権力への意志」説に相当することを一般論として展開した哲学者がいるのだ。その哲学者とはヘーゲルである。ヘーゲルは、ニーチェよりも七十年以上も前に属しており、ニーチェが生まれたときにはすでに没していたのだから、ニーチェの説を意識するはずはないし、ニーチェから影響も受けようがない。にもかかわらず、ドイツ哲学の研究者としてフランスでよく知られているジェラール・ルブランは、おもしろいことを述べている。ニーチェとヘーゲルは、互いにあい照らしあうような関係にある、と。つまり、ニーチェという光のもとでヘーゲルを読むと、ヘーゲルの弁証法の隠れた真実を見ることができる、というのだ。[*5] ということは、ヘーゲルの弁証法が、ニーチェが荒削りで論じたことの解題として活用できる、ということでもある。ここでわれわれはルブランの示唆にしたがってみよう。

まずルブランが述べているように、ニーチェとヘーゲルは、神的な超越性に関して、あるいは有限な現象を超えた「背後世界」に関して、まったく同じ前提に立っていた、ということを確認しておく必要がある。要するに、神はいない（神は死んでいる）ということは、ヘーゲルにとっても当然のことである。ヘーゲルについての教科書的なイメージはまちがっている。しばしば、ヘーゲルに対して次のような趣旨の批判がなされてきた。すなわち、弁証法において、否定による破壊が高次の肯定——「否定の否定」による総合——の中で調和や完成へと収束することが、予定調和的に前提にされている、と。ヘーゲルは、否定・破壊を収拾してくれる神のようなものを前提にして議論を組み立てているというのだ。しかし、この批判はまったくあたらない。ヘーゲルは、カントにあってはなお消極的なかたちで残っている神的なものや背後世界的なもの——たとえば物自体や超越論的仮象——をも完全に清算してしまっている。ヘーゲルの弁証法において、否定がかならず高次の肯定（総合）に至るように見えるのは、否定がそれ自体ですでに、高次の肯定でもあるからだ。

＊

さて、ニーチェの「権力への意志」の論理の事実上の説明として活用できるのは、ヘーゲルのどの部分であろうか。それは、「権力への意志」という名辞、権力をめぐる闘争という設定に最もふさわしいヘーゲルのよく知られた議論である。すなわち、『精神現象学』の「自己意識」の章に含まれている「主人と奴隷の弁証法」の項、主人と奴隷の間の「承認をめぐる闘争」を論じた箇所である。[*6] ここで、文字通り、一種の権力闘争が主題になっている。しかも、それは、認識——自らが何であるかという認識——を賭金とした闘争である。

奴隷はどうして主人に服従するのか。奴隷が主人との対決において死の恐怖を感じるからなのだが、それは、人が一般にイメージしていることとは違う。つまり、奴隷は、主人に殺されるかもしれないということを恐れ、しぶしぶ主人に従っている、ということではない。奴隷にとって、死の恐怖と主人への服従が同じことになるのはどうしてなのかを理解する必要がある。すると、奴隷が主人に自発的に服従する理由が明らかになる。ヘーゲルはどう論じているのか。「奴隷である」という自己意識が、自分自身にそくして an sich どうであるかということを考察する中で、死の恐怖が現れる。

しかしながら奴隷であることも、この真理《ヴァールハイト》、すなわち純粋に否定的なものであり、それだけで存在するものであるという真のありかた《ヴァールハイト》を、じっさいにはじぶん自身にそくして、「じぶん自身に対するというかたちの真理だけではなく」手にしている。奴隷であるというありかたは、自身にそくしてこの本質を経験するものであるからだ。奴隷の意識が不安をいだいたのはすなわち、「このもの」や「あのもの」についてではない。また「この瞬間」や「あの瞬間」にかんしてでもなく、みずからの全実在《ヴェーゼン》をめぐってである。その意識は死の恐怖を感じたのであって、死とは絶対的な主人だからである。奴隷の意識はこの恐怖を感じることで、内的に解体されており、じぶん自身のすみずみにいたるまで震撼させられて、いっさいの固定されたものがみずからのうちで揺りうごかされている。このような純粋で普遍的な運動とは、すべての存立するものを絶対的に流動化することである。このことがしかも自己意識の単純な本質《ヴェーゼン》であり、絶対的な否定性、純粋なじぶんだけの存在であって、そのような存在がかくていまや、奴隷の意識にそくして存在することになる。[*7]

奴隷は、みずからがそれ自身で何であるかということを意識し、経験したとたんに、死の恐怖を感じている。この死の恐怖は、何か具体的な出来事への恐怖ではない。[*8] それは、「みずからの全実在」をめぐるものだという。つまり、死の恐怖は、みずからが個別の特殊な自己であるという奴隷の自己認識、そしてその特殊で限定的な自己はとるにたらないつまらないものだという奴隷の意識と相関して出現している。死は、奴隷の、それ自体としては特殊であるほかないアイデンティティを――それが何であれすべて――破壊してしまう作用のことであり、それゆえ――そのあらゆる特殊性を抹消しうるということにおいて――ひとつの普遍性である。奴隷にとって、主人とはまず、このような意味での死にほかならない。主人は、普遍性の表現としての死の破壊力の人格化である。

ヘーゲルによれば、奴隷が、みずからに即して自身が何者であるかを経験するのに伴って、死の恐怖を感じる。このことは、特殊性を否定する作用は奴隷の即自的な「自己」に本質的に内在している（とヘーゲルは考えている）ということを含意している。では、奴隷は、自らの特殊なアイデンティティを否定することで、何か積極的なアイデンティティを得るのか、というと、そんなことはない。普遍性は、ただ死ということにのみ、つまり純粋な否定としてのみ存在しており、その内容はさしあたって無だからである。先ほど、ヘーゲルの弁証法においては、高次の肯定（普遍性）は、否定そのもののことだと述べたのは、このような論理を念頭においてのことである。

さて、ヘーゲルのこの部分は、ニーチェが「権力への意志」という概念を用いて記述しようとした現象において、一般的にどのようなメカニズムが働いているのか、ということの分析として読みうるのではないか。先に述べたように、ニーチェにとって、権力（の拡大）とは、特殊なパースペクティヴの世界解釈を、より包括的で普遍的なパースペクティヴの中に取り込むことであった。つまり、それは、特殊なパースペクティヴによって規定された特殊なアイデンティティ（奴隷の特殊なアイデンティティ）が否定され、奴隷が、包括的で普遍的なパースペクティヴが帰属する主人のうちに、自身の真実をすえなおすプロセスと、要するにヘーゲルが提起した論理とまったく同様に捉えることができる。

ヘーゲルの主人と奴隷の弁証法は、まだ先がある。その帰趨を見ておこう。主人と奴隷の主従関係が確立されると、今度は、主人の方こそが、奴隷という労働する者の意識に依存している、非自立的で特殊な意識であることが明らかになる。それに対して、奴隷の側は、死の恐怖において実感したことと同じ意味をもつ経験を、自らの労働を通じて保有する。労働に関して、ヘーゲルは次のように論じている。

> 労働とは、…（中略）…阻止された欲望であり、延期された消失である。いいかえれば、労働とは形成するものなのだ。対象へと否定的に関係することは対象の形式〔を与えること〕となり、かくて持続的なものとなる。なぜなら、ほかでもなく労働する者にとってこそ、対象は自立性を有しているからである。この〔労働という〕否定的な媒語、つまり形成する行為は同時に個別的なありかたをそなえている。いいかえれば、意識が純粋にそれだけで存在する《フュールジッヒザイン》ことであって、このじぶんに対する存在《フュールジッヒザイン》がいまや労働にあっては、みずからの外部に出て、持続するものの境位のうちへと歩みいる。したがって労働する意識は、このような消息をたどって、自立的な存在をじぶん自身として直観するにいたるのだ。*9

労働によって奉仕する奴隷の意識は、主人の方に自立性があり、死の恐怖をもたらす否定性を主人に投射していたわけだが、彼は個別化された物をつくるという労働を通じて、自分自身こそが自立した存在であるということを自覚する。この自覚が、主人と奴隷の立場の逆転を用意する。引用したのは、このような経緯を述べた件りだが、ここで注意しておきたいのは、労働やそれに伴う苦痛（欲望の阻止や消費の延期）にヘーゲルが与えている繊細な含みである。普通は、労働における禁欲的な断念は、最終的な産物による消費と満足のための副次的な意味しか認められない。しかし、ヘーゲルはここで、労働という否定性――労働を通じて対象への欲望を断念すること――、それ自体が、奴隷にとっての報酬であり、労働の成果（形式）であると述べている。確かに、労働の生産物を報酬として受け取って、これを消費するのは、つまり労働の個々の産物に執着しているのは主人の方であって、奴隷ではない。奴隷にとって意味があるのは、労働における否定性そのもの、産物となる特殊な対象への欲望を断念すること自体である。

そうであるとすれば、奴隷は、労働を通じて、死の恐怖において経験したことと同じ意味をもつことを経験していることになる。奴隷は、個別の対象への欲望を断念することで、自らの特殊で限定されたアイデンティティを否定し、それを脱した普遍性の方へと自己を開放していることになるからだ。死の否定性と労働の否定性は、同じ機能を果たしている（ともに奴隷の特殊な自己意識を普遍性へと差し向けている）。ただし、前者の否定性は、奴隷にとって外部からやってくるものとして認識されており、後者の否定性は、自らの内部から発するものとして実感されている。だから、前者は奴隷を服従へと動機づけ、後者は奴隷自身に主人の立場へと向かいうるポテンシャルを与える。

ヘーゲルは、「奉仕と服従という訓育が存在しなければ、〔死の〕恐怖は形式的なものにとどまって、現にあるものが意識された現実的なありかたへひろがってゆくことがない。形成することと〔労働〕を欠いているなら、恐怖は内にあるだけで沈黙しており、意識が意識自身に対して生じてくることがない」[10]と総括している。死の恐怖という形式で経験したことが現実の中ですがたを現すためには、死そのものの人格化ともいうべき主人への服従と奉仕の活動が必要だし、そのことが奴隷自身によって十分に自覚されわがものとなるためには、労働が必要となる。これがヘーゲルの述べたことだ。

4　資本への意志

ヘーゲルを代弁者としながら、ニーチェの「権力への意志」が実質的にはどんな論理を展開したことになるのかを見てきた。ジェラール・ルブランのヒントを受けてのことである。

ところで、ニーチェにとっては、道徳的価値評価をめぐるすべての現象、いやすべての人間的現象は、「権力」に根をもっており、「権力への意志」の発現形態である。ニーチェは、力への意志を、ある種の欲望や衝動と同様に、動物としての人間がもつ性質、つまり生理学的現象であると考えていた。しかも、それは、生存（現存在）への欲求をもこえる、本源的な衝動である、と。[11]他者の世界解釈をその内部に取り込みうる、より包括的なパースペクティヴを得ようとすることが、人間の動物的な衝動のひとつ、しかもただ生きようとすることをも超えるような人間一般に備わる衝動なのだろうか。この認定が妥当か否かは、またしてもわれわれの関心の外のことだ。だが、このような理説が、ニーチェには文句なしに説得力があると思えたのだとすると、それがどうしてなのか、ということは、われわれが問うべきことのひとつであろう。

権力はどこまでも拡大しようとする。人はさまざまなものを求めているように見えるが、畢竟、それらはたったひとつのもの、権力に通約できる。要するに、人は、権力の拡大をめざして競争しあっているのだ。誰も、どこか適当な水準の権力の大きさに満足することはできない。……世界がこのように見えているとするると、これは、何かを連想させはしないか。資本、あるいは資本主義的な市場を、である。

マルクスによれば、流通を規定する機軸の公式が、W（商品）－G（貨幣）－W'（別の商品）から、G－W－G'（＝G＋ΔG）へと反転したとき、この循環しつつ変態する貨幣を資本と見なすことができる。前者の循環は、商品W'を得たところで終わる。後者の循環は、終わりがない。貨幣Gが剰余価値ΔGをともなって（G'として）還流してきても、それは、すぐに次の循環の起点とされるからだ。W－G－W'とG－W－G'の二つの循環において、最も異なっている点は、貨幣Gの性格である。前者の循環では、貨幣Gは、二つのそれぞれに特殊な商品WとW'をつなぐ媒介路に過ぎない。それに対して、後者においては、解釈がまったく異なってくる。後者においては、真に循環しているのは貨幣のみである。この循環公式が意味しているのは、貨幣によって表示される抽象的な普遍性が、さまざまな特殊な商品として受肉しつつ、そのたびに自分自身へと回帰してくる、ということだ。前者の流通公式では、欲求の対象はW'なる商品である。後者の公式では、貨幣が表現する普遍性が欲求の対象となっており、しかもその無限の増殖が追求されている。

ニーチェの「権力」を「資本（としての貨幣）」と対応させれば、「権力への意志」説が描く精神世界と資本主義的な市場との間の類比性はあまりにもあからさまである。もちろん、ニーチェは、資本をモデルにして「権力への意志」の理論を構想したわけではない。彼は「資本」のことなどまったく考えてはいなかっただろう。そのことを承知の上で、それでも、次のように問うことは有意味だ。もし資本という現象が一般化していなかったら、もし市場に溢れる無数の商品が唯一の普遍的価値（貨幣）の多様な具体化であるという見方がまったく自然であるくらいに資本主義的市場が支配的な現実になっていなかったら、そして誰もが貨幣の無限の蓄積を目指しているような市場が広く定着していなかったら、道徳的な欲求を含む任意の欲求を、唯一の「権力への意志」の現象形態であるとする理論に、自然な説得力が宿っただろうか、と。実際、次のツァラトゥストラの言が、権力ではなく資本の寓意であったとしても、何の違和感もない。

> ところで、次のような秘密を生自身がわたしに向かって話した。「見よ、」と生は語った、「わたしは、つねに自分自身を超克しなくてはならないものである。
> もちろん、おまえたちはそれを生殖への意志、あるいは、目的への、より高いものへの、より遠いものへの、より多様なものへの衝動と呼ぶ。しかし、これらはすべて、一つのことであり、同一の秘密なのだ。
> わたしは、この一つのことを断念するよりも、むしろ没落〔倒産〕するほうを選ぶ。そしてまことに、没落と落葉とがあるところ、見よ、そこでは、生はみずからを犠牲にするのだ
> ――権力のために！[12]（後略）」

第2節で、キリスト教の「原罪」の観念が捏造されるまでの過程を、ニーチェの系譜学がどのように記述したのか、ということを、ごく大雑把に見ておいた。ニーチェの考えでは、罪の起源

は負債である。キリスト教世界では、人はみな犯してもいない罪の意識に責め苛まれる。資本主義は、誰もが負債をおっている社会である。実際には借金をしていない者も含めて、あたかも負債があるかのように――いつまでも消えない負債を返済し続けているかのように――ふるまわなければ、「没落」せざるをえなくなるのが、資本主義だ。資本主義の下で、すべての人は一種の「原罪」を負っている。

「資本」と「権力」との間の同型性は、「権力への意志」説をささえるパースペクティヴ主義を考慮に入れたとき、最も明白になる。ニーチェ的な意味での権力の拡大は、他者の限定的なパースペクティヴを下属させる包括的で普遍的なパースペクティヴを得ることを意味していた。剰余価値を生み出すような商品を市場にもたらすこともまた、同じような意味をもつ。剰余価値は、その商品が、(既存の商品たちを超えて)より普遍的な魅力をもっていると市場によって承認されたときに発生している(『近代篇2』第6章)。成功した商品の売り手は、市場においていわば、より包括的なパースペクティヴをもつ者である。権力の競争も資本増殖の競争も、ともに「普遍性」をめぐる競争として描くことができる。

＊

さて、ここまで見ておけば、最初の節で掲げた問いに答えることができる。永劫回帰の観念が誤使用の方へと簡単に堕落してしまうのはなぜなのか。それは、永劫回帰の観念の周囲に配置されているもうひとつの鍵概念、「権力への意志」が、資本と類比的な構造をもっている、ということと関係している。資本の終わりのない循環が、永劫回帰のパロディのようなものだ、という誰もが気づくポイントは脇に置いておこう。

永劫回帰の観念が誤使用されるのは、それが、統制的理念と類する仕方で働く場合であった。ところで、無限に増殖する資本、無限に拡大する権力は、どうであろうか。それらは、統制的理念と同じような形式で、人を捕らえるだろう。資本も権力も、統制的理念と同様に、永遠に到達しない目的として機能し、その限りで人を惹きつける。資本はG－W－G'と循環すると、いったん「終末」に到達するのだが、そのたびに、真の終末は先延ばしされ、さらなる投資、さらなる循環が求められる。権力への意志もまた、資本と同じように、決して到達しない終末に差し向けられている。こうしたコンテクストに永劫回帰の観念を置けば、それはただちに堕落し、誤使用されるだろう。

ニーチェの思想には極端な両義性がある。一方では、それは、神の死によって招来されているニヒリズムへの最もラディカルな対抗思想である。それは、ニヒリズムによるニヒリズムの自己超克の論理的に最も徹底したヴァージョンだ。他方で、彼の「権力への意志」という理論は、資本主義の現実と共振している。キリスト教から発生したニヒリズムそのものであるような資本主義と、ニーチェの思想は基本的な論理を共有している。資本主義の現実を思想に反映させたとき、どのような世界を描くことができるのかをニーチェの理論は表現しているのだ。ニーチェのこうした二重性は、そしてまたキェルケゴールとの関係で見出した逆説は、二〇世紀現代を記述し、説明するのに有効な論理となるだろう。

1　厳格な予定説をとらなければ、たとえば懺悔などの行為によって、目的（救済）が部分的に実現されたに等しいという確証を得ることができる。

2　F・ニーチェ「道徳の系譜」『善悪の彼岸・道徳の系譜（ニーチェ全集11）』信太正三訳、ちくま学芸文庫、一九九三年（原著一八八七年）。

3　同書、三七八頁。

4　ニーチェのPerspektivという語は、従来、「遠近法」と訳されてきたが、われわれは、永井均に従ってそのまま「パースペクティヴ」と呼ぶことにする。ニーチェは、この語で、厳密な――絵画で用いられるような――遠近法を指しているのではなく、単純に、そして一般的に「視点」「観点」を意味しているからだ（永井均『これがニーチェだ』講談社現代新書、一九九八年、一二三頁）。

5　Gérard Lebrun, *L'envers de la dialectique: Hegel à la lumière de Nietzsche*, Paris: Seuil, 2004.

6　ヘーゲルのこの議論を、われわれは「近代篇」でも、ドストエフスキーの『白痴』を論ずるコンテクストで参照している（『近代篇2』第6章）。

7　G・W・F・ヘーゲル『精神現象学』上、熊野純彦訳、ちくま学芸文庫、二〇一八年（原著一八〇七年）、三一三―三一四頁。〔　〕は大澤による補足。

8　絞首台に送られるかもしれないとか、銃殺の可能性があるとか、といった恐怖ではない。

9　ヘーゲル、前掲書、三一五―三一六頁。〔　〕は訳者による補足。

10　同書、三一七―三一八頁。〔　〕は大澤による補足。

11　『ツァラトゥストラ』の第二部の「自己超克について」と題された節では、「権力への意志」について次のように語られる。「真理をねらって《現存在への意志》という言葉を射た者は、もちろん真理に射あてなかった。こういう意志は――存在しないのだ！」「ただ生のあるところにのみ、意志もまたある。しかし、それは生への意志ではなくて、――わたしはおまえにこう教える――権力への意志なのだ！」（F・ニーチェ『ツァラトゥストラ上（ニーチェ全集9）』吉沢伝三郎訳、ちくま学芸文庫、一九九三年、二〇八―二〇九頁）。

12　『ツァラトゥストラ　上』、二〇七―二〇八頁。〔　〕は大澤による補足。

第7章　「気まぐれな預言者」と「決断する主権者」

1　「死んだ父」を殺す――問いの再確認

本書の最初に――厳密に言えば第2章で――提起した問いに立ち戻るときがきた。晩年のフロイトが見出した「ふたり目のモーゼ」に関する問いに、である。問いをあらためて思い起こしておこう。

精神分析の理論の中心にはエディプス・コンプレックスの仮説がある。エディプス・コンプレックスこそ、（西洋）近代へと至る社会システムのダイナミズムが最終的に生み出した精神構造の結晶である。エディプス・コンプレックスの中核となる要素は、「死んだ父」だ。すなわち「死」という様相において――抽象的である限りで――〈主体〉を捉える第三者の審級だ。フロイトは、二〇世紀の幕開けの直前に、エディプス・コンプレックスの仮説に思い至った。フロイトにとってはモーゼが特別な意味をもっていた。モーゼこそが――フロイトの観点では――「死んだ父」（としての第三者の審級）のイメージを代表していたからだ。フロイトは、エディプス・コンプレックスが人間の精神の働きを解く一般的な鍵であるとする自分の理論に、そうとうな自信をもっていたに違いない。そのことをよく示しているのが、第一次世界大戦勃発の前年に発表された『トーテムとタブー』（以下『トーテム』）である。この本は、フロイトが自分で創造した一種の「神話」によって、社会そのものの生成機序を寓話的に説明したものだ。

このようにフロイトは、個人の精神構造と社会の存立構造をともに説明する完結した理論に到達した……ように見えた。しかし、彼は、最晩年――一九三七年から三九年にかけて――、ナチスから逃れて滞在していたロンドンで、異様な情熱をかけて、小説のような奇妙な論文『モーセという男と一神教』（以下『モーゼ』）を執筆する。一神教（ユダヤ教）の誕生を解く歴史研究という体裁をとった論文である。普通は、これは、エディプス・コンプレックスの理論のもうひとつの――『トーテム』と並ぶもうひとつの――寓話的な解題だと解釈されている。しかし素直に読めば、『モーゼ』が『トーテム』の焼き直しでないことは明らかである。また、そう解釈しなければ、どうしてフロイトが致命的な癌の苦痛に耐えながらこの論文の完成に執念を燃やしたのかがさっぱり分からなくなる。

『モーゼ』では、「死んだ父」の象徴でもあった人物モーゼの宗教は、最初から存在している。そのモーゼは――フロイトによれば、ユダヤ人ではなく実はエジプト人であるそのモーゼは――、エジプトで奴隷になっていたユダヤ人たちを率いて、エジプトから脱出し、純粋な一神教を維持しようとしていた。彼は、エジプト人が多神教へと堕落していたことに憤りを覚えていたからだ。しかし、このモーゼは、彼が率いていたユダヤ人たちによって殺害されてしまう。つまり、『トーテム』がその成り立ちを説明しようとしたエディプス・コンプレックスの「抽象的な父」が拒否され、排除された、という物語をフロイトは説いているのだ。

モーゼが殺されたあと、ユダヤ人たちの中から新しい指導者が現れ、新しい宗教が生まれた、とフロイトは推測する。その新しい指導者もまたモーゼという名だった。今日、われわれがひとりだと思っているモーゼは実はふたりだった、というのがフロイトの推理である。フロイトによれば、ふたり目のモーゼは、ユダヤ人たちの崇拝の対象となり、やがてユダヤ教の神ヤハウェとして造型されるに至る。つまり、ふたり目のモーゼは、ヤハウェの原型となった人物である。最初のモーゼと相関している神と、彼を斥けた後に頭角を現すふたり目のモーゼに対応している神とでは、まったく性格が異なっていた……とフロイトは主張する。前者の神は理知的である。しかし、後者の神は感覚的で、気まぐれで著しく激情的だ。

ユダヤ教の成立を説明する学説としては、フロイトのこの論はまったく妥当性を欠くだろう。実証的な根拠はほとんどなく、フロイトのほぼ勝手な憶測を述べているだけだ。しかし、目下のわれわれの探究にとっては、フロイトのこの晩年の転換の意味は重要だ。なぜなら、先に述べたように、エディプス・コンプレックスは、近代へと至る精神の変容の最終的な産物だからだ。もしこの仮説を全体として放棄させるような転換がフロイトに生じているのだとすれば、つまりひとり目のモーゼを排除してもうひとりの別のモーゼを導入するような変化が生じているのだとすれば、それは、「近代」を成り立たせていた社会システムの存立機制の全体に関わるような大きな変容が起きていることをも示しているのではないか。このように推論することができる。社会システムの質を規定するようなこの大規模な変容は――もしそのようなものがあったとしてそれは――何か。これがわれわれの問いである。

＊

こうした問いを提起した後、ニーチェに、さらにはキェルケゴールに遡る廻り道（第3章から第6章まで）を通ってきたのは、問いを、共時的のみならず、通時的にも大きなコンテクストに置き直すためである。ニーチェの「神は死んだ」は、フロイトの「父は死んだ」に直結している。そして、ニーチェへと至る過程を見るには、その対極にいたと見なされている思想家を、つまりキェルケゴールを呼び出すのが最もよい。

われわれは、キェルケゴールとニーチェのそれぞれに、相互に反転像になっているような逆説を見出したのであった。キェルケゴールの思索からは、信仰を純化させていくと「神の死」に近づいていくことが明らかになる。ニーチェの「神の死」を前提にした思想は、キリスト（教）に漸近していく。

この後の考察に直結する重要な論点は、ニーチェの「権力への意志」をめぐって前章で明らかにしておいたことである。「権力への意志」と（資本主義の）「資本への意志」との間には類比的な関係がある。人間のすべての欲求は、「権力への意志」の現象形態であるとする説に説得力を与える社会的なコンテクストは、任意の商品が「資本」の具体化として循環するような資本主義的な市場である。

「権力への意志」によって想定されている闘争の場で働いている論理は、ヘーゲルが『精神現象学』の「自己意識」の章で詳細に論じている「主人と奴隷の弁証法」に依拠することで説明することができる。結論を述べるならば、奴隷が従属している主人とは、「死」のことである。奴隷の個別で特殊であるほかないアイデンティティを相対化し破壊する作用を、ヘーゲルは「死」と見なしている。主人は、死のこのような破壊作用の人格化であり、自分自身は特殊化・相対化の視線から逃れた普遍性の体現者として奴隷の前に現れる。そうであるとすれば、すぐに気づくだろう。主人とは、あの「死んだ父」である、と。こうしてわれわれは、キェルケゴールからニーチェを経由して、再びエディプス・コンプレックスの地点に到達したことになる。

2 ヴェーバーの「指導者民主主義」

フロイトの晩年には劇的な転換があった。それまでのモーゼは斥けられ、もう一人のひどく気まぐれなモーゼが登場する。この転換への予兆はどこにあるのか。つまり、最終的にこうした転換へとつながる変化の端緒は、どこに見定めることができるのか。フロイトのすべての仕事を知りうる今日の視点から振り返るならば、変化の最初の一歩は、第一次世界大戦の直後、あるいは大戦の末期にあったと考えてよいだろう。第一次世界大戦終結の翌々年に発表した「快感原則の彼岸」で、フロイトは、それまでの立場を大きく修正するアイデアを提起しているからである。[*1]「精神分析」なる新しい学問領域をまったくひとりで切り拓いたフロイトは、数々の独創的な概念を案出した。「エディプス・コンプレックス」もその一つだが、「快感原則の彼岸」で提起された概念はとりわけ人々を驚かせた。フロイトの後継者たちの中でも、この概念だけは受け入れない者が多い。その概念とは「死の欲動」である。

人間は一般に快を求め、不快を回避する……と思われているし、フロイト自身もそのように考えていた。ところが、当たり前に見えるこの前提が成り立たないことにフロイトは気づく。不快きわまりないと分かっていることへと敢えて向かう強い傾向が人間にはある、と。この傾向が、フロイトの言う「死の欲動」である。フロイトにこのような概念を創らせたきっかけ（のひとつ）は、第一次世界大戦後、反復強迫に苦しむ患者にたくさん出会ったことにある。彼らは夢で見たり、フラッシュバックしたりして、戦時の苦難に満ちた体験に繰り返し立ち返る。やめたくてもどうしてもやめられないのだ。さらに視野を広げれば、戦争とは無関係な場面でも、同じような反復強迫がしばしば見られることがわかってきた。

死の欲動という概念は、まったく自明と思われていた前提を宙吊りにするものであり、理論的な態度の大きな変更を含意している。最晩年の「もうひとりのモーゼ」へとつながる転換の芽は、この概念が導入されたとき萌したのではないか。「死の欲動」と「もうひとりのモーゼ」の間にどのような論理的な繋がりがあるのか。そのことを説明することは可能だが、われわれの関心の中心は、フロイトの思考の変化の詳細を辿ることではないし、また彼の理論の妥当性でもない。フロイトの理論の転換を、大きな社会的コンテクストで起きている変容のひとつの症状として理解すること、これが目下の探究の目的である。

まずはこのような見通しに信憑性があるということを示しておかなくてはならない。つまり、ことはフロイトという個人の思考の変化ではなく、時代的な転換——近代から現代への転換——の一断面であるという見通しに、いくつもの根拠があるということを明らかにしておきたい。

＊

私の考えでは、転換は、包括的・全体的なものである。とはいえ、フロイトからあまりに離れたところに焦点を移すと、フロイトとの連動性が見えなくなってしまう。まずは、フロイトに近いところで、フロイトに見出されるのと同じ形式の転換が生じていることを示しておこう。「近いところ」というのは、経済や政治のようなフロイトの活動の場から離れた領域ではなく、思想や学問の領域という意味である。とはいえ、フロイトとの間に直接の影響関係がある人物の思考に関連する変化が起きていることを示しても、ここで提起したいことの論証にはならない。まずは、フロイトとの直接の交流がない、同時代のドイツ語圏の学者・思想家に注目してみよう。

たとえば、社会学者のマックス・ヴェーバーはどうか。われわれはこの連載の中で、ヴェーバーの理論や彼の歴史研究を何度も参照してきた。彼はフロイトより八歳若いが（一八六四年生まれ）、歴史を大きく俯瞰的に捉えているわれわれの観点からすれば、この程度の違いはさして問題にはならず、両者は同時代人であり、完全に同世代に属すると言ってよい。フロイトは、主としてウィーンで活動した。ヴェーバーは同じ時代にプロイセンで生まれ育ち、仕事をした。ふたりがまだ少年だった頃、プロイセン王国を中心としてドイツが統一国家となった（一八七一年）。ヴェーバーは、統一国家の一員となり、フロイトが属していたオーストリア帝国は、ドイツとは別の独立国家として残った。ヴェーバーとフロイトの間には、個人的な交流はまったくない。

ヴェーバーは、第一次世界大戦の末期――つまりドイツの敗色が濃厚になっていた頃――、突然、それまでの彼の知的なストックの中にはなかったアイデアを獲得し、新しい政治的な主張を行うようになる。ヴェーバーは、フロイトのように長くは生きず、大戦が終結して間もない頃に――フロイトが「快感原則の彼岸」を発表した年に――肺炎で急逝しているので[*2]、これはヴェーバーの最晩年のことだった。そのため、この新しいアイデアは、十分に深く考え抜かれることもなく、成熟もしなかった。だが、このアイデアには、フロイトの「もうひとりのモーゼ」を連想させるものがある。

この点について説明する前に、ヴェーバーの人生は、フロイトの症例研究に加えてもよいほど典型的な仕方で、エディプス・コンプレックスの存在を例証しているという事実を指摘しておこう。ヴェーバーは早熟の学者で、若い頃から学界でも注目された。三十三歳の若さで、ハイデルベルク大学の正教授のポストを得るのだが、その直後から、神経症に伴う重い鬱に苦しみ始める。症状には波があったが、生涯、完全に癒えることはなかった。病はあまりにも重篤で、結局、ヴェーバーはハイデルベルク大学を辞職した。ヴェーバーは、ヨーロッパでも屈指の名門大学の正教授に就いたが、ほとんど教壇に立つことはなく、そこで後進を育てることもなかったのだ。五十五歳のときにようやくミュンヘン大学教授として教育活動に復帰するが、その一年後には没したので、ヴェーバーは神経症に罹患して以降は、ほとんどの期間、大学とは離れて活動していたことになる。

注目すべきは、神経症を発症させた直接の出来事である。些細な家庭的事情がきっかけで、ヴェーバーとその父が激しく言い争うこととなった。ヴェーバーは、父が妻（ヴェーバーにとっては母）に対して思いやりが足りないことに憤慨し、父を激しく罵倒したらしい。ヴェーバーの妻マリアンネは、このときのことを、ごく簡潔に記している。「途方もないことが起った。息子が父親を裁いたのである。女たちのいる前で審判がおこなわれた」[*3]。結局、父とヴェーバーは和解することなく別れた。父の方は、この喧嘩のすぐ後に友人とロシア旅行に出かけ、その途上で急死した。ヴェーバーに最初の症状が出たのは、父親の葬儀の後に静養を目的として出かけた旅行の最中であった。父親は旅行中に死に、息子の方は旅行中に発症したのである。

こうした経緯から容易に推測できる。ヴェーバーは、自分が父を殺した――父の死の責任は自分にある――と感じたのだろう、と。神経症は、父殺しへの罪責感の表現である。父はまさに死ぬことによって、ヴェーバーを支配し続けたのだ。父殺しのきっかけは、母をめぐる、本人（息子）と父との三角関係にあった。とすれば、これは、エディプス・コンプレックスの教科書に載りそうな状況である。ヴェーバーと父との諍いがあったのは、一八九七年の夏のことである。それとほとんど同じ時期に、ウィーンにいたフロイトは、まるで啓示を得るかのように、エディプス・コンプレックスの仮説を獲得した（第1章参照）。

神経症の症状がひどいときには、ヴェーバーは、講義もできず、文献を読むことすらままならなかったという。これでヴェーバーの学者としての人生もおしまいだ、と思いたくなる。が、そうではない。まったく逆である。『プロテスタンティズムの倫理と資本主義の精神』を含むヴェーバーの膨大な量の研究、今日でもわれわれが何度も立ち返るような影響力のある論文や著作はすべて、神経症の発症の後に書かれている。神経症以前の研究だけでも、ヴェーバーは同時代的には有能な学者として遇されただろうが、もしそれだけだったら、後世のわれわれはヴェーバーを忘れただろう。とすれば、エディプス的な神経症は、ヴェーバーにとって、社会学的探究の阻害要因ではなく、むしろ促進要因だったと考えるべきであろう。[*4]

＊

さて、注目したいことは、ヴェーバーが第一次世界大戦の終盤からその直後にかけて提起した政治構想である、と先ほど予告しておいた。ヴェーバーは、熱心なナショナリスト――リベラルでもあるナショナリスト――で、舌鋒するどい攻撃的な政治評論家でもあった[*5]。彼は学究だけに専念するタイプの学者ではなく、ときどきの状況に応じて政治的にも発言したのだ。無論、自らが提唱した「価値自由」の原理に基づき、宗教社会学等の純粋にアカデミックな研究の中では、政治的な価値判断は直接に表明したりはしない。学問に特化した著作とは別に、ヴェーバーは多くの政治的な評論も物したのだ。ヴェーバーの学問的著作と政治評論とは無関係ではない。前者から後者が直接演繹されるわけではないが、政治的な発言は、学問的な認識を前提にしており、それに矛盾しない範囲でなされていた。

ヴェーバーが大戦末期から大戦後にかけて突然唱え始めた政治構想とは、「指導者民主主義」である。指導者民主主義を実現すべきプランとして、積極的に論じた最初の著作は、一九一八年五月に公刊された『新秩序ドイツの議会と政府』(以下『議会と政府』)だ[*6]。指導者民主主義とは、議会と指導者との組み合わせによって官僚制を統制しようという構想である。この構想においては、議会と指導者とが対抗関係に置かれている。もっとも、このアイデアを最初に提起したときには、ヴェーバーは、議会に指導者を従属させた。つまり、指導者を選抜する機能は、議会がもつべきだと考えていた。人民投票や、あるいは(人民による)拍手喝采によって指導者を選抜した場合には、ときにデマゴーグが台頭し、大衆の情緒的な反応が強化されるため望ましくない、というのがヴェーバーの判断だったと考えられる。

このように論じているとき、しかし、ドイツにはまだ王政が存在していた。君主もまた指導者的な機能を果たしているので、指導者民主主義を唱え始めたときには、ヴェーバーは、(君主とは別に) あらためて選ばれるべき指導者の役割を、それほど大きくは見積もっていなかったはずだ。しかし、『議会と政府』の公刊からわずか半年後には、キールでの水兵の蜂起をきっかけとして――ミュンヘン、次いでベルリンで――革命が起き、皇帝ヴィルヘルム二世は退位に追いやられた。こうしてドイツの王政は完全に消滅してしまう。[*7] このいわゆる「十一月革命」とともに、休戦協定が結ばれ、ドイツの敗戦というかたちで第一次大戦が終わった。

ドイツが王（皇帝）を失ったため、ヴェーバーは、指導者の「議会への対抗力」としての機能を重視するようになる。今や指導者を議会に従属させてはならない。つまり、指導者が議会によって選抜されては指導者としての意義は失われてしまう。戦後（一九一九年二月）発表した論説「ライヒ大統領」では、ヴェーバーは、人民によって選出される大統領を「真の民主主義の守護神」であると主張した。指導者は、人民投票によって、議会とは独立に選ばれ、議会と対抗しなくてはならない、というわけだ。ヴェーバーの構想は、戦後ドイツの憲法に、つまりワイマール憲法に、大統領制と議院内閣制の混合という妥協的な形態で、取り入れられることになる。[*8]

どうして、人民から直接公選される指導者（大統領）が必要だとヴェーバーは考えたのか。ヴェーバーの説明によると、行政と政治に統一をもたらすためである。議会は、職業団体の利益代表の集合のようなものである。そうだとすると、議会は、収拾不能なかたちで分裂する恐れがある。ヴェーバーの考えでは、こうした議会の分裂に対抗し、政治的な意思の統一をもたらすためには指導者が必要だ。[*9]

ヴェーバーのこの政治構想のどこに、後にフロイトが論ずることに通ずる契機があるのか。ヴェーバーの「指導者」に託した機能は、フロイトの「もうひとりのモーゼ」を連想させないか。もうひとりのモーゼは、最初のモーゼの合理的な宗教を否定し、断固たる意思を押し付ける。ヴェーバーは、合理性を標榜する議会の討論を信用せず、そこに統一性を導入するには、指導者の意思が必要だと考えた。

ヴェーバーの純粋に学問的な原稿に――政治評論ではなく『経済と社会』と総称される草稿群の中に――、「指導者民主主義」という概念が登場する時期は、『議会と政府』の最初の原稿が書かれた頃とおおむね合致していること[*10]が、現在の研究では分かっている。それによると、指導者民主主義は、カリスマ的支配の一形態である。指導者（デマゴーグ）は、預言者や軍事的英雄と並ぶ、カリスマの理念型とされている。（もうひとりの）モーゼは、ユダヤ人にとって預言者の中の預言者であったことを思えば、これを「指導者」と同タイプの人間類型として捉えることは、それほど不自然なことではあるまい。

3　カール・シュミットの「決断主義」

とはいえ、ヴェーバーの晩年（一九一七年～一九一九年）の政治構想とフロイトの晩年（一九三七年～一九三九年）の理論的転回とのこうした対応には、牽強付会の強引さを感じるかもしれない。それは、しかし、ヴェーバーの「指導者」の概念が、まだ十分に成熟していないからである。指導者とは何であり、指導者が今とりわけ要請される真の必然性がどこにあるのか、ヴェーバーはまだ十分に自覚できてはいない。彼は敗戦直後のドイツの混乱という眼前の状況に急いで対応しただけだからだ。

だが、歴史学者ヴォルフガング・モムゼンが「ヴェーバーの物覚えのよい弟子」と呼んだ政治学者、ヴェーバーやフロイトとはちょうど一世代分――つまり親子の年齢差に相当する分――後にやってきた政治学者の中心的な説ならば、晩年のフロイトの転換との対応は、明らかになる。その政治学者とは、カール・シュミットである。[*11] シュミットがミュンヘン大学でのヴェーバーの講義や演習に出席したことは事実らしいが、だからといって、モムゼンの言うように、シュミットをヴェーバーのとりわけ忠実な弟子であると見なすことができるかは疑問である。シュミットは、ヴェーバーを自覚的に継承したつもりはないだろう。しかし、ヴェーバーにおいては萌芽的でしかなかったアイデアが、シュミットにおいては論理的に純化され、洗練されたことも確かである。「物覚えのよい弟子」という印象は、こうした論理的な関係からくるものだろう。

*

カール・シュミットによれば、政治を政治たらしめている契機は、「決定（決断）」である。『政治神学』は、「主権者とは、例外状況にかんして決定をくだす者をいう」という、あまりにも有名な一文から始まる。[*12]「例外状況に関する決定」は、これが例外か否かに関する決定と、例外状況における決定との両方を含んでいる。さらに、「例外（状況）に関する決定」は、決定の部分集合ではない。決定としての決定、その本来の意味での決定はすべて、例外（状況）に関する決定である。似たことは、「例外状況」についても言える。例外状況とは、現行の法秩序が停止している状態を指すわけだが、すぐ後に述べるように、任意の社会秩序には、例外状況としてのアスペクトが孕まれている。その意味では――シュミットがキェルケゴールを引きつつ述べていることだが――例外状況こそが一般的である。

決定としての決定、本来の決定は「例外状況に関する決定」である、とは次のような意味である。例外状況においては、依拠すべき法が停止している。そうである以上は、秩序をもたらすために、法を根拠にすることはできない。したがって、秩序は、究極的には、主権者の恣意的な意思の強制というかたちでしかもたらされない。ところで、決定(決断)とは、本来、そのようなものではないか。つまり、何らかの原理や公理から自動的に演繹できるのであれば、そこには、決定(決断)の契機はない。決定とは、根拠のないものであり、意思の自律性である。

すると、明らかであろう。決定をもたらす主権者とは、フロイトが見出した「もうひとりのモーゼ(を原型とする神)」と同じものだということが、である。最初のモーゼとふたり目のモーゼとの違いはどこにあったかを思い起こすとよい。後者、つまりもうひとりのモーゼは、気まぐれで、すぐに怒り、ときに暴力的である。それは、この「もうひとりのモーゼ」が、依拠すべき根拠をもたない純粋な意思、純粋な恣意として現れているからである。要するに、彼は、例外状況に関して決定する主権者である。厳格な律法に基づき偶像崇拝を禁止していた最初のモーゼが殺害されたとき、例外状況が出現する。ここにもうひとりのモーゼが介入し、主権者として決断する。

シュミットの『政治神学』は、第一次世界大戦が終わって間もない頃に、つまり一九二二年に公刊された。一九世紀の終わりまで十年余りの時期に生まれ、主として二〇世紀において教育を受け、成長したシュミットは、エディプス・コンプレックスの仮説を提起し精神分析の理論を生み出したという意味で一九世紀的な近代の総仕上げに関与していたフロイトよりも早く、フロイトが死の間際に遭遇した同じ形象(もうひとりのモーゼ)を、「決断する主権者」というかたちで見出していたことになる。いずれにせよ、シュミットによれば「現代国家理論の重要概念は、すべて世俗化された神学概念」なのだから、フロイトが、宗教論の中で使用していた概念が、シュミットの政治哲学的な概念と対応していたとしても、何のふしぎもあるまい。

*

フロイトの概念をシュミットの政治学の語彙に写像することには、しかし、大きな認識上の利得がある。どうして、フロイトが「もうひとりのモーゼ」について書かざるをえなかったのかが理解できるのだ。『モーゼ』は、最初の節でも述べたように、実証的な歴史学の観点で見れば、ほとんど妄想である。どうして、フロイトは、切迫した死の予感の中で、奇抜な想像を書かなくてはならなかったのか。多分、フロイト自身にも、その衝動の源泉が十分に意識されてはいなかった。[13] だが、もし「もうひとりのモーゼ」が、「例外状況に関して決定する主権者」であるとすれば、こうした要素をこのとき導入せざるをえなかった理論的な理由もはっきりしてくる。そのことは、シュミット自身には、十分に自覚されていたことだ。

どうして、主権者の決断が必要なのか。シュミットが、どのような理論と対決しようとしていたのかを考えればよい。シュミットが対決していたのは、合理的もしくは功利的な個人たちの相互作用を通じて、現実的な秩序が成立しうるとする説である。この説は、最小限の中立的で普遍的なルールがあることを前提にしている。そうしたルールは、合理的・功利的な個人にとっては、自らの利己性を制御しつつ、自分の利益を最大化するときに依拠する戦略的な準拠点でもある。中立的なルールのもとで、個人が合理的に行動し、相互作用すれば、自然と現実的な秩序が生まれてくる……このような理論こそ、シュミットの批判が向けられているターゲットである。

こうした理論は、「見えざる手」の働きを予定する市場的な功利主義というかたちをとる場合もあるし、またハンス・ケルゼンのような規範主義のかたちをとる場合もある。*14 いずれにせよ、シュミットの攻撃の的だ。

何が問題なのか。合理的・功利的な個人たちの——中立的なルールのもとでの——相互作用に立脚する理論のどこに問題があるのか。シュミットの考えでは、そうした相互作用から導かれる理念的・規範的な秩序と現実の秩序の間には、まだギャップがあるからだ。前者の秩序は、まだ自由度が大きすぎる。可能性の幅が大きすぎて、現実にはなりえない。どうすればよいのか。ここにこそ、純粋な意思に基づく決断(決定)が介入する。過剰な規範的・理念的秩序から現実の秩序への複雑性の縮減を果たすのが、主権者の決断だ。*15 シュミットの「例外状況」とは、理念的・規範的な秩序と現実の秩序の間のギャップが、そのまま露出した瞬間である。見方を変えれば、(主権者の決定を経て)現実の秩序が成り立っているときには常に、この例外状況が「すでに克服されたもの」として伏在している——論理的な前提とされている——と言うこともできる。その意味で、例外状況は、現実の社会秩序一般に内在していると解することができる。

ここでまちがってはならないことがある。述べてきたような論理にもとづいて、政治における決断の意義を論ずるとき、シュミットは、古きよき秩序とか、伝統的な世界とかへの回帰を謳っているわけではない。中立的なルールが許容する理念的・規範的な秩序は、あまりに抽象的で可能性が過剰だとし、現実の秩序への飛躍の必要を主張しているとき、シュミットの念頭には、目指されるべき具体的な秩序があるわけではない。というか、決断に先立っては、指向すべき具体的な秩序が存在しないからこそ、困難にぶつかっているのだ。重要なのは、何を決断するかではない。何であれ決断が存在しているということ、これこそが絶対的に必要なことだ。決断の「本質存在」に、決断の「事実存在（実存）」が優越している、と言ってもよいだろう。[*16]

シュミットの「主権者」は、前近代の専制君主のようなものを連想させる。彼は、「決断する主権者」の必要性という論理の延長上で、ときに、近代的な自由－民主主義においては絶対に支持されることのない（あるタイプの）「独裁」を擁護してさえいる。[*17] そのため、シュミットはしばしば、時代錯誤の反動主義者であるかのように見なされてきた。[*18] シュミットに対するこうした解釈や批判は、しかし、根本的な誤解に基づいている。シュミットは、一般の近代主義者以上に、近代の「近代性」に——つまり近代が導きうる困難に——敏感である。近代化は、伝統的な価値観や道徳の解体を意味している。すると、諸個人の相互作用を妨害しないことを規定するだけの、純粋に形式的なルールだけが残るだろう。しかし、そのような形式的なルールだけでは、現実の特定の秩序を導き出すことはできない、という問題をシュミットは重く考えた。このルールの形式主義に、もしたとえば「習慣的な秩序」「古き道徳」等の特定の具体的な内容をもった秩序を対置するならば、それは確かに、反動的な伝統主義の一種と解されても仕方がない。だが、シュミットが、ルールの形式主義への対抗策としているのは、その内容を問わない決断、つまり決断の形式主義である。

4　政治的／宗教的な問題

ここから、「政治に固有な区別は、敵／友という区別である」という『政治的なものの概念』

の有名なテーゼも出てくる。[19] 決定は、人民に暴力的な仕方で特定の秩序を押し付けることになる。このとき必然的に、「この秩序を受け入れるか」「この決定を受け入れるか」「この命令を受け入れるか」という問いが発生する。受け入れる者が友である。主権者の決定は、必然的に、敵と友との分割を生むことになる。

ニュートラルな普遍的ルールだけあれば、皆が仲良く友として付き合うことができるではないか、と言いたくなるが、シュミットに言わせれば、それはまことに浅はかな考えである。そのような抽象的なレベルでの秩序だけでは、現実化しうる実効的な秩序を導くことができないからだ。「皆が友になる」どころか、そもそも誰かと平和的に共存することが不可能になる。共存しうる友を得ることは、敵を排除することを意味している。

フロイトの『モーゼ』との対応に戻ろう。ふたり目の気まぐれなモーゼは、シュミット的な主権者に対応する、と述べておいた。それに対して、ひとり目のモーゼ、エジプト人の――ということはコスモポリタンな――モーゼは近代主義者に対応している。エジプト人のモーゼは、合理的な法、テクストとして書かれ誰もがアクセスできる法の擁護者だ。これは、誰もが共存できるニュートラルなルールを設定すれば、皆を友として包摂できるとする近代主義者のやり方と同じである。しかし、『モーゼ』によると、このひとり目のモーゼは、彼が率いてきた人民によって裏切られ、殺害されてしまう。代わって、その意思を無条件に強制するユダヤ人のモーゼが人民を支配する。このモーゼは、非常に排他的だ。つまり、この新しいモーゼは、敵と友とを区別することに熱心だ。

このように見てくれば、明らかだろう。フロイトは、シュミットと同じ問題に取り組んでいたのだ。シュミットが直面していたのは、切迫した状況にかかわるアクチュアルな政治的問題である。同じ問題を、フロイトは、古代宗教についての物語に写して考えている。一見、フロイトは、浮世離れした物語を創作することで生涯を閉じたような印象を与える。しかし、彼は、シュミットと同じくらい現代的な政治の問題と格闘していたのだ。フロイトがそれを、ユダヤ教の起源神話に転移させて考えたからといって、問題を額面通りには取らなかったとか、真の問題から目を逸らしたということにはならない。なぜなら、先ほどもシュミットの言葉を引きながら述べたように、近代的な国家概念は、もとを正せば神学概念だからである。

あるいは、キェルケゴールの考えていたことを思い起こす方がもっと適切かもしれない。宗教は、啓蒙主義者の常識とは逆に、すぐれて近代的なものである、と（第3章）。だとすれば、近代が直面している困難は、宗教的に問うことではじめて、最深部にまで到達することができるはずだ。フロイトはそうしようとしていたのだ。

シュミットとフロイトの政治的な立場は、もちろんまったく異なっている。敵対的だと言ってよい。シュミットは、ナチスに近いところにいた。ユダヤ人であるフロイトは、そのナチスから逃れ、亡命したのだ。だが、二人とも実は同じところに、近代的な政治概念の困難を見ていた。それに対して提起しようとした解決もまた、同じだった……とまでは言わないが、二人は同じ方向に解決の可能性があると見なしていた。少なくとも、シュミットが否定したものは、フロイトも拒否している（エジプト人のモーゼの殺害）。

とりあえずここで確認しておきたいことは、晩年のフロイトに訪れた転換は、ひとりフロイトだけに関わる特殊事情ではない、ということだ。それは、もっと広い社会的文脈の全体で起きていることのひとつの現れだったのかもしれない。このことを示すために、まずは、フロイトの転換とシュミットの政治思想の間の類比性を——互いに相手をほとんど意識することなく生じている共鳴関係を——明らかにしてきた。[*20] これは、しかし、最初の一歩に過ぎない。フロイトにおいて見出された転換の拡がりは、もっとずっと大きい。それは、人文的な学知の範囲に留まる現象ではない。

1　S・フロイト「快原理の彼岸」須藤訓任訳、『フロイト全集17——1919-22年』岩波書店、二〇〇六年（原著一九二〇年）。
2　当時、世界的に流行した「スペイン風邪」が死因だったと思われる。
3　マリアンネ・ウェーバー『マックス・ウェーバー（新装版）』大久保和郎訳、みすず書房、一九八七年（原著一九二六年）、一八四頁。
4　ヴェーバーの症状は、私の考えでは、「社会学的憂鬱」と名付けることができる。この症状がどのような意味で、社会学的探究と相関していたのかについては次の著書を参照。大澤真幸『社会学史』講談社現代新書、二〇一九年。
5　ヴェーバーのこうした側面については、次の評伝で詳しく論じられている。今野元『マックス・ヴェーバー——ある西欧派ドイツ・ナショナリストの生涯』東京大学出版会、二〇〇七年。
6　マックス・ヴェーバー「新秩序ドイツの議会と政府」『政治論集2』中村貞二ほか訳、みすず書房、一九八二年。
7　「新秩序ドイツの議会と政府」は、一冊の著書になるおよそ一年前に発表されている。そのときを起点にすると、王政が廃止されるまでの期間は約一年半だったことになる。
8　ヴェーバーは、革命政府の内務省の依頼を受け、新憲法の草案を作成する委員会のメンバーに加わる。彼は、憲法学者で内務省長官だったフーゴー・プロイスの協力を得て、新憲法の中に、自らの指導者民主主義の構想を組み入れようと努力した。プロイスの意見にかなり妥協せざるをえなかったとはいえ、この点でヴェーバーは一定の成功を収めた。

9　権左武志『現代民主主義　思想と歴史』講談社選書メチエ、二〇二〇年、一四一頁。

10　一九一七年または一九一八年の夏。

11　ヴォルフガング・J・モムゼン『マックス・ヴェーバーとドイツ政治 1890～1920 II』安世舟ほか訳、未来社、一九九四年（原著一九五九年）。シュミットは一八八八年の生まれで、ヴェーバーより二十四歳若く、フロイトより三十二歳若い。

12　カール・シュミット『政治神学』田中浩・原田武雄訳、未來社、一九七一年（原著一九二二年）。

13　ナチスによるユダヤ人迫害への対抗としての意味があったのではないか、と解釈する者が多い。だが、エジプト人のモーゼを、ユダヤ人たちが謀殺したという話が、ユダヤ人にとって特に有利だったとは思えない。この話は、かえって、ユダヤ人への反感や憎悪すら生み出しかねない。実際、当時、フロイトに、――ナチスをかえって応援することにもなりかねないとして――『モーゼ』の公表を控えるようにと忠告していた者もいた。

14　シュミットの時代よりも後から出てきたものだが、合理的で誠実な個人たちの無制約な対話から理想の秩序が生まれうるとするハーバーマスの理論もまた、シュミットの批判の対象に入るだろう。

15　「複雑性の縮減」は、シュミットの語彙ではない。シュミットが論じたことを、ニクラス・ルーマンのシステム論の用語で解釈すれば、こう言うことができる、という趣旨である。

16　「秩序の具体的な内容」と「(内容の如何に関わらない) 秩序の存在」とを厳密に分けて考えた最初の哲学者は、トマス・ホッブズである。シュミットにとって、ホッブズは、特別に重要な先人であった。シュミットは、学者としての生涯の中で、繰り返しホッブズを論じた。Carl Schmitt, *Der Leviathan in der Staatslehre des Thomas Hobbes*, Klett-Cotta Verlag, 2015 (1938).

17　カール・シュミット『独裁――近代主権論の起源からプロレタリア階級闘争まで』田中浩・原田武雄訳、未來社、一九九一年（原著一九二一年）。

18　シュミットがカトリックであったことが、こうした印象を強めるように作用した。
19　カール・シュミット『政治的なものの概念』田中浩・原田武雄訳、未來社、一九七〇年（原著一九三二年）。
20　シュミットとヴェーバーのつながりは、もっとずっと簡単に示すことができる。ヴェーバーの指導者民主主義は、指導者と議会との間の対抗関係を基軸にすえていた。この対抗関係を、ヴェーバーよりもはるかにくっきりと規定したのが、シュミットの『現代議会主義の精神史的地位』（服部平治・宮本盛太郎訳、社会思想社、一九七二年（原著一九二三年））である。この中で、シュミットは、非政治的な「議会主義（自由主義）」と政治的で独裁とも両立しうる「民主主義」という、有名な対立を提起している。

第8章　ふたつの全体主義とその敵たち

1　ふたり目のモーゼの現実的対応物

死んだ父はもう一度死ぬ。そして再び、独特の変容を被った上で、復活する。フロイトは、人生の最後に、モーゼという名の男は二人いたという奇説を提起することで、このことを暗示した。まずは理知的なモーゼがいる。このモーゼは――フロイトの思索の全コンテクストを前提にして判断すると（第1章）――エディプス的な父であり、最初から「死んだ父」の資格で――つまり具体的に現前することのない抽象的な唯一神の代理人として――ユダヤ人を率いていた。この最初のモーゼは、配下のユダヤ人たちに殺害され、もうひとりの、気まぐれで激情的なモーゼが現れる。ふたり目のモーゼはこのように、死んだ父がほんとうに死んだ後に登場する。ひとり目のモーゼが、一九世紀近代の最終産物であるエディプス・コンプレックスに対応していたことを思えば、フロイトの最後の思索の中でのこうした転回は、近代から二〇世紀的な現代への移行が果たされていることの徴として解釈することができるのではないか。このように推論してきた。

この推論に説得力があることを示すための最初の一歩として、前章で、われわれは二〇世紀初めの（ドイツ語圏の）政治思想を見たのであった。フロイトとの直接的な影響関係なしで、フロイトにおいて見出されるのと同じ形式の変化が生じていることを確認するためである。実際、われわれはそれを確認した。まずは、フロイトとほぼ同世代のマックス・ヴェーバーは、第一次世界大戦の終わる頃、突然、指導者民主主義なる構想を提案する。フロイトに比して親子ほど若い世代に属するカール・シュミットは、例外状況に関して決定をくだす者として、主権者を定義する。ヴェーバーが提案する「議会に対する指導者」、そしてシュミットの「主権者」は、フロイトの「ふたり目のモーゼ」に比することができる。とりわけシュミットの主権者は、ふたり目のモーゼに正確に対応している。フロイトが、想像的な古代宗教の空間に見出した同じ要素を、現実の同時代の政治の空間に写像すれば、シュミットの主権者になるはずだ。

こうして、フロイトひとりの思索の展開に見えていたことを、二〇世紀初頭の西洋の学問や思想の中で起きていた包括的な変動の一つの症状のようなものとして解釈する道が拓かれる。もっとも、これが観念の世界の中での変容にのみかかわることであったとすれば、われわれがいま見ていることは限定的な主題だということになる。晩年のフロイトの転換に対応している変動は、しかし、思想や学問の領域を超えた現象に対応している。つまり、それは、現実の、大きな社会現象と対応している。ふたり目のモーゼに対応するものは、学問的な概念の中にあるだけではないのだ。それは、二〇世紀前半の社会現象の中にある。

その社会現象とは何か？　さしあたっては、こう言うことができる。それは、ナチス（国民社会主義ドイツ労働者党）をその典型とするファシズムの出現である、と。「総統」として崇拝されたアドルフ・ヒトラーは、「ふたり目のモーゼ」の現実の中の対応物（のひとつ）ではないだろうか。こうした対応は、カール・シュミットという媒介を入れたことで可視化される。シュミットは、誰もが知るように（そして前章に記しておいたように）、ナチスに協力しようとし、その有力なイデオローグのひとりと見なされてきたからだ。

もちろん、フロイトの晩年の仕事が、ナチスの勢力の拡張と因果的に規定されていることは明らかだ。そもそも、彼が『モーセという男と一神教』（以下『モーゼ』）を執筆したときロンドンにいたのは、ナチス・ドイツがオーストリアに侵攻してきたからだ。ユダヤ人であるフロイトは、亡命しなかったら、強制収容所に送られていただろう。フロイトにとって、ナチスは明白な敵である。フロイトが最後に、ユダヤ人というものを生み出した宗教の起源について思索したのも、ナチスの迫害がもたらした過酷な状況が、「ユダヤ人」なるアイデンティティについての反省へとフロイトを導いたからに違いない。

だが、今、ここで指摘していることは、フロイトの最晩年の仕事とナチスの勢力拡大との間の、こうした表面的であからさまな因果関係ではない。フロイトに「もうひとりのモーゼ」という着想を与えた精神のダイナミズムとファシズムを社会的に出現させた社会システムのダイナミズムの間には、同時代的な共振性があるのではないか。これが、今、主張していることだ。もちろん、両者ともに、この共振性をまったく意識してはいない。それは、文字通りフロイト的な意味で無意識である。フロイトは、彼の敵の出現を促したのと同じ論理に規定されて考えていたことになる。あるいはむしろ、次のように言ってもよい。『モーゼ』は、ユダヤ教の起源についての歴史研究としては荒唐無稽で無意味だが、必要な変換を施せば、ファシズムの出現を説明する理論としては有効な部分を含むはずだ、と。

両者の共振性の発見は、フロイトの思想を理解する上では、たいした意味はない。だが、逆に、ファシズムを生成させたメカニズムの解明にとっては、有意義な示唆に富んでいる。繰り返し述べてきたように、フロイトの精神分析とそれを支えるエディプス・コンプレックスの仮説は、近代なるものを成り立たせた契機の、ほとんど理念型的な結晶である。それを内側から崩すようなかたちで、フロイトは、モーゼはふたりいた、と唱えることとなった。そうであるとすれば、ファシズムの出現もまた、近代なるものを存立させた基底的なメカニズムとの関連で説明されなくてはならない。さもなければ、ファシズムを十分に把握し、解明したことにはならないだろう。

*

カール・シュミットとナチスとの関係をめぐる事実をごく簡単に確認しておこう。シュミットは、最初からナチスを応援していたわけではない。つまり彼は、ナチスの党員として、ナチス政権の誕生に貢献したわけではない。細々とした経緯は重要ではないので、ここには記さないが、ワイマール共和制の末期には、シュミットは、ヒンデンブルク大統領からの信任が篤かった軍人政治家のクルト・フォン・シュライヒャーに自ら積極的に近づいていった。ということは、シュミットは、ヒトラー政権の成立を阻止しようとする側にいた、ということである。

しかし、一九三三年一月三十日にヒトラー政権が成立するや、シュミットは、ナチス支持へと転じた。ナチス政権が成立してから三ヵ月余り経った五月一日には、正式にナチスに入党している。ちなみに、この同じ日にハイデガーもナチスの党員になった。シュミットは、党員として政権にはっきりとすり寄り、著述においても、積極的にナチス体制を正当化した。たとえば、『国家・運動・民族——政治的統一体を構成する三要素』（一九三三年）では、全権委任法（授権法）によるヒトラーの独裁体制の確立を妥当なものだと論じた。「レーム事件」として知られている血の粛清（一九三四年六月末から七月初）の後は、ヒトラーへの加担に、さらにいっそう熱が入ってくる。[*1]

こうして、シュミットは、ナチの最高位の御用学者の地位を得る。人は、それを「桂冠法学者」と呼んだりもする。イギリス王室に任命され、行事に祝福の詩を詠むことを義務付けられた詩人は「桂冠詩人」と呼ばれるが、そのナチ版にして法学版がシュミットだというわけだ。しかし、シュミットのこの心地よい地位はそれほど長くは続かず、ある時期から——一九三六年頃から——、シュミットは「失脚」する。つまり、政権からいわば干され、冷遇されるようになる。反ヒトラーから親ヒトラーへの、あまりにすばやく極端な変節のゆえに、シュミットは、ナチス政権からさえも十分に信用されなかったのであろう。戦後、彼は、自分のナチスへの協力を、「そうするほかなかったこと」として自己弁護する書物（一九五〇年に公刊された『獄中記』）なども著し、いささか見苦しい。

このようにシュミットの性格には、阿世の徒と見なされても仕方がないいかがわしさがある。が、しかし、どこにでもいるこうした人間の弱さを、ここで特に指弾するつもりはない。ただひとつだけ確認しておきたいことは、シュミットのナチス支持はほんものだったに違いない、ということである。「嘘」があるとすれば、ナチスに対して距離をとっていたときの言動の方である。シュミットは、今し方述べたように、ワイマール期の末期には反ヒトラーの立場で活動していたわけだが、ヒトラー政権が成立したその日（一九三三年一月三十日）の日記には、「興奮し、喜び、満足する」と書いており、自らの政治的な敗北を意味していたはずのその事実に接して、いささかも落胆した様子を見せていない。[*2] シュライヒャーとともに活動していたときでさえも、シュミットは、ひそかにヒトラーによる政権掌握を望んでいたのである。

これは、ふしぎなことではない。決断主義に立脚した主権者の定義、ある種の独裁への賛美、議会主義につらなる自由主義への懐疑。ナチス支持を鮮明に示す前からの、こうしたシュミットの基本的な政治的主張は、明らかにナチズム――あるいはファシズム――と親和性がある。たとえば、ハイデガーに関しては、どうして彼がナチスに加担したのかということは、重い哲学的な問いとなりうるが、シュミットに関しては、そうした問いを構成するような謎はない。

2　ファシズムとその敵

だが、ファシズム――ナチズムをその一例として含むファシズム――の登場自体が、謎である。どうして、二〇世紀前半のヨーロッパにファシズムが現れたのか？　どうして、それが、イタリアとドイツでは政権をとるほどに成功したのか？　これらは、繰り返し問われてきたことである。啓蒙の時代や市民革命のあとに、あるいは民主主義の正統性がひろく承認されているときに、ファシズムが影響力を獲得し、一国の政権をとるほどにまで成長するのは、一見したところ、まったく奇妙なことだからだ。

今、われわれは、この問いをどのような地平におくべきかを検討している。問いを適切なコンテクストの中で評価しておかないと、問いの深度に見合わない、つまらない答えで満足してしまうからである。たとえばわれわれは、フロイトの思索の中で生じていた不可解な転換、それまでの自説の根幹を否定するような転換を導きの糸としながら、ファシズムに出会った。そうだとすれば、フロイトの中で生じているこうした精神のドラマをも、そこから導出できるような理論によって、ファシズムの生成を説明しなくてはならないことになる。

だから、ここではまず、ファシズムのどのような条件、どのような特徴に注目すべきなのかだけを確認しておこう。細かな事実に即した考察は後のことだ。ここでなすべきは、何が説明されなくてはならないのか、ファシズムのどのような特徴が解明されなくてはならないのかを明確にしておくことだ。

もちろん、第一に説明されるべきことは、カリスマ的指導者の出現である。イタリアのファシスト党にあってはムッソリーニが、ドイツのナチスにとってはヒトラーが、そのようなカリスマ的指導者にあたる。ムッソリーニに対しては「指導者《ドゥーチェ》」、ヒトラーに対しては「総統《フューラー》」と、それぞれ彼らだけに使用される特別な呼称が生まれた。このことが、彼らに対する個人崇拝がいかに熱烈だったかをよく示している。

ムッソリーニも、ヒトラーも、国民共同体に断固たる意志を注入し、そのことによって人民に熱狂的に受け入れられた。この点からも明らかなように、ムッソリーニやヒトラーは、フロイトの「ふたり目のモーゼ」の現実版である。最初のモーゼとは対照的に、ふたり目のモーゼは、人々に恣意を押し付けるのだった。

だが、ファシズムには――いや厳密にはナチズムの方には――、一般的な独裁とは異なる顕著な特徴がある。党と政府の二重権力がそれである。ハンナ・アーレントが「全体主義」の概念のもとでナチズムを分析したときに注目した現象のひとつは、まさにこの点である。[*3] ファシズムという語の源流となったイタリアのファシスト党の支配においては、まだ二重権力は現れない。ファシスト党は政府を乗っ取り、幹部たちが政府の要職に就いたことで満足している。この場合には、党は政府の中に吸収され、権力の執行者としては消えてしまう。それに対して、ナチスの場合には、党は、政府の外部にたち、政府を指導する役割を果たした。党／政府の二重性があり、かつ党の方が優位に立っているのだ。[*4]

どうしてこんな奇妙なことが生ずるのか？　どうして、党が政府に統合されるのを拒んでいるのだろうか？　党とは何であろうか？　党は、このとき、その本来の性格を完全に反転させてしまっている。というのも、「party（党）」は、語源的には、「部分」を意味しているからだ。ところが、ナチスの体制においては、逆に党の方が全体となり、政府をその部分的契機として組み込んでいるように見える。

＊

ファシズム（ナチズム）の、先立つどんな体制にも見られなかった未曽有の特徴、他と比べられないおぞましい特徴は、「敵」に対する彼らの態度・行動である。敵とは、もちろん、ユダヤ人のことである。ナチスによるユダヤ人の迫害と虐殺は、人類史上、最大の悪である。この事実を無視してファシズムについて論ずることはナンセンスである。どうして、あのようなことがなされたのか？　あれほど大規模で残酷なユダヤ人虐殺へと人を導いた衝動は、どこから来るのか？
ナチスは最初から、反ユダヤ主義を掲げていた。第二次世界大戦を開始した後は、ナチスは、ドイツ国内の、そしてあらたに占領した地域のユダヤ人を拘束し、彼らを強制収容所に送った。ユダヤ人たちはそこで、動物として生きうる最低限の――いや最低限すら下回る量と質の――食物を与えられ、過酷な労働を強いられ、最終的には死へと追いやられた。銃殺されたり、ガス室に送られたり、あるいは人体実験の対象になったりして、直接殺害されたユダヤ人もいた。やがてアウシュヴィッツ等の一部の収容所は、端的に「絶滅収容所」と呼ばれるようになった。犠牲になったユダヤ人の数は、正確には分かっていない。少なくとも五百万人のユダヤ人が、ナチスによって虐殺された。

要するに、ナチスのねらいは、ユダヤ人の絶滅である。ユダヤ人が存在しない世界を作ろうとしたのだ。ナチスは、ユダヤ人を弾圧したり、抑圧したりすることを超えて、ユダヤ人を世界から完全に排除しようとしたのである。ジェノサイドは、人類の歴史の中で何度も繰り返されてきた。しかし、規模に関して、またその残虐性に関して、ナチスによるユダヤ人虐殺は、比較を絶している。

それだけではない。ナチスのユダヤ人虐殺は、述べてきたこととは別の――あるいはそれを超えた――過剰さをも帯びている。どういうことなのか、説明しよう。たとえば、ナチスのユダヤ人絶滅政策（ショア）に、直接的または間接的にかかわった人々への証言を集めた、クロード・ランズマン監督の映画『ショア』（一九八五年）に、こんな場面がある。「あなた、ガストラックをご覧になったことがありますか」。ランズマンのこの質問に対して、教師をしていた亡き夫がナチ党員だったという女性はこう答えている。「いいえ……はい、外側からですが。……私は中は見たことがありません。つまりユダヤ人たちが中にいるのを見たことがないのです。私は何もかも外側から見ていただけなのです」。

戦後、ドイツ人や（収容所の近辺に住んでいた）ポーランド人に、ユダヤ人の虐殺や収容所のことを知っていたのか、と質問すると、彼らはたいてい、この元ナチ党員の妻のように答えた。私は知らなかった、私は見なかった、虐殺はただのうわさだと思っていた、等と。もちろん、こうした回答の大半が、道徳的な保身や言い訳に属するものだ。ユダヤ人が組織的に虐殺されていたということを、彼らは知っていたに違いない。ユダヤ人がどのように扱われ、どのように殺害されているのか、その詳細を知らなかったとしても、彼らは、ユダヤ人がどこかに集められ殺されているという「うわさ」が事実であると確信していただろう。だが、収容所のユダヤ人を実際に見た者は、一般の民衆や一般の党員の中にはほとんどいなかったのではないか。この元党員の未亡人のように、せいぜい「外側から」見ていただけで、中にいたはずのユダヤ人を実見していなかったのではないか。戦後、「虐殺についてよくは知らなかった」と言い訳できるくらいには、見ていなかったのではないか。主要な強制収容所や絶滅収容所は、ドイツの真ん中に置かれていたわけではなく、占領地であるポーランドの、しかも都市部から離れた辺地に建てられた。壁に囲われ、外からは中の様子を見ることはできなかった。ましてガストラック（ガス室）は密閉されており、中を見ることは不可能だった。ユダヤ人は、窓のない貨物列車で、ただの物と同じように詰め込まれた状態で、収容所に運ばれたので、移動中も外からは見られなかった。

もちろん、ユダヤ人が虐待され、拷問にかけられ、殺害された現場を見たドイツ人はたくさんいたはずだ。それらのことを実行したナチ党員がいたのだから。しかし、これらのことに直接関わらなければ、ユダヤ人の虐殺を見ることは難しかったのだ。見ることが困難になるように――ほとんど不可能になるように――、慎重に工夫されていたからだ。たとえば収容所で働いていた職員も、普段は、ユダヤ人の様子を見ることはなかった。ドイツ人の居住区画とユダヤ人の収容施設の間には壁があったからだ。

　ユダヤ人絶滅政策は、大規模で組織的なものだったが、この政策に関連する公式の文書がほとんど残っていない。たとえば、ユダヤ人の運送や殺害を指令する公式文書がない。これが、戦後、「ホロコーストはなかった」といった修正主義的主張を許す一因ともなった。なぜ公式文書がないのか。普通は、廃棄されたからだ、と考えたくなるが、そうではない。そもそも、そのような公式文書が発行されなかったのである。

　こうした事実から何が分かるのか。ナチスは、ユダヤ人をこの世界から完全に排除しようとした、と先に述べた。実は、この「排除」が自己言及的に二重化していたのだ。ユダヤ人を排除しただけではなく、この排除の行動があったという事実を隠蔽し、不可視化し、できることなら忘却させようとしていたのである。つまり、ナチスは、ユダヤ人を排除すると同時に、排除するための行動があったという事実そのものも、この世界から排除しようとしていた。もちろん、そんなことは不可能だし、むしろ愚かしい逆効果を呼ぶことになる。これほど大規模な絶滅計画を隠蔽しようとすれば、その工作のためにますます多くの人間を動員せざるをえず、閉鎖性の高い収容所など、虐殺や迫害の証拠をかえって増やすことにもなるからだ。

　にもかかわらず、ナチスはあたかも、この「排除の排除」が可能であるかのように振る舞った。戦後、ホロコーストのことをよく知らなかった、見ていなかった等と語ったドイツ人は、このシナリオをそのまま演じ続けたのだ。だが、どうして、こんなめんどうなことをやる必要があったのか。普通の犯罪者の心理は、ここでは説明にはならない。つまり、罪深いことを隠そうとした、という説明はここではあたらない。なぜなら、ナチスは、ユダヤ人の絶滅計画を、悪いこととは考えておらず、むしろよいこと、正しいことと見ていたからだ。では、どう考えればよいのか。

敵の排除を完璧なものにしようとしたら、どうなるだろうか。敵がいない世界、ユダヤ人が完全に存在しない世界をめざして、ユダヤ人＝敵を絶滅したとしても、大規模な絶滅の行動があったとすれば、少なくとも、「ユダヤ人がかつて存在していた」という事実は残ってしまう。ユダヤ人が原理的に存在しない世界を構築しようとしたら、つまりユダヤ人が存在していたという事実すらも否認しようとしたら、ユダヤ人を排除する行動自体がなかったことにしなくてはならない。つまり、ユダヤ人の排除をしたという事実を抑圧し、隠蔽し、排除しなくてはならない。これこそ、ナチスがなそうとしていたことではないか。

もちろん、これは、矛盾したやり方であり、実現不可能なことだ。そうした二重の排除こそが、逆にますます、「ユダヤ人がいた」という事実を強調することになるからだ。いくら二重に排除しても、ユダヤ人についての歴史的な記憶を抹消することはできない。現にユダヤ人がいることを知り、かつ記憶しているからこそ、ユダヤ人を排除しようとしているのだから。が、しかし、ナチスはその不可能な幻想をそのまま生きようとした。そのように見える。ここには、フェティシズムと同様の心理的な機制が働いている。フロイトによれば、フェティッシュは、「(母の男根の）不在の否認」の産物である。ナチスは逆に、ユダヤ人の存在を否認しようとした。

シュミットの理論との対応だけ再確認しておこう。シュミットによれば、政治とは、友／敵を区別することである。政治は、誰が友で誰が敵かを決定しなくてはならない。シュミットの考えでは、敵は、物理的な手段を用いて殺害する可能性もある他者である。[*5] ナチスのユダヤ人虐殺は、シュミットのこの理論の過剰な実行である。シュミットの政治概念が肯定されている。ただし、その肯定は、過剰である。シュミット自身の想定、シュミットの意図を超えて肯定されているのだ。というのも、シュミットは、正統な敵を「犯罪者」として貶めたり、敵を殲滅したりすることに対しては批判的だからだ。とはいえ、政治を政治たらしめている基本的な機能を、敵の選別に求め、友にとって脅威とあらばその敵を殺害する可能性もあることを認めれば、ナチスがユダヤ人に対してなしたことは——もしユダヤ人を敵と見なすことが妥当であったとするならば、ではあるが——、シュミットの政治概念に含意されていたことの、律儀すぎる現実化であったと見ることは可能だ。ナチスは、友と敵とを区別し、友としてのアーリア人を純粋化しようとしたわけだが、その反作用で、敵を、あまりにも徹底して、過激に排除しようとした。

3　スターリニズムとその敵

われわれは今、何が説明されなくてはならないのか、を検討している。二〇世紀の前半に、どうしてファシズムが出現したのか？　これは、理論的な説明が与えられるべきことである。その際、前節で指摘したような、ファシズムの顕著な特徴も説明されなくてはならない。どうして、ファシズムには、あのような特徴が伴っているのか？

だが、ターゲットをこのようにファシズムに絞るとすれば、理論の射程が、つまり視野が狭すぎる。なぜなら、同時代に――いわゆる戦間期におおむね対応する時期に――現れた「ふたり目のモーゼ」に類する政治指導者は、ファシズムのリーダーたちだけではないからだ。第1節で、ファシズムをわれわれの議論の中に呼び寄せたとき、「さしあたって」という限定を付したのは、このためである。さらなる「ふたり目のモーゼ」とは誰か？　厳密に言えば、「ふたり目のモーゼ」の変異版《ヴァリアント》とでも呼ぶべき政治家なのだが、それは誰か？　特に意外な人物ではない。ソヴィエト連邦のヨシフ・スターリンである。ファシズムを説明する同じ理論の展開の中で、スターリニズムもまた説明されなくてはならない。ほぼ同じ時代的コンテクストの中で、同時に似たようなタイプの政治指導者が――フロイトの「ふたり目のモーゼ」に類比させうる指導者が――出現しているのだとすれば、両者は別々にアドホックに解釈されるべきではなく、同一の理論の中で統一的に説明されるべきだろう。

こうした要求は、特段に独創的なことではない。政治学では、ファシズムとスターリニズムを全体主義の二つの代表的な実例と見なすのは常套的なことである。全体主義の特徴とされた、党/政府の二重権力はスターリニズムにおいても顕著である。党の指導的な役割、党の政府に対する優位は、ナチズムの場合よりもさらにはっきりしている。

「ふたり目のモーゼ」に比せられるのは、もちろん――今述べたばかりだが――スターリンである。ファシズムに、ヒトラーやムッソリーニへの個人崇拝があったのと同じように、ソ連には、スターリンへの個人崇拝があった。が、ここでいささか繊細になる必要がある。次節で述べるが、フロイトの「ふたり目のモーゼ」が正確に隠喩的な表現になっていると解釈できるのは、ファシズムのリーダーたちの方である。スターリンの場合は、そこからのズレが見られる。スターリンは、「ふたり目のモーゼ」との関連で、その変異版《ヴァリアント》のように見えるのだ。

したがって、ファシズムとスターリニズムの差異に（も）留意しなくてはならない。ファシズムとスターリニズムという全体主義の二つの類型をひとつの視野の中に収め、統一的に説明する理論が必要だ、と述べてきたが、それは、ファシズムとスターリニズムが（ほとんど）同じだからではない。逆である。両者の間には違いがある。が、重要なのは、その「違い」の性質である。違いは偶発的なものではない。これから見るように、違いに体系性があるのだ。したがって、違いを説明する単一の論理がある、ということが示唆される。ファシズムとスターリニズムを、統一的な視野の中に収めなくてはならないのは、このためである。

*

ファシズムの特徴は、その政治的な敵との関係にこそ、最もはっきりと現れていた。スターリニズムにとって、敵とは誰なのか？　ファシズム（ナチズム）にとってのユダヤ人に対応するような敵とは誰なのか？

まずは、次のように問うことから始めてみよう。ファシズムにとってのユダヤ人虐殺、つまりショア＝ホロコーストにあたる行動はあるのか？　ある。それは、「大テロル」等と呼ばれてきた、党員や人民の粛清である。スターリン体制のもとで、夥しい数のごく普通の党員や市民が、革命や共産党に対する裏切り者として――恣意的な裁判によって――裁かれ、死刑に処せられるか、あるいは強制収容所や刑務所に送られた。

一九二四年にレーニンが死去した後、スターリンはすぐに、レフ・トロツキーとの後継者争いに勝利し、ソヴィエト共産党のトップに立った。大テロルに連なる粛清は、いつから始まったのか。一九三四年十二月に共産党幹部だったセルゲイ・キーロフが暗殺された事件がきっかけとなったとする解釈が一般的だ。スターリンが、暗殺犯をでっちあげ、処刑したことが、大規模な粛清の端緒となった、というわけだ。しかし、粛清はもっと前から始まっていた、と解釈することもできる。今、こうした点について細かく拘泥する意味はない。いずれにせよ、粛清がピークに達したのは、一九三六年から一九三八年にかけての時期で、この間に、厳しく少なめに数えたとしても、一三四万人余りの党員や民衆が犠牲者となった。その中で死刑になった者と収容所等に送られた者の数は、おおむね半分ずつ（死刑の方がわずかに多い）である。だが、粛清はこの時期だけで終わったわけではない。数こそ減ったが、スターリン体制には——スターリンの死後すらも——粛清のテロルは常につきまとっていた。[*6]

もちろん、実際には、こんなに大量の裏切り者が——スパイやトロツキストや反革命分子やらが——、潜んでいたわけではない。人はある日突然、身に覚えのない嫌疑で、あるいはたわいないことが裏切り行為だったと解釈されて、逮捕されたのである。これらはまったくの捏造である。体制内の誰もが、犠牲者になる可能性があった。共産党の幹部でも同じである。少し前までスターリンの寵愛を受け、権力をほしいままに揮っていた者が、粛清されることもあった。たとえば、ニコライ・エジョフ。彼は、一九三六年にＮＫＶＤ《エヌ・カー・ヴェー・デー》（内部人民委員部）の長官に就いた。ということは、エジョフこそ、大テロルを、そのピーク時に指揮する立場にあった、ということだ。しかしエジョフは、一九三八年十一月に、突然、ＮＫＶＤの職を解かれてしまう。その後、彼は、共産党内の他のすべての官職も奪われ、逮捕され、そして刑務所に収容された。粛清を主導した者が、最後には粛清されたということである。結局、安全なのは一人しかいない。スターリンだけである。

　さて、するとどう結論すればよいのか。スターリニストにとって敵は誰なのか？　ファシストにとってのユダヤ人にあたる者は、スターリニストにとっては誰になるのか？　ホロコーストの代わりに大テロルがあったとすると、われわれはとんでもなく逆説的なこと、とてつもなく不合理なことが起きていたと認めざるをえない。スターリニストにとっての敵とは、結局、ソヴィエト共産党そのものである、と。つまり、友と敵とが完全に合致してしまうのだ！

　ファシズムにあっては、敵は、特定のカテゴリーの人間、特定の人種だった。敵は、ユダヤ人に集約された。他の人種や精神障害者、同性愛者等も差別され、迫害されたが、最も悪い敵は、ユダヤ人であった。では、敵をこのように特定のカテゴリーの集団に絞り込んでいた限定をはずしてしまったらどうなるだろうか。つまり敵をどこまでも一般化したらどうなるか。敵と友との区別があいまいになり、最終的には「友＝敵」という等式にまで至るのではないか。これが、スターリニズムの下で生じたことではないだろうか。

　ファシストのユダヤ人に対する暴力は、繰り返し述べてきたように、倫理的にはこの上なく悪いが、不合理性という点では、スターリニズムの体制はファシズム以上である。それぞれの体制下の日常がどうであったかを想像してみるとよい。ナチスの異常な体制の中にあっても、もし自分がユダヤ人でなければ、あるいはユダヤ人に同情して政権に抵抗したりしなければ、人は、平穏な生活を送ることができた。しかし、スターリン体制においては、そんな牧歌的な生活はありえない。誰もが、突然、前触れもなく告発され、逮捕される可能性があったからだ。

＊

スターリニストの敵に対する態度は、ファシストの敵に対する態度と、一点において決定的に異なっていた。スターリニストは、敵（粛清の犠牲者）に、ナチスが敵（ユダヤ人）に絶対に要求しなかったこと──要求しようと思いつくことすらなかったこと──を求め、強制したのだ。何か？

この点を説明する前に、確認しておかなくてはならないことがある。ナチスがユダヤ人に対して実行しようとしたあの二重の排除、これはスターリニズムの下ではまったく見られない。ナチスは、ユダヤ人を絶滅しようとしているという事実を隠し、「そんなことは起きてはいない」と自国民に（も）思わせようと徹底的に努力し、工夫した。こうしたことへの衝動は、スターリニズムの方にはない。粛清の犠牲者は、一応、裁判で有罪とされた。もちろん、犠牲者の数からも推察できるように、裁判の大半は、おざなりな即決裁判である。だが公開裁判が実施される場合もあった。とりわけ、スターリンに近い党の幹部が粛清されるときには必ず、彼らに対する公開裁判が執り行われた。

裁判が必要だったのは、被告となった犠牲者にひとつのことが強く要求されたからである。「告白」である。犠牲者は、公開の場で自分の罪を告白しなくてはならなかった。自分が裏切り者だったことを公的に認めなくてはならなかったのだ。そして彼または彼女は、どうして、またどのような経緯で、自分がその犯罪に手を染めることになったのかについて、きちんと説明しなくてはならなかった。犠牲者から自白を得ることへのスターリニストの執着は、すさまじく強かった。そして、実際、この要求はたいてい満たされた。つまり、被告はほんとうに、自分が裏切り者で、犯罪にコミットしたと最終的には告白したのだ。たとえば、NKVD長官だったエジョフも、最後には、自分が長年、ドイツの諜報機関のためにスパイとして活動してきたこと、そしてクーデタを計画していたことを、告白した。

犠牲者に対する「公開の自白」への要求、これはスターリニズムに固有のことだ。ファシズムには、告白への執着などみじんもない。ユダヤ人が、「私はユダヤ人であり、そのことを申し訳なく思っている」などと告白しなくてはならなかったか。もちろんそんなことはありえないし、もしあったら滑稽である。ユダヤ人の迫害は、しばしば陰謀論的な語りを通じて正当化されていたわけだが、しかし、だからといって、ユダヤ人たちは「私は、ヒトラー政権転覆のための陰謀に加わっていました」と自白させられてから、強制収容所に送られていたわけではない。ファシストの方には、敵の「正直な告白」を得たいという欲望はまったくない。なぜそんなものが欲しいのか、ファシストはさっぱり理解できなかっただろう。

実際、スターリニストたちの、犠牲者の告白へのこだわりは、まことに不可解だ。そもそも、嫌疑の対象となっている裏切りは、ほとんどでっち上げである。ささいな日常的なことが、たいそうな諜報活動や陰謀として解釈されたりしたのだ。ナチスは、「ユダヤ人」を捏造したりはしなかった。ユダヤ人の定義は、ナチスが勝手に決めたものだが、この定義に客観的には合致していない者を、ユダヤ人に強引に仕立て上げ、強制収容所送りにすることなど、ナチスにとってはまったく考えられないことだ。しかし、スターリン体制の下では、裏切り者はまさにこのような仕方で捏造された。そして、最も驚くべきことは、現実には「冤罪」なのに、被告たちのほとんどが、実際に罪を認め、それを公然と告白したことだ。ときには、告白に至るまでに過酷な拷問を受けることもあったが、必ずしもそうとは限らなかった。犠牲者はたいてい告白した。まるで、彼らの方にも、およそ自覚がなかったその罪を公式に認める必要があったかのように、である。

もちろん、告白したことによって、罪が赦されたり、罰が小さくなるのであれば、こうしたこともわからないわけではない。しかし、告発者側には、罪を自白し、悔い改めているならば赦してやろう、などという意志は毛頭ない。罰を軽減するつもりもない。告発を受けた者が、罪を自白することは最初から織り込み済みのことである。被告の方も、自分が罪を認めたからといってほんのわずかでも赦されるわけではない、とわかっている。だが、そうだとすると、どうして、告白などさせる必要があったのか。告白しようがしまいが、有罪であることは決まっているのだから、さっさと処刑すればよいではないか。実際、ナチスはそうしたのだから。ここから分かることは、スターリニストにとっては、処刑よりも、敵に仕立て上げられた犠牲者たちの告白の方が重要だった、ということである。どうしてだろうか。ファシズムとスターリニズムでは、異なった心的機制が働いていたことになる。ファシストは、敵をトータルに排除しようとした事実そのものを排除し、隠蔽することに、異様なまでに力を注いだ。スターリニストは、そのような無駄な努力はしなかったが、その代わり、敵に公開の場で告白させることに異常に執着した。

4 「生きた声」と「死んだ文字」

ファシズムとスターリニズムを統一的な視野に収めた理論が必要だが、その理論は、ここに述べてきたような明白な差異を説明できるものでなくてはならない。留意すべき差異は、別の局面にもある。前節では、敵として指定された他者への態度に注目した。正反対の局面、つまり頂点にいる指導者と大衆との関係に関しても、二つの全体主義体制の間にははっきりとした違いがある。指導者の言葉が大衆にどのように伝えられたのか、その具体的な情景を思い起こすと、違いがわかりやすく見えてくる。

典型的なファシズム的な情景、それは、ヒトラーやムッソリーニの、あるいはナチス宣伝相ヨーゼフ・ゲッベルスの情熱的な演説ではないだろうか。彼らは、大聴衆を前にして演説する。声に抑揚をつけ、特にクライマックスでは、興奮してがなり立てるように語る。そこには、大袈裟な身振り手振りも伴っている。聴衆は、この演説に魅了され、引き込まれた。この事実を証明する上で、NHKが二〇一九年に放送した「独裁者ヒトラー　演説の魔力」という番組が、格好の素材を与えてくれる。*7 これは、かつてのヒトラーユーゲントたちの証言を集めた番組である。番組に登場する今では九十歳を超えた老人たちは、口をそろえて、当時、ヒトラーの演説にどれほど陶酔したか、演説によってどれだけ勇気づけられたかを語る。

同じようなことがスターリンや共産党幹部の演説でも起きていただろうか。もちろん、彼らも演説はする。しかし、それらについて、ヒトラーやムッソリーニの演説に比べて魅力に欠ける、と誰もが思うはずだ。ヒトラーにはあった、いきいきとした声の抑揚や、それに伴う激しい動作が、スターリンの側にはない。簡単に言えば、スターリンたち共産党幹部の演説は、原稿を読んでいる——ときには棒読みにしている——と感じられるのだ。

　何が大衆を捉えていたのか、何に大衆が魅了されていたのか、が両者の間で異なっていたからである。ファシズムの場合、それは、「声」である。指導者の身体から直接に発せられる「生きた声」だ。スターリニズムの場合は、違う。もし「声」が決定的な要因だったなら、スターリン体制は持続できなかっただろう。「声」でないとすれば、何なのか。「原稿を読むような演説」だったということがヒントになる。スターリニズムにおいて重要だったのは「書かれたテクスト」、つまり「死んだ文字」である。

　ここで、前節で述べたことを繰り返しておこう。フロイトの「ふたり目のモーゼ」にそのまま適合的なのは、ファシズムのリーダーの方だ、と述べた。実際、「声」によって、情熱と意志を伝える彼らの姿は、フロイトが「ふたり目のモーゼ」に託したイメージと直接、重ね合わせることができる。それに対して、スターリンは、「ふたり目のモーゼ」そのものよりも、その変異版《ヴァリアント》と見なすべきだ、と述べておいた。どのような変換が生じているのか、ここではっきりした。それは、「声」から「文字」への変換である。

　ファシズムとスターリニズムの違いは、演説の終わり方にも現れている。前者のリーダーは、演説が終わると、聴衆の熱狂的な拍手喝采を受ける。彼は、演台に立って、それを満足そうに受ける。後者のリーダーの演説の終わりの様子は、少し異なっている。もちろん、聴衆は、いっせいに拍手をする。しかし、それは心底からの自然な熱狂に発するものではなく、課せられたもの、お決まりの義務としてのものだ。

おもしろいのは、さらにその後だ。スターリニズムのリーダーは、拍手の中に、自分も加わるのである。彼も聴衆と一緒に拍手しているのだ。リーダーは、誰に対して拍手をしているのか。自分自身に対して、と言わざるをえない。しかし、もし同じことを、ヒトラーやムッソリーニやゲッベルスがやったら、つまり彼らが演説の後に聴衆とともに拍手をしていたら、まったく滑稽なものに感じられただろう。どうして、こうした違いが出るのか？　なぜ、スターリンだったら、演説の後に拍手をしてもおかしくないのか？　これは、「声」と「文字」の違いに関係した現象である。「声」は、演説者の身体に直接、結びついている。「声」に興奮して誘発された拍手は、その「声」が帰属する身体へと称賛の感情を差し向けている。そうだとすれば、その同じ身体が一緒に拍手をしていたら笑い話になってしまう。しかし「文字」は、違う。「文字」は、演説者の身体から疎外されたところにある。それは、演説者自身の身体にとっても外的である。だから、演説者も、自分の身体の外にある「文字」に向けて拍手することができるのである。

何を理論的な説明の視野の中に収めなくてはならないのか、について考えてきた。ファシズムとスターリニズム、これら二つの全体主義は、その違いを含めて、統一的な理論の中で説明されなくてはならない。だが、実はまだ足りないのだ。これだけではまだ視野は狭すぎる。理論の射程の中に含めておかなくてはならないことは、まだ残っている。というのも、「ふたり目のモーゼ」（の変異版《ヴァリアント》）に対応する同時代の政治家が、もうひとりいるからだ。そのみっつ目の類型をも組み込まなければ、十分に包括的な理論にはなりえない。

1　レーム事件後、シュミットが、ヒトラー支持を過剰なほどに誇示したのは、おそらく、かつて（シュライヒャーを支持して）ナチス政権阻止のために活動していたことに後ろめたさがあったからであろう。この過去を重く見られると、自身も粛清される恐れがある、とシュミットは怖れたに違いない。彼は、レーム事件後、国会での演説や、新聞に寄稿した小論（「総統は法を護持する」）で、ヒトラーは「指導者原理」に基づき、「最高の裁判官」として法を創造することができるとし、レーム事件を導いたヒトラーの言動を積極的に擁護した。その後も、シュミットは、ナチス政権をあからさまに支持する主張を繰り返している（「ナチズムと法治国家」「ナチズムと法思想」「ユダヤ精神と闘うドイツ法学」等）。

2　蔭山宏『カール・シュミット』中公新書、二〇二〇年、一五三頁。

3　Hannah Arendt, *The Origins of Totalitarianism*, 2nd ed., Cleveland and New York: World Publishing Co., Meridian Books, 1958.

4　ここまでの議論の中で自然と明らかになっていることだが、われわれは、ファシズムという語を、イタリアのファシスト党とナチスとを包摂する一般的な概念として用いている。この場合、ファシズムの典型は、ファシスト党ではなくナチスの方である。さらに、政権をとるほどまでには成功しなかったファシストが、当時の――いわゆる戦間期の――ヨーロッパにはたくさんいた。ファシズムは、イタリアとドイツだけで見られた奇矯な流行ではない。

5　カール・シュミット『政治的なものの概念』田中浩・原田武雄訳、未來社、一九七〇年（原著一九三二年）。

6　グレイム・ギル『スターリニズム』内田健二訳、岩波書店、二〇〇四年（原著一九九八年）。

7　ＮＨＫ「ＢＳ１スペシャル　独裁者ヒトラー　演説の魔力」前編・後編、二〇一九年二月三日放送。

第9章　もうひとりの「もうひとりのモーゼ」

1　「敵への態度」の原点

最初のモーゼが殺された後、ふたり目のモーゼが現れる。つまり、一九世紀近代の本質を象徴するようなエディプス的なモーゼは殺されてしまうわけだが、代わって別のタイプのモーゼが人々を支配する。これが、フロイトが最晩年に抱いた幻想的なイメージだ。フロイトは、この物語を、ユダヤ教の起源に関するひとつの仮説であるかのように提起したわけだが、フロイトの同時代に——つまり二〇世紀の序盤に——、実際に、ふたり目のモーゼに擬せられる政治指導者が登場した。まずは、ヒトラーに代表されるファシズムのカリスマ的指導者をその原型と考えることができる。そして、スターリン——あるいは広義のスターリニズム的体制の指導者——は、そこからの変異版《ヴァリアント》と見なすことができる。

ふたり目のモーゼ（の変異版）に比せられる政治指導者は、同時代に、さらにもうひとりいる。前章の結末で、思わせぶりにこう述べておいた。それが誰であるかを明らかにするには、つまりその政治家が、ヒトラーやスターリンと同じ「もうひとりのモーゼ」の系列に属しているということを説得的に示すためには、もう少しだけ準備をしておく必要がある。*1

ファシズムとスターリニズム、これら二つの全体主義には、それぞれ固有の「敵」がいる。ファシズム（ナチズム）が敵と見なしたのは、とりわけユダヤ人であった。スターリニズムの敵への態度は、倒錯的なものに見える。彼らの敵は、共産党自身だからだ。スターリニズムにあっては、友と敵とが重なり、合致してしまっているのだ。

二つの全体主義体制における、これら異なった敵――ユダヤ人と党――の間の論理的な関係については、前章で、次のように考えればよい、と述べておいた。ファシズムの下では、敵は、ユダヤ人として限定され、特殊化されている。その限定を外し、敵の範囲を極限まで汎化したらどうなるか。そうすると、敵は至るところに存在することになり、ついには、自分自身と、つまり「友」とすべき共同性そのものと合致してしまうだろう。このような極限が、スターリニズムである。念のために繰り返し述べておけば、これは、論理的な関係であって、事実的な関係、経験的な発展過程ではない。たとえば、ロシアにあったユダヤ人への差別意識が、スターリニズムの党の自己破壊的な大粛清へと進化した、といった趣旨のことを述べているわけではない。ここで論じていることは、二つの体制の敵への態度を、共時的なマトリックスの上に並べて比較してみたとき、両者の間にどのような変換の関係を見出すことができるか、ということである。

さて、すると、「敵への態度」に関して、論理の上での原点を、ファシズムにおいて猖獗《しょうけつ》をきわめた反ユダヤ主義に定めておくことができるだろう。では、ナチスはなぜ、ユダヤ人をあれほど敵視したのだろうか。彼らが、ユダヤ人を排除しようとしたのは――（前章で述べたように）自分たちが（ユダヤ人を）排除しようとしている事実までをも（記録と記憶から）抹消し尽くそうとしたのは――どうしてなのか。彼らのユダヤ人への異常な敵愾心《てきがいしん》を規定していた、客観的な原因はどこにあるのか。もちろん、ユダヤ人への偏見や差別は、ヨーロッパにずっとあったわけだが、それが、二〇世紀の初頭——厳密には一九三〇年代のドイツで——、後にホロコーストに至るまでに異様に深まったのはどうしてなのか。

「資本主義」という補助線を入れてみれば、心的なメカニズムの概略を推測することはそれほど難しくはない。

2 なぜ「ユダヤ人」が排除されたのか

まず、次のことをあらためて思い起こしておこう。「ユダヤ人」は——ユダヤ人の上に投影されているイメージは——、資本主義というシステムの中心と周縁の両方で、つまり資本主義を作動させる肯定的因子としても、また資本主義にとって否定的な因子としても、特別に重要な役割を果たしている、ということを、である。

一方で、「ユダヤ人」は、資本主義の中心にいる……とされる。彼らは、商人や金融業者と結び付けられ、連想されてきたのだ。要するに、「ユダヤ人」は、商人資本・金融資本の人格化である。ということは、資本主義に固有の「搾取」は、まさにそこで起きているということになる。正直でまじめな労働者が、ユダヤ人資本家によって搾取されている、というわけだ。

他方で、「ユダヤ人」は、資本主義にとって脅威となる否定的な因子としてイメージされてもいる。この否定的なイメージは、さらに、二極に分裂している。つまり、「ユダヤ人」は、社会の階層的秩序の頂点からの脅威と見なされることもあれば、逆に底辺からの脅威と見られることもあった。

頂点からの脅威は、いわゆる陰謀論的なもので、ユダヤ人の秘密結社等がこの社会を裏から牛耳っているとされたりする。このイメージは、しばしば、今し方述べた「資本の人格化」という含みと融合する。ユダヤ人の秘密結社が世界のカネの流れを支配している、といった具合に、である。これとは正反対の底辺における脅威とは、不潔で貧しい下層階級としてイメージされる「ユダヤ人」である。このような含みをもつ「ユダヤ人」は、社会秩序を脅かす不穏な他者として位置づけられる。

このように、「ユダヤ人」という歴史的なイメージのもつコノテーションの多様性は、資本主義という軸を設定するときれいに整理できる。ユダヤ人は、資本主義を過剰に推進するエージェントと見なされると同時に、資本主義にとって危険な他者とも見なされてきたのだ。このことを考慮すると、ファシストが、どうしてユダヤ人を敵視し、その排除に執着したのかが分かってくる。

*

まず、こう言ってよいだろう。ファシズムが欲しているのは資本主義である、と。ただし、求めたのは――こちらこそが肝心なポイントである――葛藤と搾取のない資本主義、「友」だけで構成されている調和的な資本主義だ。しかし、（階級的な）葛藤や（剰余価値を得るための）搾取は、資本主義に本質的に内在しているとしたらどうだろうか。葛藤・搾取は、資本主義の必然的な随伴物、資本主義が資本主義であるために不可欠な契機であるとしたらどうか。資本主義の発達や浸透によって、葛藤がより深まり、搾取もより大きくなるのだとしたらどうか。それにもかかわらず、もしファシズムが、豊かで調和的な資本主義という欲望に執着したとしたらどうなるかを考えてみるとよい。

ファシストとしては、資本主義にとって、葛藤が――搾取に基づく葛藤が――除去可能な外的な条件である、と見なすほかなくなる。言い換えれば、ファシストは、資本主義に内在する葛藤を、外在化しなくてはならない。「外在化する」とは、「敵」を資本主義システムにとっての（論理的な）外部に想定し、その敵を――実際の経験的な共同体から――排除すれば、葛藤が消え、調和的で平和な資本主義が得られるという（幻想的な）シナリオをもつことだ。そのような敵として、ユダヤ人が選ばれている。ユダヤ人のイメージに投射された歴史的なコノテーションが、このような「敵」の役割に適合的だったからである。「ユダヤ人」は、一方では、人格化した商人資本・金融資本として過剰な搾取に関与し、他方では、資本主義を外部から襲う脅威でもある。かくして、調和的な資本主義を求めるファシズムの欲望の中で、「ユダヤ人」のこうしたイメージはますます強化されることにもなる。

だが、実際には――述べてきたように――、（階級的な）葛藤と搾取は資本主義に内在している。そうだとすると、どのような結果が生ずるかは、すぐに推測できるだろう。「敵」とされたユダヤ人をいくら排除しても、完全に調和的な資本主義は得られない。そのため、排除はますます徹底され、執拗に繰り返されるだろう。すると、本末転倒的な事態が生ずる。葛藤がない――つまり敵が内在しない――資本主義を得ようとすればするほど、かえって（幻想の）「敵」を見出すことになり、その「敵」を排除するための葛藤はますます大きくなるのだ。したがって、――とりあえず細部は切り捨て――ラフスケッチ風に、ファシズムの極端な反ユダヤ主義は、資本主義の客観的な真実と資本主義についてのファシストの主観的なシナリオとの間のギャップに起因する、と仮説を提起しておこう。「調和的」とはどういうことなのか、ユダヤ人の排除が――前章で述べたように――自己言及的な過剰性をもつのはどうしてなのか等、まだ説明されてはいない部分も多く、この仮説は不完全なものだが、探究を前進させるためには当面のところこれで十分である。

＊

二〇世紀の序盤のある時期――とはいつなのか次節の終わりに述べるが、ともかく「ある時期」――、資本主義に本来的に内在している葛藤や無秩序が、ドイツでは「閾値《いきち》」を超えて深刻化し、顕在化した。これに抗して、調和的な資本主義を得ようとする運動として、ファシズムが生ずる。

ファシズムは、資本主義と、その政治的な表現であるところのリベラルな民主主義を、徹底的に破壊し、否定した……ように見える。が、ここに述べてきた仮説が妥当だとすれば、このような解釈はまちがっている。確かに、ファシズムがなしたことは、まことに破壊的だった。社会システムの全領域を、人々の生活スタイルの根本を、ファシズムは変化させているように見える。例えばどこにでもいるような平凡で礼儀正しい市民が、絶滅収容所の職員に雇われ、ユダヤ人の虐待や大量殺戮に関与したということを思えば、ファシズムの下で、人々の生活の変化の幅は実に大きい。しかし、変化が大きかったのは、彼らが、最も基本的な前提――資本主義という前提——を変えないことに執着したからだ。ファシズムは、資本主義を内部から破綻させかねない「葛藤」を除去することに、非常な情熱をそそいだ。ファシズムは、基本の設定、システムの枠組みを変えないためにこそ、他のすべてを変えることを厭わなかったのだ。

ここで、ナチス親衛隊中佐だったアドルフ・アイヒマンのことを思ってもよいかもしれない。この男は、アウシュヴィッツ強制収容所へのユダヤ人の大量移送を指揮した。つまり、アイヒマンは、ユダヤ人の虐殺計画の中で、非常に重要な任務を担った。戦後、彼はドイツから逃亡したが、十五年後に、アルゼンチンに潜伏していたところを、モサド（イスラエル諜報特務庁）に発見され、イスラエルに連行された。一九六一年にエルサレムの法廷でアイヒマンを見たとき、人々は、目の前にいるのがごく普通の小心な人物であることに驚いた。裁判を傍聴したハンナ・アーレントがアイヒマンを「陳腐な悪」と表現したことはよく知られている。[*2] あんな凡庸な男に、あれほどのことができるとは思えない……が、彼はまちがいなくそれをやった。彼は、本来だったら不可能なことをなした、ように見える。このギャップに人は当惑した。つまり、アイヒマンは、人類史上最大の悪に主体的にコミットしたにもかかわらず、この「犯罪」に手を染める前にこの人物がそうであったに違いない平凡な市民に留まっていたのだ。アイヒマンは、ナチスの異常な凶行が、本質的な部分を変えないためにこそなされていたことを示す、生きた証拠のひとつではないだろうか。

ともあれ、ここで確保しておきたい論点は、次のことだ。資本主義を基準にしたとき、ファシズムには、それを否定する契機と肯定する契機とがともに含まれている。ファシズムは、資本主義を力の限り肯定しようとして、資本主義やリベラルな民主主義のあらゆる局面を否定した。

では、スターリニズムはどうなのか。スターリニズムについては、まだ詳しく論ずべき段階ではないが、とりあえずは、こう言えるだろう。資本主義を否定する成分をさらに大きくすれば、スターリニズムになる。ロシア革命からスターリニズムが成立するまでの過程で、資本主義がほんとうに超克されたことになるのか。いまこの問いには答えないが、ファシズムにおいて混合されていた、資本主義を肯定する力と否定する力のうち、後者の方へと純化しようとするとスターリニズムが得られるだろう。

たとえば、フランスの社会党系の政治家マルセル・デアは、一九三三年の段階でのことだが——つまりナチスが全権委任法によって権力の頂点に就いてから間もない頃のことだが——、ファシズムについて「まだ社会主義的ではないが、もはや資本主義でもない社会形態」と特徴づけている。[*3] 述べてきたように、ファシズムが「もはや資本主義ではない」という判断は誤りだったとわれわれは考える。が、いずれにせよ、引用したこの表現から、デアの目には、ファシズムが資本主義を（部分的に）否定し、社会主義的な体制へと向かう移行的な形態に見えていたことがわかる。

ファシズムに対するスターリニズムの位置をこのように見定めることができる。そうだとすると、スターリニズムとは正反対の方向の選択肢も、論理的にはありえるのではないか。資本主義を肯定する契機の方へと純化しようとする選択肢が可能なはずだ。つまり、資本主義の危機に際して、単純に、資本主義を肯定し、推進することで危機を乗り越える方法も、論理的にはありえるはずではないか。

いや、論理的にだけではなく、実際に、ファシズムやスターリニズムと同時代に、そのような方法はあったのだ。それは何か。アメリカ合衆国のニューディール体制がそれである。「もうひとりのモーゼ」のもうひとつの変異版《ヴァリアント》とは、ニューディール体制の指導者、フランクリン・ローズヴェルト大統領である。

3 もうひとりの「もうひとりのモーゼ」

こうして、三人の「もうひとりのモーゼ」を得た。もうひとりのモーゼの典型にして原型は、ヒトラーである。これに、二人の変異版《ヴァリアント》の「もうひとりのモーゼ」が加わる。スターリンとローズヴェルトだ。だが、これら三人とそれぞれ結びついた三つの体制を――ファシズムとスターリニズムとニューディール体制を――類似物としてひとくくりにするのは、あんまりではないか。そのような反論が出てくるに違いない。ファシズムとスターリニズムに関しては、仮に互いに対立していたとしても――ヒトラーの共産主義への嫌悪と反発は著しく強かったとしても――、なお同じ全体主義の二つの類型と見なすのは、政治学の常識だ。しかし、ニューディール体制までも、同じひとつの系列に含めてよいのか。一般には、アメリカ合衆国の政治体制は、ファシズムとの関係においても、またスターリニズムとの関係においても、まったく正反対の体制であると見られてきたではないか。

しかし――当たり前のことだが――、われわれは、三つの体制が同じだと主張したいわけではない。前章で述べたように、全体主義の代表的な二類型とされているファシズムとスターリニズムに関してさえも、われわれの関心の中心は、それらの間の相違にある。両者の間には、偶発的とは見なし得ない体系的な相違があった。それは、理論的な説明を要求している。同じことは、ニューディール体制に関しても言える。重要なことは、「同じである」ということよりも、どう違うのか、どうして違うのかにある。だが相違について論じるためには、同一性が前提になる。相違とは、何かにおける区別だからだ。われわれは今、相違を測定し、論ずるための同一性の水準を確保しようとしているのだ。

まずはっきりさせておかなくてはならないことは、ニューディール体制を、ファシズムやスターリニズムへの連なりの中で理解するとしても、それは、ニューディール体制をも全体主義の一類型と見なすということを含意しない、ということである。ニューディール体制は、全体主義の一種ではない。そこまで全体主義の外延を大きくしてしまえば、この概念の有効性は完全に消えてしまう。ニューディール体制を、ファシズムやスターリニズムといった全体主義体制とひとつの系列の中で説明することに成功すれば、ニューディール体制と全体主義との間の論理的な連なりを示唆することにはなるが、しかし、ニューディール体制は全体主義ではない。たとえば、全体主義に特徴的な党／政府の二重権力（前章参照）は、ニューディール体制には見られない。ニューディール体制の下では、自由や民主的秩序は、はっきりと保持されている。

今、ニューディール体制を、一見それとは正反対の二つの全体主義体制と同一の平面の上に置くのは奇説であるかのように論じているが、実際には、有力な先行説もある。そもそも、精密で体系的なナチズム研究としては最も初期のものに属する、フランツ・ノイマンの『ビヒモス』が、三つの体制の間の類似性をすでに示唆している。同時代に共存した三つの大きな体制、ニューディール的資本主義とファシズムとスターリニズムはすべて、同じような、官僚的で、包括的に組織された、「行政的」な社会に向かっている、と。この書は、初版が一九四二年に、そして増補版が一九四四年に出ているので、三つの体制が終結する前に書かれている。[*4]

最近の研究としては、たとえば文化史の大家ヴォルフガング・シヴェルブシュの『遠い親戚――ファシズム、国民社会主義、ニューディール　1933―1939』がある。この書は、副題にある、イタリアのファシズムとドイツのナチズム、そしてアメリカのニューディールが、まるで血縁関係のある親戚のように似ている、と論じている。イタリアのファシズムとドイツのナチズムの類似は、誰もが指摘することだが、シヴェルブシュの見るところでは、文化現象として捉えたとき、ニューディール体制もこれらとよく似ており、同じような精神に規定されている。[*5]ソヴィエト・ロシアのスターリニズムは、この本の中心的な主題ではないが、実際には、何度も言及され、参照されている。なぜなら、ファシズム／ナチズムやニューディール体制は、スターリニズムを強く意識しており、反発しつつも、ときに羨望し、しばしば模倣しているからだ。ということは、スターリニズムもこの「遠い親戚」の中に入っていると言ってもおかしくないほど、三つの体制に似ていることが間接的には示唆されている。

＊

そして、ノイマンやシヴェルブシュとは異なる方向からの考察を経て、われわれもまた、ファシズム（ナチズム）とスターリニズムとニューディールの三者を、同一の系列の上の三つの論理的なタイプとして説明できる可能性を示唆している。これら三つを関連づけて理解する上で、ひとつ注意しておかなくてはならないことがある。現在のわれわれはどうしても、これらの体制の関係を第二次世界大戦というフィルターを通して見てしまう。つまり、「一九四五年」を通じて三つの体制を解釈してしまう。だが、当然のことながら、一九四五年は、これらの体制が前提にしていた経験ではありえない。三つの体制のすべてを規定している経験の地平は、どの時点に見定めるべきか。ローズヴェルトの「ニューディール」を導入したからには明らかであろう。その時点とは、一九二九年——世界経済恐慌が始まった年——である。

この年、資本主義は未曽有の危機、ほとんど崩壊したといってもよいほどの根本的な危機に直面した。ニューディールの諸政策は、もちろん、この危機に対抗し、資本主義を蘇生させようとする試みであった。ナチズムの場合はどうか。前節（の最後のセクション）で、ファシズムは、資本主義に本来内在していた問題（階級の間の葛藤）が、ある時期に、深刻化し顕在化したことへの反応だろうと述べた。その「ある時期」とは、一九二九年以降ということだ。ドイツの場合、第一次世界大戦の敗戦国で、多額の賠償金の支払いを要求されていたということが、恐慌による経済的崩壊をより大きなものにした。

スターリニズムの場合は、少しだけ事情が込み入っている。ニューディール政策と比較しうる、ソヴィエト連邦の経済政策は、第一次五ヵ年計画である。一九二八年に始まった五ヵ年計画は、世界恐慌をきっかけとしたものではない。また、スターリンが、五ヵ年計画の幕開けとして一巨大プロジェクト、ドニエプル川ダム・発電所複合事業に着手したのは、一九二七年である。一九二七年〜二八年の段階では、西洋の資本主義は繁栄を謳歌していたので、ソ連の事業を、ものめずらしい出来事として傍観していただけだ。しかし、二〇年代の最後の年に、大恐慌に突然襲われてからは、西洋の見方は大きく変わった。西洋の知覚の中で、ソ連の経済計画や大事業が、遠くの無関係な出来事ではなく、一般的な有効性をもちうる政策、手本にもなりうる実践として現れてきたのだ。ということは、スターリンの五ヵ年計画が世界史的に有意味な出来事になるためにも、やはり、一九二九年が必要だったということになる。この意味で、スターリニズムにとってても、同じ年が、やはり重要な経験の地平となっている。

4 「ニューディール、お前もか？」

ニューディール体制を、ファシズムやスターリニズムを内包する同一の論理的な平面の上で説明することには成算がある。このことを具体的な事実をいくつか確認することを通じて示しておこう。

フランクリン・D・ローズヴェルトは、アメリカ大統領の中でも傑出したカリスマ性をもった指導者であった。ローズヴェルトに匹敵する影響力をもち、彼に匹敵する広範な支持を得た大統領は、初代のジョージ・ワシントンを別にするとほかにいない。当時、大恐慌の中で、圧倒的な指導力をもつ政治家が求められていた。たとえば、著名なジャーナリスト、ウォルター・リップマンは、人気の新聞コラムで、「この〔大恐慌の〕状況には……強い薬が必要である」と書いた。「強い薬」とは、ローズヴェルト大統領のことだ。リップマンの考えでは、「恐れるべき……危険は我々が自由を失うことではなく、必要なスピードと包括性をもって行動できないかも知れないことである」。大恐慌を克服するためには、いくぶんかの自由の抑圧をともなう、全体主義への傾きをもった「ソフトなかたちの独裁制」が必要だ、という趣旨である。*6

ヒトラーとスターリンとローズヴェルト。彼らは、近現代史の中で最も成功した——少なくともある一定の期間にポジティヴにもネガティヴにもインパクトのある成果をあげた——カリスマ的指導者である。しかも、彼らは、ヨーロッパとロシアとアメリカで、ほぼ同時に登場した。これを偶然と見なすことはできない。

先に述べたように、現在のわれわれはどうしても、一九四五年を媒介にして事態を見るので、三つの体制の違いに敏感になる。しかし、同時代人は、互いの間の類似をよく自覚していた。ファシズムとスターリニズムの間の類似は、今日のわれわれにとっても明らかなので、ニューディールとファシズムについてだけ見ておこう。

ローズヴェルトが大統領に就任したのは、一九三三年三月である。同じ月に、ドイツの国会は、ヒトラーのための全権委任法を承認している。ドイツほどには徹底してはいないが、似たことはアメリカの議会と大統領の間にも起きている。アメリカ議会は、就任直後の大統領に、「戦時期以外にはありえなかった」レベルの広範な権力を委ねた。議会は——シヴェルブシュの見るところでは——政府の立法部門としての任務を一時的に放棄したのだ。[*7] このように、客観的に見ても、ヒトラー政権の頂点の状況とローズヴェルト政権のスタート時点の状況は、よく似ている。こうした類似を、当時の人々は——ヨーロッパ側とアメリカ側の同時代人は——、どのように知覚していただろうか。

ナチス側は、ローズヴェルトの権力掌握とその直後に彼がとった一連の措置は、自分たちがとってきた行動とよく似ていると見なし、それらを歓迎していた。ナチスの機関紙『フェルキッシャー・ベオバハター〔民族の観察者〕』の記事は、このことを率直に表明している。記事は、ローズヴェルトが、経済・社会政策において国民社会主義的な思考の筋を採用していると強調し、大統領のリーダーシップは、ヒトラー自身の「指導者原理《フューラープリンツィープ》」に比肩すると称賛している。また同紙は、ローズヴェルトの著書『前を向いて』は、まるで国民社会主義者によって書かれたかのようであり、合衆国の大統領が国民社会主義の哲学にひとかたならぬ親近感をもっていると考えられる、と書く。[*8]

ナチス系のジャーナリストが牽強付会で、ヒトラーとローズヴェルトの親和性を述べ立てているわけではない。非ナチス系の新聞も——ずっと控えめではあるが——両者の類似を指摘している。あるいは、ドイツ(とイタリア)以外のヨーロッパの国々の観察者たちも、つまりイギリスやフランスの新聞等も、ローズヴェルトのやり方とファシズムとが近いと見なしていた。一九三三年の『モーニングポスト』(ロンドン)の挿絵は、ことのほか印象的だ。[*9] この挿絵は、当時の国際情勢を、古代ローマのカエサル暗殺の場面に喩えている。カエサルに見立てられた「デモクラシー」が、短剣を握った四人の人物に刺され、倒れたところだ。四人が誰であるかは、顔やローブのマークですぐにわかる。その中の三人は、ムッソリーニとスターリンとヒトラーである。そして、カエサル=デモクラシーが、半身を起こして見つめ返す視線の正面には、四人目の暗殺者ブルートゥス=ローズヴェルトが、短剣を構えた姿勢で立っている。挿絵に付されたキャプションは、「Et tu, Roosevelt?(ローズヴェルト、お前もか?)」である。[*10]

そして何より重要なのは、アメリカの視点からも、ニューディールとファシズムの類似が明らかだったことだ。ローズヴェルトの政敵が、レトリックとして、ローズヴェルトをファシスト的、ロシア的と批判することもあったが、それらは無視してもよいだろう。いずれにせよ、ローズヴェルトに好意的な論者やアカデミックな批評家もまた、ニューディールの核の部分にファシズム的な要素があると見ていた。そのことを示す証拠はたくさんある。たとえば、ノーマン・トーマス――彼はアメリカ社会党の党首だ――は、はっきりと「ニューディールの経済政策は、ムッソリーニのコーポラティズムやヒトラーの全体主義と混同するくらい似ている」と断定している。[*11] また言語学者にして政治活動家でもあったジョセフ・B・マシューズは、ルース・E・シャルクロスとの共著の記事――一九三四年の『ハーパーズ・マガジン』に寄せた記事――で、「アメリカはファシズムの道を行かなくてはならないのか?」と問い、次のように書いている。

現在の計画された復興、その方法、その目的の本性の中に、われわれは、もし結論まで一貫して追求されたならば、経済統制のファシズム的なステージにまで至る傾向性があるのを、認めないわけにはいかない。……これまでの中途半端な措置は失敗してきた。まさにその失敗によって、それらの措置は、ファシズム的な統制へと向かう道を準備してきた。[*12]

あるいは、ギルバート・H・モンターニュは、一九三五年の『アメリカ政治・社会科学アカデミー年報』に投稿した論文の結論として、こう述べている。「〔ニューディールの〕全国復興局NRAは、そうとは意識されてはいないが本質的にはファシズム的な法形成機関に匹敵するものになっている」。[*13]

このように、一九三〇年代当時、ヨーロッパの視点にも、アメリカの視点にも、ニューディールとファシズムはよく似たものに見えていた。

政策の内容は、主として、悟性的な判断の問題だ。ニューディールとファシズム（そしてスターリニズム）は、美的な感性のレベルに関しても似ている。シヴェルブシュの『遠い親戚』は、建築に関する話題から始まっている。建築のデザインには、時代の美的感性が反映される。

＊

かつて、建築史の専門家たちの間に、ある思い込みがあった。意匠を凝らした古典主義的で記念碑的な建築と機能性を重視した近代建築の分布に関して、十分な検証を経ずに、当然視されていたことがあったのだ。記念碑的建築は、「第三帝国」（ナチス）やそのほかの二〇世紀の全体主義に好まれ、近代建築は、リベラルで民主的な体制に適合的だ、と。全体主義の体制は、指導者の圧倒的なカリスマ性に依存している。そのカリスマ性を演出するために、建築物が利用される。それには、歴史性を連想させる、記念碑的な大建築物が適合的だ。民主的な体制は、建築にそんなことを要求しない。ゆえに、そこでは、機能を優先させた、すっきりとした近代建築が中心になる。このように思われてきた。

しかし、これは、イデオロギー対立を建築史に投影した偏見であったことがわかってきた。第三帝国やスターリン体制が、記念碑的な建築物を好んだことは確かである。第三帝国においては、アルベルト・シュペーアの新古典主義的な建築、スターリン体制であれば、何と言ってもレーニン廟が、その代表だ。だが、非全体主義的な体制では、記念碑的な建築が少なかった、というのはほんとうだろうか。きちんと調べてみると、それはまったくのまちがいであることがわかる。民主的とされている国の大都市でも、一九三〇年代に、多くの記念碑的な大建造物が建てられていたのだ。ベルリン（ナチズム）、ローマ（ファシズム）、モスクワ（スターリニズム）にだけ、古典主義的な建築が集中していたわけではない。

ここでは、ニューディール体制が中心的な主題なので、ワシントンDCについてだけ述べておこう。この都市にはたくさんの新古典主義的大建築物があり、現在では観光スポットにもなっている。シヴェルブシュによると、それらのほとんどが、一九三三年から三九年の間に建設されている。具体的には、連邦トライアングルと呼ばれるエリアの中の建物、ナショナル・ギャラリー、国立公文書館、最高裁判所、多くの省庁や政府機関、スミソニアン博物館、ジェファソン記念館などが含まれる。[*14]

要するに、一九三〇年代の西洋の大都市では、記念碑的な建築が流行していたのだ。この事実をどう解釈すればよいのか。全体主義的な体制のもとで、古典主義的建築が求められたのは、指導者のカリスマ性を演出し、表現するためだった、と述べた。これと同じ欲望や感受性が、同時代の、全体主義以外の体制にもあったと考えなくてはならない。大建築の古典主義的意匠の美や崇高性を求めることで、人は、強い指導力を発揮するカリスマ的な政治家を欲していたのだ。こう言ってもよいかもしれない。一九三〇年代の記念碑的な建造物は、「もうひとりのモーゼ」たちの建築的な表現であった、と。

＊

前章で、ヒトラーは、「声」によって大衆を魅了した、と述べた。スターリニズムにおいては、「声」が「文字」に変換される。では、ローズヴェルトの場合は、それらに対応する要素は何か。

ローズヴェルトの武器もまた「声」である。が、ヒトラーの「声」とは違う。それは、はるかに遠くからの声、つまり「ラジオの声」である。ローズヴェルトは、ラジオを通じて国民に語りかけた。ラジオがすでに広く普及していたからである。「炉辺談話」と名づけられた彼のラジオを通じた語りかけは、たいへんな人気番組になった。

ヒトラーの「声」は、主として、大衆集会での演説という形態をとった。ヒトラーもときにラジオを使ったが、それは、あくまで大衆集会の代用である。それに対して、ローズヴェルトの「ラジオの声」は、演説の代わりではなく、それ固有の価値をもった。『ニューヨーク・タイムズ』のメディア批評家オーリン・ダンラップは、「他の者たちは演説をし、彼はおしゃべりをする」（一九三三年六月）と書いている。

この「おしゃべり」という表現にも含意されているが、「ラジオの声」には、逆説的な効果があった。物理的には、大衆集会における音源（ヒトラーの身体）と聴衆との距離の方がずっと短い。しかし「ラジオの声」は、ローズヴェルトがすぐ横で話しかけてくるような印象を与えたのだ。つまり「ラジオの声」は、物理的には遠く離れた地点から発せられているのに、主観的にはきわめて近くに感じられた。この点については、多くの証言がある。ダンラップも、NBCのディレクターの言葉を引用するかたちで、ローズヴェルトには、「たとえ何百マイルも離れていても、聴取者に、大統領が——自分に対してではなく——自分と一緒に話している、と思わせる能力があった」と記している。[*15]

ヒトラーの「声」、大衆集会の「声」は、もっとずっと近くから発せられているのに、聴いている大衆に、一定の遠さを感じさせた。その距離感を大きくすると、「声」は「文字（テクスト）」に変換される。「ラジオの声」は、それよりもさらにいっそう離れているはずなのに、逆に近さを、親密さを聴取者に感じさせている。そのため、大統領が、集合としての聴衆ではなく、個人としての聴取者に個別に語りかけている、という感覚がもたらされた。「ラジオの声」は、大衆集会の聴衆よりもずっと多くの何百万人もの聴取者に向けて発せられているのに、逆に個人的に語りかけられているかのような印象を与えたのだ。*16

5　攻略ポイント

第2節で、ファシズムは、資本主義に本質的に内在している階級的な葛藤を外在化しようとした、と論じた。言い換えれば、ファシズムが希求していたのは、階級なき共同体としての民族《フォルク》である。スターリニズムももちろん、労働者によって統治された階級なき社会を目指している（いや実現したつもりなのか？）。では、ニューディールのアメリカはどうか？

アメリカ人には、ヨーロッパ人がもっているような階級意識がない。これが、多くの歴史学者や社会科学者に共有されてきた通説に近い認識である。ならば、アメリカは最初から、ある意味で——主観的には——階級なき社会だったと言ってよいのか。これは、疑問の余地がある命題で、鵜呑みにするわけにはいかない。だが、今はこの点については不問に付しておこう。いずれにせよ、アメリカは、「階級意識がない」という認定に説得力を宿らせるような社会ではある。このことが、ニューディールにとっては有利な前提となった。「人民《ザ・ピープル》」「普通のアメリカ人《ザ・コモン・アメリカン》」といったフレーズが頻用された。それらは、階級の間の壁を取り外して連帯している普通の人々という意味である。
「国民の敵」を指すときにしばしば使用される語彙も、ニューディールとファシズム（そしてスターリニズム）では共通していた。「金権主義」。ナチスは、ユダヤ人をしばしば金権主義者として攻撃し、その資産を没収した。[*17] ニューディールのアメリカは、そんな強引なことはやらなかったが、彼らの目標は、アメリカ社会の主導権を、ウォール街（金融の中心）からワシントン（政治の中心）に移すことだった。

ところで、今「敵」に言及した。ファシズムには、特権的な敵があった。敵の中の敵、すべての敵のまさに敵としての性質を集約している特別な敵が、である。繰り返すまでもないが、それこそがユダヤ人だった。スターリニズムにおいては、その特権的な敵の役割が、党自身によって担われたと論じてきた。ニューディール体制の場合はどうなのか。ファシズムにとってのユダヤ人に対応するような、特権的な敵はあったのか。

もちろん、ローズヴェルトの体制が、そのたびごとに国内外に敵をもったことは確かである。今しがた話題にした金権主義も、国内の敵のひとつだ。戦争もしているのだから、国外にも敵はいる。ナチスドイツも、また大日本帝国も敵だし、スターリン体制は、第二次世界大戦で手を組んだ相手のひとつだったとしても、実質的には、最も大きなライバルであり、敵である。しかし、今問題にしているのは、このような意味での、経験的な敵ではない。すべての敵に、まさに敵としての性質を付与するような超越論的なステータスを担った敵、共同体のアイデンティティがそれとの関係に依存している特権的な敵。ニューディールには、そのような意味での敵はあったのか。

少なくともニューディールに対しては、ファシストによるユダヤ人の迫害・殺戮のレベルに匹敵する、あるいはスターリニズムの大粛清に匹敵する、道徳的に著しく悪い方法で排除したり抑圧したりした敵は存在しなかった。では、この体制は、特権的な敵をもたなかったのか。そうではない。よく目を凝らして見れば——いやそんなにていねいに観察しなくても一瞥《いちべつ》するだけで、アメリカ社会に対しても、ファシズムにとってのユダヤ人と似たような仕方で作用している「他者」が存在していることに気づく。黒人に代表される、人種主義的な差別の対象となった他者たちである。

まず言っておかなくてはならない。黒人差別や人種主義に関して、ニューディールに特別に責任があるわけではない。黒人差別・人種主義は、ニューディール期に限定されない——そして現在にまで至る——アメリカ社会全体の宿痾《しゅくあ》である。アメリカはどうしても人種主義や黒人差別から脱することができない。黒人奴隷は解放したし、公民権運動も経験した。人種にもとづく差別が悪いことだということは、十分に自覚している。それなのに、どうしても、この差別を完全に克服することができない。なぜなのか。

アメリカ社会においては、黒人が、またときに「黒人」からの転移とも解釈できる移民やさまざまな民族が、差別されてきた。これらの他者たちは、ファシズムにとってのユダヤ人と似たような仕方で、アメリカ社会では機能した。念のために述べておくが、だからといって、ホロコーストの悪を相対化してはならない。道徳的な評価は別にして、社会システムのアイデンティティを維持する機能的な要素としては、両者は比較できる、と述べているのである。

＊

一九三〇年代に、ヨーロッパとロシアとアメリカに登場した三つの体制、ファシズムとスターリニズムとニューディール。これらは、独立したシステムではなく、ひとつの論理的なカテゴリーの中におさめうるセットと見なさなくてはならない。三者の間に明白な類似と相違がある。そして、相違には体系性がある。さしあたって、三つの体制は、二〇世紀の初頭に顕在化した資本主義の破局的な危機に対する三つの対応として整理することができる。資本主義を肯定し、改定しようとする指向性を「＋」で、資本主義に対して否定的な指向性を「－」で表記すると、次のように整理できる（第2節で述べたように、ファシズムには、資本主義への肯定的成分と否定的成分とが混在している）。

ニューディール	ファシズム	スターリニズム
＋	＋／－	－

二〇世紀の序盤に、どうしてこれらの体制が出現したのか？　三つの体制の生成（と破綻）は、統一的な理論の中で――ひとつの同じ理論的なストーリーを通じて――説明されなくてはならない。とはいえ、すべてを一緒に扱うことはできない。探究のためには、攻略のポイントが必要だ。どこから攻めていけば、見通しがよくなるのか。アメリカ（ニューディール）からであろう。三つの体制の出現が、資本主義の内在的な危機に相関しているとして、危機に際して、資本主義なるものに、屈折や強い否定を介入させずに直截に対応したのがアメリカだからである。つまり、資本主義に即して出現している精神的な危機が何であったのか、どうしてそれが現れたの

かは、アメリカを通じて、これらのことを最も純度の高いかたちで問うことができるからだ。

アメリカとは何か？　このプロジェクトの中で、アメリカは何度も言及されてはきたが、それだけを、独立の主題としたことはなかった。今や、アメリカなるものを、その基本から問い直さなくてはならない。が、その前に、もうひとつだけやっておきたい作業がある。考察が浅いところで充足してしまうのを防ぐために、準備しておきたいことがあるのだ。

1　ここで、私が「その政治家は、スペインのフランシスコ・フランコである」と述べたら、拍子抜けであろう。わざわざもってまわった言い方で導入しなくても、そんなことは当たり前だからだ。フランコは、ムッソリーニやヒトラーと同様に、ファシズム的なタイプの指導者の中にすでに含まれている。

2　ハンナ・アーレント『新版　エルサレムのアイヒマン』大久保和郎訳、みすず書房、二〇一七年（原著一九六三年）。

3　Marcel Déat, "Socialisme ou fascisme" *La Grande Revue*, Août. 1933.

4　フランツ・ノイマン『ビヒモス――ナチズムの構造と実際　1933―1944』岡本友孝・小野英祐・加藤栄一訳、みすず書房、一九六三年（原著一九四四年）。

5　Wolfgang Schivelbusch, *Entfernte Verwandtschaft. Faschismus, Nationalsozialismus, New Deal 1933-1939*, München, 2005. 以下、本書に関しては、次の英訳版から（翻訳して）引用する。表記した頁は、英訳書のものである。*Three New Deals: Reflections on Roosevelt's America, Mussolini's Italy, and Hitler's Germany, 1933-1939*, Jefferson Chase tr. New York: Metropolitan Books, Henry Holt and Company, 2007. なお、本書は、次の通り邦訳もある。『三つの新体制――ファシズム、ナチズム、ニューディール』（小野清美・原田一美訳、名古屋大学出版会、二〇一五年）。本書からの引用においては、この邦訳版も参照させていただいた。訳語・訳文も一部そのままお借りした。

6　中野耕太郎『20世紀アメリカの夢　世紀転換期から一九七〇年代　シリーズ　アメリカ合衆国史③』岩波新書、二〇一九年、一三六頁。
7　Schivelbusch, *Three New Deals*, p.18.
8　*Ibid.* p.19.
9　*Ibid.* p.22.
10　古代ローマが引き合いに出されているのは、ローマに、「独裁官」という役職があったからでもあろう。独裁官は、非常時の緊急対応を任される。
11　Schivelbusch, *op.cit.* pp.28-29. これは、一九三四年の *Modern Monthly* という雑誌（vol.8）に掲載された文章からの引用である。
12　*Ibid.* p.29.
13　*Ibid.* p.29.
14　*Ibid.* p.7.
15　*Ibid.* pp.57-58.
16　大統領の支援者は、炉辺談話の効果をホワイトハウスにフィードバックしている。「ここにいる人たちは皆、まるで大統領を個人的に知っているかのように感じています！」「大統領は、直接、個々人に話しかけているという感覚を与えています」（*Ibid.* p.59）。
17　第２節で述べたように、「ユダヤ人」のひとつのイメージは、資本主義の中心にある金融資本の人格化である。

第10章　ヨーロッパ公法の意図せざる効用

1　ナチスから見たアメリカ

ヒトラーは、『わが闘争』の中で、アメリカ合衆国の人種主義を激賞している。ヒトラーにとって、「人種」という観点でとらえたとき、アメリカはめざすべき模範《モデル》であり、そしてライバルでもあった。たとえば彼は次のようにアメリカを称えている。

その住民のほとんど大部分が、劣等な有色民族とはほとんど混血したことのないゲルマン的要素からなり立っている北アメリカは、主にロマン民族の移住民が、幾度となく広い範囲にわたって原住民と混血した中央アメリカや南アメリカとくらべて、別種の人間性と文化をもっている。〔中略〕アメリカ大陸の、人種的に純粋で、混血されることなくすんだゲルマン人は、その大陸の支配者にまでなった。かれらは、自分もまた血の冒瀆の犠牲となって倒れないかぎり、支配者であり続けるだろう。*1

合衆国に渡ったヨーロッパ人が、アメリカ大陸の事実上の支配者になりえたのは、中南米のラテン系の入植者とは違って、彼らが混血を避けて、人種としての「純血」を守ったからだ、というのがヒトラーの見立てである。ヒトラーにとって、そしてナチスにとって、人種的な「純粋性」の維持に腐心するアメリカの政策、たとえば移民や結婚についてのアメリカの法律は、目標とすべきものであった。普通は、アメリカ合衆国は、自由で民主的な社会であって、そこにも人種差別はかつてもあり、いまだに消えてはいないとはいえ、それは、史上最悪の人種主義であるナチスの反ユダヤ主義とは比べられるものではない、と見られている。しかし、一九二〇年代、三〇年代にあっては、ナチス・ドイツから見ると、アメリカの方が、人種主義という点では、自分たちよりずっと進んでおり、徹底していた。

一九三五年に、ナチス・ドイツは、ニュルンベルク法と総称されている二つの法律を制定した。ユダヤ人から公民権を奪い、ユダヤ人と非ユダヤ系の（純粋な）ドイツ人との間の結婚や性交渉を禁じた、悪名高い法律だ。これが、後のホロコーストにつながっていく。比較法を専門とするジェイムズ・ウィットマンは、ナチス・ドイツの法曹が、ニュルンベルク法を練り上げる過程で、アメリカの法を徹底的に研究し、その考え方を取り入れようとした、ということを厳密に、実に系統だったかたちで証明している。*2 もちろん、ナチス側は、アメリカの法律をそのままコピーしたわけではないが、まちがいなくそれは、彼らにとって模範だった。

その際、ナチスの法曹から見て、アメリカの人種関連の法律は「まだ手ぬるい」といった代物ではなかった。逆である。ナチスの法曹が気にしたことは、どちらかと言えば、アメリカの法はあまりにも厳しすぎるのではないか、ということであった。たとえば、「『血の一滴の掟（ワンドロップルール）』によって有色人種を分類する慣行はあまりにあいまいで、近代的な法には不適切ではないか」「重婚以外の結婚、詐欺的な意図のない結婚を法的に禁止することができるか」等々が守旧的な法律関係者の大きな懸念事項であり、彼らは――人道的見地からではなく法理論的な理由で――アメリカ風の法律を制定することに抵抗した。しかし、結局は、より急進的なグループが勝利し、当時のアメリカの法をモデルとしたニュルンベルク法が成立した。

当時のナチ党法務部長ハンス・フランク[*3]が編者になって『国民社会主義者のための法律入門』(一九三四～三五年)なる大著が出版されている。ナチスによる以降の立法方針を明らかにすることを目的とした書物である。この中で、アメリカの法律が、くりかえし範例として言及されている。人種国家をいかに築くかということを論じたこの本の最終章では、アメリカを、人種主義の真理について「本質的な理解」をもつ国であって、必要な最初の数歩を踏み出した、と評価している。アメリカが始めたその歩みを引き継ぎ、ゴールまで到達することになるのがナチス・ドイツだ、というわけである。[*4]

前章において、われわれは、ファシズム(ドイツ)とスターリン体制(ソ連)とニューディール体制(アメリカ)を統一的な視野に収める理論が必要だ、と論じた。三者の差異を、同一の地平の中で体系的に説明しなくてはならない、と。ナチズム(ファシズム)にとっての、敵の中の敵、あらゆる敵のまさに敵たる所以を説明するような敵は、ユダヤ人であった。スターリン体制においては、敵が内側へと回帰してきて、党自身が敵となる。そして、アメリカにとっては、同じような意味での敵、排除や差別や抑圧の対象となった敵は、黒人であった。前章では、このように論じたわけだが、今見てきた、ナチス法曹のアメリカの人種主義への態度は、こうした解釈を裏打ちしていると言えるだろう。ナチスのユダヤ人への法的な扱いの原型は、確かに、アメリカの白人の、黒人など有色人種への人種主義的な差別にあることが、事実として確認される。

図式的に整理すれば、次のようになるだろう。ファシズムの「ドイツ人／ユダヤ人」の関係を、「友／敵」の「距離」の基準にしてみよう。「敵」が「友」の方へと近づき、回帰してきて、ついに「友」に内部化されてしまったのが、スターリニズムである。敵と友とが重なり、敵の粛清が、そのまま党の自己破壊のような様相を呈するに至った。逆に、「敵」が、「友」に対する外部性を厳格に保っていたのが、アメリカであった。その外部性の維持に貢献したアメリカの法、つまり人種間混交の厳密な排除に、ナチスは憧れたのだと解釈することができる。冒頭に引いたヒトラーの言葉は、合衆国の強さの原因を、人種間混交を歴史的に拒絶してきたことにある、と見ていた。付け加えておけば、アメリカの白人至上主義は、ニューディール体制の初期に、つまりナチスがアメリカの人種主義を「憧れ」をもって見ていたときに、非常に強化される。ニューディール政策を実行するために、南部を牛耳っていた民主党に依存せざるをえなかったことが――したがって彼らの人種主義に妥協せざるをえなかったことが――、その原因である。

*

それにしても、こうしてアメリカを見たとき――ナチスの目を通してアメリカを見たとき――、誰もが、あらためて、「いつもの疑問」が先鋭なかたちで再浮上してくるのを感じるだろう。それは、アメリカにおいて、形式的で普遍的な平等への強い執着と、過激な人種主義とが、つまり明らかに矛盾しているように思える二つの傾向が共存するのはどうしてなのか、という疑問である。

人種主義の責任をアメリカにのみ帰するわけにはいかない。しかし、とにかく一九三〇年代において、ナチス・ドイツが「まずはあのレベルに追いつきたい」と思うほどに、アメリカの人種主義は明白で過激だった。しかし、他方で、アメリカ社会が、平等主義という点でも、世界で最も徹底していた。知っての通り、アメリカでの公民権は後に拡大し、一九三〇年代よりも現在の方が人種主義のレベルはずっと低下しているわけだが、アメリカの平等主義は、二〇世紀の中盤以降に登場し、強まったわけではない。一九世紀の段階で、アメリカの平等へのこだわりは非常に強く、世界をリードしていた。アメリカの平等主義は、ヨーロッパよりもはるかに徹底していたのだ。

一九世紀のアメリカの平等主義の強さについての、最も信頼できる証言者は、アレクシ・ド・トクヴィルである。トクヴィルは、ナチスがアメリカの人種主義に注目していた時期からちょうど百年遡る一八三〇年代にアメリカを旅行し、『アメリカのデモクラシー』を書いた。*5 トクヴィルが特に強い印象をもったのは、平等であることに対するアメリカ社会の強いこだわりである。アメリカでは、無条件の不平等性がいかなる意味でも正当化されない、という趣旨のことをトクヴィルは書いている。*6 トクヴィルが生まれ育ったフランスは、（彼の誕生より前に）「自由・平等・博愛」をスローガンに掲げた革命を実現し、その過程で人権宣言も発している。そのフランスから見ても、諸条件の普遍的平等という点で、アメリカは圧倒的に進んでいた。この点で、アメリカは、フランスが目指すべき模範であった。

したがって、ナチスのケースとトクヴィルのケースを合わせて考えると、ヨーロッパの視点からは、アメリカは、平等主義についても、人種主義についてもどちらも際立って徹底している、と見えた、ということになる。しかし、平等主義と人種主義は目指すべき社会としてまったく異なる――というより対立する――像をもっている。両者が、アメリカというひとつの社会の中でどちらも強力に作用した。どうしてそんなことが可能だったのか。

ウィットマンは、極端な実例としてハインリヒ・クリーガーという優秀な研究者のことを紹介している。[*7] クリーガーは、一九三〇年代の中頃、若き法律家で、アメリカへの留学経験もあり、その論文が司法省の目にとまり、ナチ党人種政策局に加わった。ニュルンベルク法の立案過程の会議記録を読むと、クリーガーの影響をはっきりと見てとることができるという。彼は、一九三六年に著した大著『合衆国の人種法』の中で、二人のアメリカの政治家を、自分にとっての英雄として挙げている。二人とは、トマス・ジェファソンとエイブラハム・リンカンだ。どちらも偉大な政治家として尊敬されているのは周知の通りだが、クリーガーによる評価は、通常とは正反対である点が注目される。黒人奴隷を解放したリンカンほど人種主義との戦いに貢献した政治家はいない……と普通は見られているわけだが、クリーガーから見れば、まったく逆である。リンカンは、クリーガーの目には人種主義の英雄である。もし暗殺されなかったら、リンカンはアメリカに「人種に基づく健全な秩序」をもたらしていたに違いない。クリーガーはこう断言している。

リンカンをめぐるクリーガーのこの反事実的な予想が適切かどうかは、ここでは問わない。[*8] 人種主義的な差別への指向と普遍的な平等への指向。この二つは互いに矛盾しているように見えるわけだが、しかし、両者を順接させる通路があるのかもしれない。必ずしも一方を強めることが他方を弱めるとは限らず、両者が同時に強化されるような接続の仕方もあるのかもしれない。そのために、リンカンのような政治家が、ルビンの杯のように、見方によって正反対の像を呈するのかもしれない。少なくともアメリカ社会は、その全体として、二つの対立的な指向が共存しうることを示している。どうしてそんなことが可能だったのか。二つを順接させる通路があるとしたら、それはどのような論理で機能しているのか。[*9]

　これは、今後の探究の中で解明すべきことだが、われわれの仮説的な見通しは次のようなことであった。こうした疑問も、アメリカだけとか、あるいはナチス・ドイツだけとかに視野を絞った説明の中では十分に解かれることはない。アメリカも、ヨーロッパ（ファシズム）も、ロシア（スターリニズム）も視野に入れた統一的な理論の中ではじめて十分に納得のいく回答が得られるだろう。とはいえ、どこかから始めなくてはそうした全体は見えてはこない。まずは、アメリカなるものの成り立ちを考察するのが戦略的には有利だろう、というのが前章で論じておいたことである。

　だが、その前に、考察が浅いところで終始しないようにするために、問題の発火点となったナチス・ドイツ（ファシズム）をもう少しだけ観察しておこう。ファシズムがどのような論理、どのようなメカニズムにおいて存立していたのか。その骨格を見定めておこう。何が説明されなくてはならないのかを、正確に捉えておくためである。

2　陸地取得による「友／敵」分割

そのために、もう一度、カール・シュミットの説を検討するのがよい。彼は、ナチスの最大にして最良の理論家である。第8章で述べたように、自らナチスに近づき、最初はもてはやされるが、最終的には、ナチスの指導層から疎んじられることになる。それはしかし、彼の理論がナチスにとって不都合だったからではない。彼の小賢しい処世術が裏目に出たことが原因である。シュミットの目には、ヒトラーの「第三帝国」が目指していたことは合理的であり、また政治的にも倫理的にも妥当なことであった。シュミットの議論は、ナチズム（ファシズム）の行動を、最も理論的に高い水準で――いわば好意的に――説明したときにどのように描かれるのかを示している。[*10] シュミットには何が見えていたのか。そして、それ以上に、何が見えていなかったのか。

この点を解明しつつ、ファシズムの論理の骨格を明らかにするために、ひとつのテクストをとりあげる。シュミットが戦後に――一九五〇年に――発表した大著、彼の政治思想の集大成ともいうべき著作、『大地のノモス――ヨーロッパ公法という国際法における』である。[*11] なぜ、ワイマール期やナチ体制の最盛期に書かれたものではなく、敗戦後の著作なのか。シュミットは、敗戦後の数年間で、言い訳がましいことはたくさん書いたが、[*12] ナチ期の自身の活動や思想を一度も批判してはいない。要するに、彼は、ナチスを支持していたときの思想を誤っていたとは思っておらず、戦後もそれをそのまま引き継いでいる。むしろ、事後からの反省的な眼差しの中でこそ、あのとき――つまりワイマール期からナチ期にかけて――自分が無意識のうちに何を考え、何をなしたことになるかが十全に対自化されることになる。その成果が、『大地のノモス』である。

この大部な著書は、一種の歴史哲学である。西洋史を中核にすえて、人類史・世界史を包括的に説明する議論を提供しようとしている。この八年前に、つまり戦争中に、シュミットは、短いが妖しい魅力をもったテクスト『陸と海と』を――「わが娘アニマに語る」という献辞を付けて——刊行している。[*13]『大地のノモス』は、これの緻密化したヴァージョンアップと見なすこともできる。

＊

『大地のノモス』の前提は社会契約論に似ている。法以前の始原の状態を想定し、そこから法がどのように生成されるのか、と問うのだ。法の始原には暴力がある。その暴力とともにある法の状態を指し示す語彙が、「ノモス」である。解説しよう。

シュミットの着想の基本を表現している概念は、「ラウム（空間）取得」、あるいはその典型にして代表であるところの「陸地取得」だ。シュミットの考えでは、法は、本源的に大地と結びついている。法を開始させる原初の行為は、陸地の取得である。陸地取得とともに、法がひとつの意味ある問題として発生する。集団によって取得された陸地の内部が、法の内部でもある。取得された土地が区分され、そこに所有関係が法的な秩序として創設されるからだ。始原の土地に所有関係を決めることを、シュミットは「場所確定」と呼んでいる。場所確定は、取得された土地の内部に、それぞれの個人の所有、それぞれの取り分を決定することなので——シュミット自身の言っていることではないが——、陸地取得の内部での陸地取得、陸地取得の自らの内への再参入 re-entry として解釈することができるだろう。

始原の土地取得は、法を前提にした行為ではないのだから、恣意的な暴力行為であるほかない。これが「ノモス」という概念に込められている意味である。ノモスは、法以前の始原状態と法の制度化の過程の両方を包括している。つまり、ノモスは、存在としての法ではなく、生成状態にある法だ。その生成状態は、暴力とともにある。

シュミットの考えでは、論理的に見て、法は、始原の暴力的な陸地取得に基礎づけられたと見なすほかない。歴史の起源でなくても、都市の建設や植民地の創設は、実際、暴力的な土地取得として始まる。あるいは、シュミットの解釈では、一二世紀半ばの「グラティアヌス教令集（矛盾教会法令調和集）」でも、「国際法」の基礎として「陸地取得」があるとされている。[*14]

＊

陸地取得は、より包括的な概念である「ラウム（空間）取得」の下位概念である。ラウム取得には、陸地、海洋、空（大気）の三つの種類、三つの段階がある。が、単純に三種類を、ラウム取得の対等な三要素と見なしてしまうと、シュミットの主張のポイントを見失うことになる。

確かに、ラウム取得には、取得対象となる空間の物質的な性格に対応した三つがあるということは、『大地のノモス』の全体を理解する上で大事な鍵ではある。というのも、三つのラウム取得は、この書物が提示している世界史の段階と対応しているからである。第一段階は、当然のことだが、始原的な土地取得の段階である。第二段階は、大地だけではなく海洋がはじめて視野に入った時代、「第一次空間革命」の時代である。「新大陸」の発見から始まるのがこの段階だ。この段階を通じて、対照的な二つのことが確立する。一方では、大英帝国のヘゲモニーが確立し、他方では、（ヨーロッパで）対等な主権国家が併存する状態が出現する。つまり、ひとつの主権国家が例外的な力をもつと同時に、主権国家のあいだの形式的な平等性も確保されている。第三段階は、二〇世紀に対応する。それは、空（大気）も視野に入った「第二次空間革命」の時代だ。

シュミットによれば、第一段階の終結とともに、ヨーロッパ公法Jus Publicum Europaeum——これについては後述する——が登場する。このヨーロッパ公法が、第三段階において、ヨーロッパに限定されないグローバルな国際法に取って代わられることで消滅しようとしている。シュミットは、このことをとてつもない精神的な危機であるとして嘆いている。ヨーロッパ公法と、二〇世紀のグローバルな国際法とでは何が違うのか。普通は、単に、ヨーロッパの国際法がグローバル化し、勝利した状態が、現在の国際法だと見なされているわけだが、シュミットにとっては、両者はまったく違っている。これが、『大地のノモス』でシュミットが提示している基本的な世界史の見方だ。これによると、第二段階は、ヨーロッパ公法がその効力を維持できた時代だったことになる。

このように、三つのラウム取得は、シュミットが描く世界史の三段階に対応している。しかし、三種のラウム取得は決して対等ではない。ラウム取得の原型、ラウム取得としてのラウム取得は、あくまで陸地取得である。次節で述べるように、海洋取得はラウム取得の一種であると同時に、ラウム取得そのものの否定でもある。

＊

まずはここで確保しておきたい論点は、ワイマール期にシュミットが導入した政治概念が、この戦後の代表作に継承されている、ということである。シュミットによれば、政治に固有の区別とは、友／敵の区別であった。また、主権者とは、例外状況にかんして決定をくだすもの、例外状態において決断するものであった（第7章、第8章参照）。主権者は、何を決断するのか。政治の概念から明らかであろう。主権者がまずは決断すべきは、誰が友で誰が敵かということである。

要するにワイマール期のシュミットによれば、「友／敵の区別」を決断することにこそ政治の本質がある。この政治の概念は、『大地のノモス』では、「ラウム取得（陸地取得）」の概念にそのまま引き継がれている。「始原状態」の論理的なステータスは、――そこで法の効力が完全に停止しているという意味で――「例外状況」のステータスに等しい。大地のこの部分をわれわれの空間として暴力的に取得する行為、つまり陸地取得は、友と敵とを分割する決断と同じ意義をもつ。われわれの空間のうちに囲いこまれた者が、同じ法の適用を受ける「友」であり、「敵」は、その外部の無法地帯に締め出されることになるからだ。

このように、政治的決断主義として知られているシュミットのワイマール期のアイデアは、「陸地取得」としてあらためて概念化されている。ということは、政治的決断主義をシュミットに採用させたモチーフもまた、そのまま活きているということである。どうして、主権者は、友と敵とを――究極的には主権者の恣意（意志）に基づいて――区分しなくてはならないのか。どうして、主権者は、大地の特定の部分を取得し、そこに恣意的な（法的）秩序を課すのか。この主権者は、伝統的な専制君主のようなものと取り違えてはならない。シュミットの決断主義は、「近代」なるもののインパクトを全面的に引き受けたときに現れるアイデアである。

主権者の決断――友／敵を恣意的に分割する陸地取得――が必要なのは、実質的な内容をもった、普遍的に受け入れられている法規範を前提にできないからである。法は、本来、普遍的な妥当性を要求している。「みんな」がそれを受け入れなくてはならないからだ。しかし、近代においては、そのような法を前提にすることができない。そうであるとすれば、恣意的な、特殊に限定された「法」を課し、それを受け入れる者を、「友」としてわれわれの領土に囲い込まなくてはならない（そうすれば、当然、その「友」の範囲で擬似普遍的に法が妥当する）。何を決断するかはともかく、決断が存在することが重要だ。こうした事情を、われわれは、決断の事実存在（実存）が決断の本質存在に優先している、と表現したのであった。あるいは、（ルールの形式主義に対するところの）決断の形式主義とも呼んだのであった（第7章）。

この点を確認しておけば、シュミットが、どうして「ヨーロッパ公法」を、法一般にとっての不可欠な条件と見なすようになったのかも、理解可能なものとなる。

3　ヨーロッパ公法の意義

シュミットのいう「ヨーロッパ公法」とは、近代ヨーロッパにおける国際法のことである。『大地のノモス』で、シュミットは、ヨーロッパ公法がいかに重要だったたか、を繰り返し強調している。ヨーロッパ公法は、『大地のノモス』が提起している世界史の第一段階から第二段階への転換点で登場する。重要なきっかけは、一四九二年の新大陸の発見である。以降、ヨーロッパは本格的に自らの「外部」にも目を向け、やがては地球の全体を視野に収めるようになる。国際法的ラウム秩序は、その「外部」との対照における内部を指している。国際法が想定している「主体」は、ヨーロッパの主権領土国家だ。ヨーロッパの主権領土国家たちは基本的には対等で、それらの間に勢力均衡が成り立っている。この勢力均衡としてのラウム秩序が、ヨーロッパ公法が成り立つための社会的・政治的な現実である。

新大陸の発見とは、同時に海洋というラウムの発見でもある。海洋が積極的に見出される前にヨーロッパにあったのは、中世の国際法だ。それが、近代のヨーロッパ公法に取って代わられた。二つの国際法の違いはどこにあるのか。中世においては、人々の世界を支配する命令の正統性は、キリスト教会（カトリック）によって備給された。神学者が権威を独占していた、と言ってもよい。中世の国際法からヨーロッパ公法への転換は、「神学的＝教会的な思考体系」から「法律学的＝国家的な思考体系」への移行に対応している。シュミットのお気に入りは、一六世紀――つまりまさにこの転換期――の法学者ジェンティーリが、『戦争法論』に書き込んだ次の言葉だ。「神学者たちよ、汝らに関係のないことに口を出すなかれ！」[*15]。

しかし、さらに問わなくてはならない。「神学的＝教会的な思考体系」と「法律学的＝国家的な思考体系」との根本的な相違はどこにあるのか。シュミットが暗示的にしか述べていないことを、明確化するようなかたちで説明しよう。両者の相違は、法の「普遍性」の性格に関係している。神学的＝教会的な思考体系の中では、普遍的な正統性を有する命令や法が、十分に特定された内容をもつものとして提示される。それらは、究極的には、神の判断に帰せられる（と解釈されている）のだから当然である。法律学的＝国家的な思考体系においては、どんな法も、特定の内容をもつ限りは、普遍的な妥当性を主張することはできない。

法律学的＝国家的な思考に基づくヨーロッパ公法から、いわゆる「無差別的戦争」の概念が導かれる。誰も、自分たちの法を、その内容に関して普遍的に妥当だと主張できないとする。そうすると、もはや、正しい戦争と正しくない戦争との区別は存在しないということになる。正しい戦争は許され、正しくない戦争は禁止される、といった判別が不可能なのだから、すべての戦争は合法的である。つまり、特定の政治目的を実現するために、国家と国家が戦争することは許される。ただし、その戦争は、限定的な目的をもったものであって、――国家を擬人化して言うならば――相手の「人格」を全否定するものではない。

逆に、もし正統な戦争なるものがあったとしたら、その戦争は殲滅戦にまで至る可能性がある。敵は、普遍的に妥当な法の観点から「誤っている」と見なされるので、敵の存在自体を否定することが許される――いやときには存在を否定しなくてはならない、とされるからだ。しかし、戦争からそのような道徳的な意味づけを消去した無差別的戦争論の下では、殲滅戦は回避される。無差別的戦争論は、戦争を禁止することはないが――かえって一般に許容するが――、その残酷さを制限する。

＊

だが、ヨーロッパ公法がどうして必要なのか。シュミットが、ヨーロッパ公法が不可欠だと考えた理由はどこにあるのか。戦争が殲滅戦に至るのを回避するため、という回答は適切とは言えない。戦争が殲滅戦にまで過激化するのを抑止する、ということはヨーロッパ公法の副産物であって、その本来の機能ではない。そもそも、シュミットは、ナチスによるユダヤ人の殲滅の試みを支持した人物であり、また「敵」とは物理的暴力を駆使してでも殺害する可能性がある他者だと断じた政治理論家である。彼が、殲滅戦の回避をそれほどありがたい効用と見なしていたとは思えない。[*16] ならば、ヨーロッパ公法の意義、その本来の機能はどこにあるのか。シュミット自身は、その点を明確に言語化できてはいない。シュミットが自覚できていたことを超えて、客観的に——つまりわれわれの観点に立って——、シュミットの法理論の中で「ヨーロッパ公法」がどのような効果をもっているのかを分析することで、この問いに答える必要がある。

　結論的なことを先に述べておこう。「ヨーロッパ公法」という水準が確保されたとき、法の実効性を脅かす二律背反《アンチノミー》を解消することができるのだ。いや、厳密に言えば、「解消されている」かのような仮象が生まれるのだ。一方では、シュミットの考えでは、法は究極的には、主権者の気まぐれな意志に規定された特殊性や偶有性を免れることはできない。しかし、他方で、法は、普遍的に妥当なものとして現れなくては——少なくとも普遍的な根拠をもつと見なされなくては——受け入れられない。この矛盾は、近代的な法にとっては、悩ましい、ほとんど克服不可能な困難として立ちはだかる。中世の「神学的＝教会的な思考体系」が消え去ったあとには、この困難を解決することはできない……ように見える。しかし、神学的＝教会的な思考体系が通用していた範囲（カトリックが信仰されていたところ）に、ヨーロッパ公法が成り立っていれば、この困難は解消される。シュミットにはそのように見えていた。

　どうしてなのか。シュミットの自己意識の中には現れていない部分を補わなくては、その論理の全体を説明することはできない。

＊

　法は大地と本質的な結びつきをもっており、陸地取得とともに始まる。この公理的な前提は、ヨーロッパ公法においても成り立っていると考えねばならない。つまり、主権国家の領域だけではなく、ヨーロッパ公法のラウム秩序もまた、陸地取得の産物である。その内部に領域的な主権国家を包摂しているラウム秩序が、いわばメタレベルの陸地取得の結果として囲われているのだ。*17

その範囲は、物理的には、中世ヨーロッパの国際法の範囲（カトリック圏）と同じだが、中世においては、陸地取得の意識はない。そこを単一の囲いの内部として自覚させる「外部」への視線がなかったからだ。しかし、新大陸の発見とともに、そのような外部が、「海洋」というかたちで現れることになる。海洋を外部へと排除するかたちで、ヨーロッパ公法のラウム秩序が、メタレベルの陸地として取得された。陸地取得とノモスの成立とは、同値の事態であったことをあらためて銘記しておこう。

このようにメタレベルの陸地取得が可能だということは、海洋もまた、取得の対象として現れている、ということである。が、ここで後の展開の伏線ともなる重要なことを付け加えておかなくてはならない。海洋は、陸地のようには取得されない。海洋の一部を切り取り、そこを一つの法的な領域として定め、「友」を定義することなどできない。海洋は、それゆえ、逆説的なかたちで取得される。すなわち、海洋は、誰にも独占的に取得されることのない自由な空間として、取得されている。取得の否定が取得であるような空間、取得がつねにその否定を含むようなかたちで取得されている空間が、海洋である。

＊

さて、ヨーロッパ公法が意味をもつラウム秩序が成立すると、それは次のような効果をもたらす。もともと、陸地取得によって、領域的な主権国家がひとつの法的な秩序として成立するとき、その主権国家の法には、主権者の意志に由来する特殊性や偶有性が宿るわけだが、ヨーロッパ公法が効力をもっているならば、主権国家の法がそれとの関係において特殊であると評価されるような基準を得たに等しいことになる。その基準は、自らとの関係において主権国家の法を「まだ十分に普遍的ではないもの」「特殊なもの」として規定しているのだから、それ自体は、普遍的である。そして、それぞれの主権国家の法は、仮に特殊性や偶有性を免れないとしても、基準的な普遍性に対する不足や欠如として意味づけられている限りにおいて、その特殊性・偶有性は相対化され、——国家の領域内に限定されてはいるが——あたかも普遍的な法であるかのように機能することができる。

と、このように抽象的な説明を与えても分かりにくいだろう。ちょっとした喩えを使って——集合とその要素（実例）の関係を比喩にして——説明しよう。たとえば、何でもない、たまたまとしか言いようのない図形が目の前に描かれているとしよう。それは、ただの気まぐれな線や汚れと区別できない。ここに「三角形」という普遍概念を導入してみる。すると、件の図形はまさに三角形の一例、「三角形の集合」の一要素であることが判明し、そのように意味づけられる。

もちろん、この図形は、特定の三角形、三角形の一特殊例であって、「三角形」という概念をトータルに具現しているわけではない。ヘーゲル風に言えば、この図形は、（三角形という）概念には追い付いていない。しかし、それでも、この特定の図形は、三角形の概念を代表するものとして活用することができる。

もう少し、哲学的な深みを感じさせる喩えで、同じことを繰り返そう。「人間」という普遍概念が定義されているとする。定義にあたって人間のどの性質が要件として選ばれていたにせよ、任意の具体的な個人は、人間概念との関係では不完全で、いわば力不足である。各個人は、人間という普遍性をトータルには体現できない特殊性である。しかし、それでも、それぞれの個人は、普遍概念としての「人間」を連想させる実例としての意味をもつ。

そして、ヨーロッパ公法と主権国家の法との間に、「普遍概念（集合）とその実例（要素）の関係」と類比的な関係が成り立つ。ヨーロッパ公法が普遍概念としての法の水準に、それぞれの領域的な主権国家の法が特殊な要素・実例の水準に、対応している。主権国家の法は、真に普遍的な妥当性を要求することはできない、偶有的な偏りや特殊性を帯びている。しかし、そうだとしても、普遍概念としての法——それゆえ普遍的な妥当性を有する法——との関係でその特殊性が相対化されているならば、この特殊性は、法の効力を消してしまうような破壊的なものにはならない。つまり、主権国家のそれぞれに特殊な法は、国家の領域内で、あたかも普遍的な法であるかのように機能することができる。

*

が、しかし、まだ決定的なひねりが残っていることを忘れてはならない。普遍的な法とは何なのか？　ヨーロッパ公法のレベルに対応している普遍概念の内容は何なのか？　それはまったくの無である。内容はまったくないのだ。ヨーロッパ公法は、中世の教会的・神学的な法のように、普遍的な善や普遍的な価値を、内実をもって提起しているわけではない。法の普遍性の水準は、領域国家の特殊な法のどれとも同一視できないものとして、否定的・消極的にのみ規定されている。より厳密に、慎重に言い換えれば、「否定的なもの」として肯定されている（aでもb

でもcでもない……Xである、として肯定されている)。

内容を特定できないのであれば、そのような普遍的な法が存在するということは、どのようにして保証されるのか。ヨーロッパ公法が成り立っているという事実こそが、その保証になる。念のために誤解のないように述べておくが、ヨーロッパ公法自体が、その普遍的な法である、というわけではない。ヨーロッパ公法は、勢力均衡している諸国家の間に最小限の秩序を与えるためのルールに過ぎない。しかし、それにもかかわらず、ヨーロッパ公法の成立は、内容を充塡することはできない——したがって純粋に形式にとどまる——普遍的な法が存在していることを確証させる事実としての意義をもつ。どうしてなのか。

先に述べたように、ヨーロッパ公法の存在は、メタレベルの陸地取得が実現されたことを含意しているからである。陸地取得は、ノモスの発生と同じことだった。そのノモスこそは、内容をもたない形式としての普遍的な法である。(メタレベルで)取得された空間《ラウム》は、キリスト教会(カトリック)が正統性をもって君臨していた範囲と重なっている。もともと、そこは、カトリックが正統なものとして人々の信仰を捉えていた領域であったからこそ、ヨーロッパ公法が受け入れられる統一的な空間として成立することができたのだ。ゆえに、ヨーロッパ公法は、なお否定的な仕方で、教会的な秩序と正統性に依存していることになる。近代の法学者は、神学者に「黙っていろ!」と罵倒しながら、神学的なものへの依存を完全に断ち切れてはいない。

こうして、ヨーロッパ公法があるために、(ヨーロッパの)主権国家の法は——原理的には特殊性を免れられないが——、それぞれの限定された領域の内部で、なお普遍的に妥当する法であるかのように機能することができる。シュミットは、このように明示的に論じているわけではない。しかし、書かれたことのうちに実質的に伏在している論理を抽出すれば、このようになる。

4 鍵はここに……

だが、『大地のノモス』が提示している展開によれば、ヨーロッパ公法は、世界史の第三段階において――つまり二〇世紀に入って――崩壊し、グローバルな国際法に取って代わられる。しかし、ヨーロッパ公法の解体の端緒は、二〇世紀よりもずっと前にある。実際には、解体は、ヨーロッパ公法の最盛期にすでに始まっているのだ。ヨーロッパ公法は、内在的に破綻に向かっていく。この点に関しても、シュミットはそうとは自覚することなく、実質的にそのように論じている。

ヨーロッパ公法の自己否定のダイナミズムに最も深く関与しているのは、ヨーロッパのひとつの例外的な国家――領域的な主権国家にしてそれ以上でもあるような国家――である。そう、海洋へと進出したイギリス帝国だ。イギリス帝国のさらなる先、イギリス帝国を駆動していた論理のさらなる徹底化によって導かれるのが、ほかならぬアメリカだ。ヨーロッパ公法がどのような論理、どのような必然性に導かれて解体していくのかは、次章で論じることになる。そこまで論を進めなくては、ファシズムがどのようにして出現するのか、シュミットにドイツ第三帝国の構想が魅力的なものに見えたのはどうしてなのかは、説明できない。

本章の最後に、第1節で論じた主題に関連する論点だけ確認しておこう。第1節の主題とは、平等主義と人種主義（差別）との間の不可解な通底性である。対立しているはずの両者が、ときに――特にアメリカにおいて――同時に強化されることがある。どうしてなのか。

第2節以降、『大地のノモス』の議論を分析することで示されつつあることは、普遍性universalityと特殊性particularityとの間の複雑な関係である。「弁証法的」などという陳腐な形容動詞を思わず使いたくなる、一筋縄ではいかない関係だ。対立しているとも相互依存の関係にあるとも言い切れないめんどうな関係がそこにはある。

ところで、平等主義は普遍主義的な指向性に、人間の間の差別は特殊主義的な指向性に、それぞれ親和性がある。確かに平等主義と普遍主義universalismが同じものであるとは言えない。同様に、差別と特殊主義particularismが同じものであるわけではない。このことははっきりさせておかなくてはならない。たとえば、人間の間に差別を設定する規範が、普遍的な妥当性をもった命題として主張されることはもちろんある。とはいえ、普遍主義には、最も基底的な部分に平等への要求が孕まれている。普遍性は、原理的にはすべての人にとって同様に受け入れ可能だという公平性を必須の要件として含んでいるからだ。

このことを考慮すれば次のような見通しをもってもよいのではないか。普遍性と特殊性との間のまさに弁証法的な関係は、平等主義と人種主義（あるいは差別）との間の不可解なつながりを理解するための鍵を提供してくれるかもしれない、と。

1　アドルフ・ヒトラー『わが闘争　完訳』平野一郎・将積茂訳、角川文庫、二〇〇一年（原著一九二五年）、第Ⅰ巻・第11章。

2　ジェイムズ・Q・ウィットマン『ヒトラーのモデルはアメリカだった——法システムにおける「純血の追求」』西川美樹訳、みすず書房、二〇一八年（原著二〇一七年）。

3　後に、ポーランド総督——すなわちポーランド占領地におけるナチスの恐怖体制のトップ——に就く人物である。

4　ウィットマン、前掲書、一七四頁。

5　アレクシ・ド・トクヴィル『アメリカのデモクラシー』全四巻、松本礼二訳、岩波文庫、二〇〇五〜二〇〇八年。トクヴィルのこの本には、『近代篇1〈主体〉の誕生』第2章でも言及した。

6　トクヴィルのこうした点への着眼については以下を参照。宇野重規『トクヴィル　平等と不平等の理論家』講談社選書メチエ、二〇〇七年。

7　ウィットマン、前掲書、一二六—一三三頁。

8　少なくとも、クリーガーは愚かではないし、詭弁を弄しているわけでもない。彼は、『合衆国の人種法』で、南北戦争についても説明している。クリーガーは、リンカンについて、どうしてあのように見たのか。リンカンは、奴隷解放宣言を発した一八六三年より前に、アメリカにとって唯一の希望は黒人集団をどこか別のところに移住させることだ、といった主旨の発言をしている。ここから、クリーガーの考えでは、リンカンは賢明にも異なる人種が同じ国には住めないことを見抜いていた、ということになる。だから、リンカンがもう少し長く大統領としての地位にとどまり、その職務を果たしていたら、アメリカから黒人を追い出したに違いない、とクリーガーは考えたのである。

9　ハインリヒ・クリーガーは、第二次世界大戦中は軍隊に入った。彼は、理論家であるだけではなく、アクティヴな実践者として、自身の人種主義的な理念の現実化に積極的にコミットしたのだ。ウィットマンが調べたところによると、クリーガーは、戦後は教師となり、国際協調主義者として活躍した。彼は国際理解と平和を訴え、ヨーロッパの統合を提唱し、アジアやアフリカからの留学生の受け入れやその支援にとりくんだ（ウィットマン、前掲書、一二七頁）。これは、とてつもない「変節」に見えるが、あるいは——ポジティヴに表現すれば——たいへんな「改悛」に見えるが、本文に述べたような順接の通路があるのだとしたらどうだろうか。人種主義と平等主義とを通底する道があるのだとしたら。クリーガーは、それほどの良心の痛みを感じずに、あるいは強い反省や転向の意識をもたずに、国際協調主義者になれたのかもしれない。

10　本多秋五がかつて日本の「戦後文学」に関して述べていたように、思想をその最低の鞍部において乗り越えてはならない。乗り越えは、その対象となるライバルの思想を頂点の可能性にまで引き上げてから、なされなくてはならない。カール・シュミットは、ファシズムの理論上の頂点である。

11　カール・シュミット『大地のノモス――ヨーロッパ公法という国際法における』新田邦夫訳、慈学社出版、二〇〇七年（原著一九五〇年）。

12　たとえば「獄中記」（『カール・シュミット著作集Ⅱ（1936―1970）』長尾龍一編、慈学社出版、二〇〇七年）。『獄中記』（原題『救いは獄中から』）の公刊は、一九五〇年だが、書かれたのはもっと前である。シュミットは、敗戦後、アメリカ軍に逮捕され、一年以上の期間、捕虜収容所に収監されていた。『獄中記』は、このときに書いた自己弁明の書である。

13　カール・シュミット『陸と海と――世界史的一考察』生松敬三・前野光弘訳、慈学社出版、二〇〇六年（原著一九四二年）。われわれのこのプロジェクトの中ですでに何度か、このテクストを参照し、ここから引用してきた。

14　「グラティアヌス教令集」については、『イスラーム篇』第5章を参照。

15　『大地のノモス』、一八八頁。

16　シュミット自身は確かに、戦争が殲滅戦へとエスカレートすることを抑止できることこそが、ヨーロッパ公法の大事な役割であるかのように書いている。しかし、その政治理論から判断しても、また政治活動から見ても、シュミットが、殲滅戦を悪として糾弾する普通の「ヒューマニズム」に与していたとは思えない。殲滅戦云々に関する部分は、この人物のいつもの諂い、戦後の読者への「ウケ狙い」である。

17　「メタレベルの陸地取得」などという表現は、シュミット自身は使っていないが、彼の主張は、実質的にはこう解釈せざるをえない。

第11章　〈ラッセルの逆説〉と〈ヘーゲルの具体的普遍〉

1 「ユートピア」へ

われわれは今、カール・シュミットが戦後に書いた『大地のノモス』を素材としながら、ファシズム（ナチズム）なるものを成り立たせていたメカニズムの基本的な形式だけをまずは抽出しようとしている。その際、留意しなくてはならないことは、読解を通じて、シュミット自身が意識していなかった論理を摘出しなくてはならない、ということだ。シュミットが提起している筋が成立するために客観的には必要だが、本人が言語化できていないことを補わなくてはならない。そのことによって初めて、特段、ナチスを正当化するために書かれていたわけではないこの著書を通じて、ファシズムなるものに賭けられていたことが何であったかを炙り出すことが可能になる。

さて、『大地のノモス』によると、新大陸の発見に端緒をもった第一次空間革命とともに、ヨーロッパの国際法、すなわちヨーロッパ公法が確立された。これは、ラウム（空間）取得を基準にして捉えた世界史――というより西洋史――の第二段階にあたる。第一段階では、始原的な陸地取得がなされるのであった。

第二段階で生まれたヨーロッパ公法とともにある国際秩序によって、各国の法に「普遍的な妥当性」の外観が宿る。シュミット自身が明示的には論じていないが、彼がヨーロッパ公法を特別視し、高く評価する理由を、われわれの観点から分析すると、このように言うことができる。前章で述べたことを整理しておこう。

陸地取得とともにある各国の法は、原理的には、主権者の恣意に規定された偶有性を免れることができない。だが、法は、普遍的な根拠をもつと見なされなくては受け入れられない。このジレンマは、ヨーロッパ公法が存在しているとき、克服される——というより隠蔽される。いかにして克服＝隠蔽されるのか、その論理は、ここでは再論しない。結論的なことだけ述べておけば、ヨーロッパ公法が成り立っているという事実が、普遍的な法が純粋に抽象的な形式として——つまり具体的な内容を充塡されていない形式として——存在していることの保証となっているのだ。比喩的に言えば、その普遍的な法は、具体的な値をもたない変数（によって定義された集合）のようなものである。各国の法が、言わば、その変数に代入された特定値にあたる。[*1]

＊

ところで、第二段階には、ヨーロッパ公法の成立とは異なる、もうひとつの重要な側面がある。ヨーロッパ公法がその上で妥当する空間が、（前章で使った語で言えば）メタレベルの陸地取得としての意味をもつための前提は、新大陸の発見である。新大陸が発見されたということは、海洋が——陸地ではなく海洋が——利用に開かれた可能性として、ヨーロッパ諸国に対してたち現れた、ということでもある。実際、ポルトガルが、スペインが、そしてフランスやオランダが、海洋へと進出した。が、しかし、シュミットによれば、これらの国家は、新大陸や海洋に出て行ったとしても、結局は陸地的存在にとどまった。真に、海洋的存在へと移行する歩みに成功したのはイギリス（のみ）だった。

イギリスが、他国よりも早くから海へと目を向けていた、というわけではない。むしろ、シュミットの見立てでは、イギリスがいかなる先入観もなしに海洋へと自分を本格的に差し向けるようになったのは、比較的遅く、一七世紀――しかもその終わり頃――であった。また、イギリスが新大陸や海洋へと進出するときに依拠した法的な手段も、むしろ保守的であった。たとえば、イギリスによるアメリカの植民地は主として、国王や女王による封建法的な陸地賦与を根拠にしており、近世的でさえない。つまりイギリスの植民地は、中世のやり方で割り当てられた。あるいは、よく知られているように、チューダー朝やスチュアート朝は、官許の海賊の略奪行為によって豊かになり――また配下の人民にもその恩恵に与らせ――、この行為にいささかの良心の呵責《かしやく》も覚えなかったわけだが、そのことに対する対外的な――つまりスペインやポルトガルに対する――公式の弁明は、いつまでも旧式のままで、「新しい原理や明確さに欠けていた」。しばしば引用されたのは、エリザベス一世がスペイン使節に対して発した一五八〇年の宣言「海洋および大気は、すべての人間の共同使用にとって自由である」である。これは、論証や文体に関して、一六世紀以来のフランス国王の類似の言明とまったく変わらなかった。*2 こうしたことを考えると、海洋への進出や新大陸の植民地に関して、イギリスのやり方が特段に前衛的だったわけではない。

それにもかかわらず、イギリスだけが明確に突出して海洋的存在へと移行した。これがシュミットの認定である。

海洋のエレメントに賛成するというイギリスの決断は、概念的に明白な大陸における国家性［Staatlichkeit］という決裁主義〔陸地取得的な決断主義〕よりもはるかに大きく深いものであった。イギリスという島は、大地の新しいノモスへとラウム変化することの担い手になったし、潜在的には、確かに、近代的技術がもたらすトータルな場所確定の喪失［Entortug］へのその後の飛躍のための跳躍場にさえなったのである。*3

次章でごく簡単に海洋的存在ということの内実を見ることにするが、いずれにせよわれわれは、大英帝国が圧倒的に広大な海外植民地をもつことになることを知っている。また、大英帝国が自由貿易の熱心な擁護者で、そこから莫大な利益を得たことも知っている。そうしたことを思えば、イギリスの地位についてのシュミットのこうした判断は、まことに当を得たものである。

シュミットは、イギリスの新しさを象徴している事象として、ひとつの新語に注目している。それは、トマス・モアの著書のタイトルになっている「ユートピア Utopie」という語だ。聖モアのこの「特異にイギリス的な著書」の出版年は一五一六年で、イギリスが本格的に海洋重視に傾く時期より少しだけ（二世代分ほど）早いが、いずれにせよ、シュミットの考えでは、このような語が口にされることは、古代や中世であればとうていありえないことだった。「ユートピア」という造語は、前章にも述べておいた、「海洋取得」の逆説性をよく表現している。ノモスは場所確定によって基礎づけられているわけだが、その場所確定の原型は、当然のことながら、陸地取得にある。「ユートピア」、つまりU-Topos〔無‐場所〕はしかし、場所確定の放棄の方こそを含意している。イギリスが海洋へと向かい始めるころに定着したこの語は、海洋が場所確定を積極的に曖昧化することを通じて取得されたことを表していたのである。[*4]

＊

ここでとりわけ注意しておきたいことは、海洋的存在としてのイギリスの、つまり大英帝国の両義的なポジションである。『大地のノモス』が提示しようとしている構図全体の中で、イギリスは二重の——見ようによっては矛盾した——役割を担わされているように見えるのだ。

この書物が示そうとしていることは、ヨーロッパ公法から二〇世紀の——とりわけ第一次世界大戦後の——グローバルな国際法への移行が生じた、ということである。普通は、グローバルな国際法は、ヨーロッパ公法の被覆範囲の最大限の拡張であると解釈され、このことは、——ヨーロッパ公法の観点から——寿《ことほ》がれてきた。しかし、シュミットに言わせれば、これはとんでもない誤りである。ヨーロッパ公法は、グローバルな国際法の中で、完全に損なわれてしまう……というのがシュミットの診断だ。どうして彼にはそのように見えるのか、その理由については後で説明するが、今は基本の図式だけ確認しておきたい。

世界史（西洋史）の三段階の中の第二段階でヨーロッパ公法が成立するわけだが、この第二段階を代表しているのが、海洋帝国イギリスである。ヨーロッパ公法は、新大陸が発見されたことに触発されて成立した。そうである以上、ヨーロッパ公法が確立した、その同じ時代に、海洋へと進出する者、海洋取得に重点をおく国家が出現することには必然性がある。つまり、ヨーロッパ公法と大英帝国とは共軛《きょうやく》的な関係にあり、大英帝国はヨーロッパ公法の反面である。ヨーロッパ公法と手を携えて台頭したのがイギリスであるとすれば、二〇世紀のグローバルな国際法と同じような関係にある歴史的なエージェントは何であろうか。グローバルな国際法の精神を体現し、その推進者と見なされる国家はアメリカである。すると、すぐに、不調和に気づくことになる。今述べたように、基本的な対立は、ヨーロッパ公法とグローバルな国際法の間にある。後者は、第一次世界大戦後に定着し始めた。この基本的な対立を踏まえれば、イギリス的なもの（ヨーロッパ公法の段階）とアメリカ的なもの（グローバルな国際法の段階）も対立していなくてはならない。しかし、『大地のノモス』は、両者の関係をそのようには描いていない。

イギリス的なものを延長すると、アメリカが導かれるかのように論じられているのだ。すなわち、海洋的存在としての大英帝国が推進しようとしたことを継承し、さらに徹底させたのがアメリカだ。イギリスからアメリカへと継承されたことの典型は、自由貿易への支持である。またグローバルな国際法もイギリスとアメリカの協力によって普及し、定着した。結論的には次のようになるだろう。イギリスの海洋への進出は、「ユートピア（無－場所）」への指向を代表していたわけだが、シュミットの見るところでは、アメリカは、「土地もラウムもない無」へと突進するその推力をさらに純化し、強化しつつイギリスから受け継いでいる。

このように、イギリスが果たした役割は、両義的で媒介的である。ヨーロッパ公法の段階の中心的な担い手であると同時に、ヨーロッパ公法を骨抜きにする国際法の世界の導き手でもあったことになるからだ。この大英帝国のポジションをどう理解すればよいのか。これを説明する骨太の論理を見出すこと、これが鍵である。

2　ラッセルの逆説からヘーゲルの論理を読む

その論理は、しかし、『大地のノモス』に書いてあるわけではない。われわれが自分で見出さなくてはならない。そのために、いったんこのテクストから離れ、ちょっとした「論理学」のレッスンを経由しておこう。

前章で、われわれは、ヨーロッパ公法の効用がどこにあるかを説明するために、集合論的な類比に訴えた。ヨーロッパ公法（に対応するメタレベルの陸地取得）と主権国家の法の関係は、集合と要素の関係に等しい、と。全体集合と部分集合の関係ではなく、「集合／要素」というレベルの違いがあることが肝心である。このことを念頭において、集合論に関係する逆説をまずは復習しておこう。

集合とその要素は、普遍概念とそれを例示する個別のケースの関係に類比的である。ここで、集合が含んでいる要素のひとつが、その集合そのものと完全に同一視できる場合を考えてみよう。言い換えれば、自分自身を要素として含む集合Gを考えてみよう。G∈Gというわけだ。このような集合を導入すると、バートランド・ラッセルの名前と結び付けられている矛盾が生ずることがよく知られている。つまり、このような集合の存在を認めたとたんに、集合論自体が破綻してしまう。素朴集合論の初歩中の初歩のことだが、確認しておこう。

自分自身を要素として含む集合なるものを導入するということは、すべての集合の集合が、次の二つの集合のうちのいずれかに排他的に分類できる、ということを意味している。二重の帰属はありえず、またどちらにも含まれていないということもありえない。

「自分自身を要素として含まない集合」の集合G_0

「自分自身を要素として含む集合」の集合G_1

さて、そうだとすると、集合G_0や集合G_1もまたそれぞれ、G_0かG_1のどちらかに含まれなくてはならない。では、G_0はどちらに含まれるのだろうか。

G_0がG_0の要素であると仮定してみよう。つまり、G_0は、「自分自身を要素として含まない集合」の一つであると仮定しよう。ということは、$G_0 \notin G_0$だということになる。これは、仮定に反しており矛盾である。したがって、仮定は棄てられ、G_0はG_0の要素ではなく、G_1の要素であると見なさなくてはならない。しかし、G_1の要素であるということは、G_0が「自分自身を要素として含む集合」という性質をもつ集合なのだから、$G_0 \in G_0$ということになり、これもまた矛盾である。

まとめると次のようになる。まず、G_0がG_0の要素であるならば、G_0はG_1の要素である。

$$G_0 \in G_0 \rightarrow G_0 \in G_1$$

逆に、G_0がG_1の要素であるならば、G_0はG_0の要素である。

$$G_0 \in G_1 \rightarrow G_0 \in G_0$$

集合G_0に関して、「G_0か、それともG_1か」どちらの要素であると仮定しても、嘘つきの逆説《パラドクス》と同じような矛盾が生ずる。これがラッセルの逆説である。

集合論は、最も単純な世界モデルである。それは、要素の集まりとその包含関係だけで、世界を記述しようとしている。このモデルに、「自分自身を要素として含む集合」を入れると、収拾できない混乱が生じてしまう。この困難は、数学的な必然性の乏しい禁止を導入することで、一般には処理されてきた。要するに、要素の水準と集合の水準を厳密に分け、自身を要素とするような集合を作ることを単純に禁止してしまうのだ。そうしてできあがった改訂版の集合論が「階型理論」と呼ばれる。

＊

ここまでは、わざわざ解説するのも恥ずかしいほど初歩的なことだが、重要なことは、その先にある。二〇世紀の数学基礎論が恣意的な禁止を設けることで排除するほかないと見なした、以上の躓きの石を、逆に論理の展開を促す積極的・肯定的な契機と見なした哲学者がいるのだ。しかも、その哲学者は、ラッセルよりも百年も前に生を享けた。誰か？　ヘーゲルである。ヘーゲルは「具体的普遍」なる概念によって、ラッセルの逆説を――その出現に先立って――創造的に活用する方法を提起していたのではないだろうか。どういうことか、こちらは、入門的解説とは異なる説明が必要だろう。

まず、もう一度、ラッセルの逆説を振り返ってみよう。集合とその要素の関係は、普遍概念とそれに包摂される具体的個物や実例の関係に等しい、ということを念頭においた上で、もう一度だけ、ラッセルの逆説が集合論のどのポイントにとって脅威になっていたかを確認しておく。「集合」の本質は、内部と外部とを区別する境界を設定することにある（シュミットの「場所確定」や「ラウム取得」のように、と蛇足的なことを付け加えておこう）。境界が設定されているということは、個物や実例が与えられたとき、それが集合の内部の要素なのか、それとも外部の要素なのかを、曖昧さなしに一義的に決定できる、ということである。ところが、今し方見たように、個物として見たときのG_0に関しては、それが集合G_0の内部にあるのか、その外部にあるのか（G_1に属するのか）が決定できなくなってしまう。これは、「集合」にとっては致命的な欠陥である。

しかし、ある具体的なもの——個物（要素）としてのG_0——が概念G_0のうちに包摂されるのか、それとも包摂されず、その概念G_0の否定を意味する別の概念G_1に包摂されるのかが決定できない状態を、動的なプロセスとして解釈したらどうか。すなわち、この不決定状態を、類的（普遍的）概念G_0が別の類的概念G_1へと転換するプロセスとして解釈するのだ。転換は、類としてのG_0中に含まれる要素（種）G_0によって惹き起こされている。すなわち、概念G_0から概念G_1への転換は、外部に起因しているのではなく、概念G_0そのものの内部から自律的に生じている。これこそが、ヘーゲルが「具体的普遍」という考え方に託した論理である。具体的普遍にあたるのが、転換を引き起こしているG_0だ。G_0は、二つの水準に属していることに留意すべきである。それは、一方で、類的概念を指しているのであり、その意味では普遍に属するが、他方では、それは、類の中に包摂されている具体的個物でもある。だから、G_0はまさに「具体的普遍」と呼ばれるにふさわしい。

ヘーゲルの著作では、定型的なパターンの論理展開が繰り返される。それは、今ここに述べたような「具体的普遍」の論理にぴったりと当てはまっている。次のようなことだ。『精神現象学』で特に目立っているが、ヘーゲルは、ある概念Aを説明するのに、具体的で現実的な実例を寓話のように活用する。そして、概念Aにとって特権的・例外的な実例xが、その概念Aを別の概念

Bへと移行させる契機ともなっていることが示される。ここで、しかし、「特権的・例外的」と言っても、概念Aに属する実例として、そのxが、きわめて変則的であったり、周辺的であったりするわけではない。逆である。その実例xは、概念Aを定義する条件を、完全に満たしている。つまり、xは、概念Aの直接の現実化と見なすべきものである。それにもかかわらず、それは、概念Aのうちに留まらずに、概念Bへと移行していくのだ。したがって、xはあまりにも十分にAであるがゆえに、Bになる、と記述するほかないことが生じていることになる。

3 「サッカー以上のサッカー」そして「高貴は下賤」

この解説は抽象的にすぎるので理解しがたいだろうから、それこそ、具体例を出してみよう。分かりやすさを優先させるために、最初は、ヘーゲルからは独立した例を使う。実は、このプロジェクトの中で、われわれ自身もすでに、この具体的普遍の論理を何度も使っている。細かい説明を省略することができるので、その中の一つをここで引いてみよう。

『近代篇1 〈主体〉の誕生』で、全体の議論の流れをいくぶんか逸脱するようなかたちで、「黙示録的ゲーム」としてのサッカーについて論じたことがある。[*5] 一九世紀のイングランドで生まれたサッカーは、今や、世界で最も人気のあるスポーツとなった。ほとんどすべての国民が、サッカーに夢中である。しかし、あのスポーツ好きのアメリカ人が、どういうわけかサッカーにだけはあまり熱心ではない。どうして、アメリカ人は、サッカーをそれほど好まないのか。[*6] アメリカ人のためには、代わりに、アメリカン・フットボール（やバスケットボール）があるからである。

と、ここまでは当たり前のことだが、留意すべきことは、アメフトは、単純に、「サッカーではないスポーツ」ではないということだ。

アメフトも、ある意味では、サッカーなのだ。いや、アメフトは、サッカー以上のサッカーである。どういうことか。サッカーの本質は、煎じ詰めれば、ボールを前方に運び、最終的に相手のゴールに入れることだ。だが、そうだとすると、本来のサッカー、普通のサッカーには、このサッカーとしての本質を部分的に否定するルールがあることがわかる。オフサイド・ルールがそれである。ボールを前方に運ぶことを競い合っているのに、このルールは、ボールを前方の味方にパスすることに関して強い制限をかけている。なぜこんなルールがあるのか。オフサイド・ルールは、実は、サッカーの前身、サッカーのもとになったイングランドのローカルなコミュニティの儀礼的な遊戯に源泉をもっている。

サッカー性を十全に現実化するためには、サッカーの中世的な残滓とも解釈できるオフサイド・ルールを捨ててしまった方がよい。[*7] そうして生まれたゲームこそ、アメフトである（そしてまたバスケットボールだ）。

アメフトには（そしてバスケットボールにも）、サッカー的な意味でのオフサイド・ルールがない。[*8] それどころか、サッカー（やラグビー）の観点からは、まさにオフサイドと見なされるようなプレイこそ、アメフト（やバスケットボール）では、最も称賛に値する攻撃法と見なされている。要するに、アメフトは、過剰なまでにサッカーであり、まさにそのことによってサッカー以外のものに転換しているのだ。

＊

同じような形式の論理の展開を、ヘーゲル自身の著作から引いてみよう。とはいえ、ここで詳しく解説している余裕はないので、やはりこのプロジェクトの中ですでに引いたことがある箇所を活用しよう。『精神現象学』の「自分にとって疎遠になった精神の世界」と題するセクションで、ヘーゲルは、「高貴な意識」から「へつらいの言葉」への移行について論じている。われわれは、『近代篇1』第16章で、この部分を参照した。[*9] 歴史的な現実としては、「高貴な意識」が、中世の封建領主の段階に、「へつらいの言葉」が、近世の絶対王政の段階に、それぞれ対応している。高貴な意識は、「沈黙の奉仕の英雄主義」によって特徴づけられている。これが、「へつらいの英雄主義」に移行する。

沈黙の奉仕の英雄主義は、中世の騎士の領主に対する態度である。絶対君主に仕える臣下においては、それがへつらいの英雄主義に変わる。このように記すと、中世の騎士たちは、心からの忠誠心から黙って領主に奉仕していたのに、近世の臣下は堕落して嘘つきになった、とヘーゲルは論じているように思われるだろう。しかし、そう単純なことではない。

ヘーゲルの主旨は、中世の騎士がもっていたような奉仕の精神や恭順の念を徹底させ、純化して継承し、それを、「朕は国家なり」と唱える絶対君主に差し向けると、臣下たちは必然的に、雄弁に「へつらいの言葉」を発するほかなくなる、ということだ。サッカー性を徹底させると、サッカーではないものに変化してしまったように、中世的な恭順や奉仕の精神を徹底させると、逆説的にも、自らの内的な信念に反してへつらう言語行為が導かれるのである。[*10] へつらいは、だから、非道徳的な行為ではなく、それ自体、十分に倫理的なものでもある。へつらっていても「英雄主義」だとされているのはこのためだ。

『精神現象学』のこのセクションの展開では、「へつらいの言葉」に続いて「富」が、要するに「カネ」が登場する。どうしてなのか。臣下は、結局、自分の内的な思いを超えて、芝居がかったやり方で空しく、恭順を示すへつらいの言葉を発する。そのことへの対価として臣下が受け取るのが富（カネ）である。分かりやすく率直に言ってしまえば、臣下としては、「カネでも貰わないと、こんなことやってられない」という気分になっているのだ。臣下は、自分の虚しい思いを埋めるべく、富を要求する。君主に仕える臣下は、カネ目当ての「下賤な意識」となる。

こうして「へつらいの言葉」を中間項とした、「高貴な意識→へつらいの言葉→下賤な意識」という移行があるわけだが、ここで死活的に重要なことは、移行において、後の項は前の項を単純に否定しているわけではない、ということだ。逆に、前の項を徹底的に肯定すると、後の項への変移が生ずるのだ。したがって結局のところ、ヘーゲルの議論に従えば、高貴な意識の高貴性を真に徹底的に現実化すると、その反対物に、つまり下賤な意識になる、ということになる。

ヘーゲルは、この展開の締めくくりとして、ディドロの『ラモーの甥』を読む。*11『ラモーの甥』は、作曲家ジャン・フィリップ・ラモーの甥とされる凡庸な音楽家「彼」と哲学者の「私」（ディドロ自身）との間の対話体の小説である。前者が下賤な意識に、後者が高貴な意識に対応している。ヘーゲルが指摘しているように、身をもちくずした寄食者である「彼」の言葉の方が、善やその他の価値について高尚そうなことを語る「私」の発言よりも、ずっと柔軟性に富んでおり、エスプリ（精神）も利いている。下賤な意識は高貴な意識の極限の姿であり、後者の真実は前者の中にこそあるからだ。[*12]

4　国家と教会

ラッセルの逆説を出発点にして、具体的普遍についてのヘーゲルの弁証法的論理が何であるかを説明してきた。基本的な筋を定式化しておこう。まず普遍概念Aがある。普遍概念Aは、いくつもの特殊な具体例を要素として含む集合として表すことができる。

A ＝ {a, b, c,…,x}　　…①

ここで、集合Aの要素a, b,…が、この概念を例示する特殊な個体たちである。こうした特殊なケースは、前章の、ヨーロッパ公法と主権国家の法との関係を説明するなかで述べたように、普遍概念をトータルに体現できるわけではない。個々の具体的な三角形が、三角形の概念そのものをすべて表現することはできず、それぞれの偶発的な特殊性を逃れられないのと同様に、である。

ところが、集合Aの要素の中に、ひとつ例外的な要素xがある。それは、概念Aの直接の現実化と見なすことができる要素である。つまり、

x＝A　　…②

である。具体的要素xは普遍概念Aそのものと同一視することができる（具体的普遍！）。別の言い方をすれば、集合Aは自分自身を要素として含む集合である。

要素xが十全に概念Aを現実化したとき、要素xは、概念Aとは相互に否定的な関係にある別

の概念Bに移行する（$B=\neg A$）。[13] すなわち、

$$x=A \rightarrow x=B \quad \cdots③$$

である。集合Aと集合Bは相互に排他的で、共通の部分集合をもたない。にもかかわらず、xはAであり、そのことにおいてBでもある。右記の論理式③の対偶をとって、こう言ってもよい。[14] 個物xは概念Bへと移行せずして、十全に概念Aにはなりえない、と。たとえばサッカーは、アメフトまで変形されなければ、サッカー性を真に現実化できない。沈黙の英雄主義は、へつらいの英雄主義へと変化しなくては、忠誠としての自らの倫理的な本質を現実化できない。

＊

長い回り道を歩んでいる。何のためか。カール・シュミットの『大地のノモス』の中に隠れている――言語化されてはいない――展開を抽出するのに活用しうる、汎用性の高い論理を見つけるためである。ヘーゲルの具体的普遍についてのここまで示してきた解釈が、『大地のノモス』を理解する上で有用であることが、次章において、すぐに示されるだろう。だが、その前に、もうひとつだけ、ヘーゲル自身の議論から、具体的普遍の実例を引いておきたい。それが、ヘーゲルが論じていたこととシュミットの思索とを繋ぐ橋になるからだ。

『大地のノモス』でも中心的な主題となっている国家と教会について、ヘーゲルがどう論じていたかに注目してみよう。実は、両者の関係についてのヘーゲルの説明には、大きな振幅がある。一方では、ヘーゲルは、国家と教会との間には深い溝があると述べている。国家は、教会からの分離を通じてのみ、その使命をまっとうできる、と。この主張がきわめて率直に、そして明示的

に現れている著書は、『法の哲学』である。[*15] しかし、他方では、ヘーゲルはさまざまなところで、これとは逆に、宗教的な生と政治的な生との本質的な一体性、教会と国家とを切り離すことの不可能性を強調してもいる(『エンチクロペディ』『宗教哲学講義』『歴史哲学講義』等)。ヘーゲルは、この論点に関して混乱していたのだろうか。

そうではない。スラヴォイ・ジジェクが、整合的な解釈を提供してくれる。ヘーゲルにとっては、教会は、国家以上の国家である、と。[*16] 教会は、十全に国家の概念を現実化することにおいて国家を超えるのだ。国家は、共同体の全体を代表し、それを統合しなくてはならない。が、実際に存在するどの経験的な国家も、不十分にしかこの機能を果たすことはできない。要するに、実際のそれぞれに特殊な国家たちは、普遍的な国家概念を充足する十分な力をもってはいない。国家概念のうちに要請されている機能を十全に満たそうとすると、つまり共同体を真に全体化し、人民をその内面から統合しようとすると、国家は、国家以外のものへと移行するほかない。つまり、国家は、その概念に到達した瞬間に、(理想の)教会へと移行するしかない。[*17] 教会は、究極の国家であると同時に、国家を超えた――国家ではない――共同体でもある。

この状況は、サッカーが、サッカー性を真に実現するとき、サッカー以外のもの――アメフト――に転換するのと同じである。ここで留意すべきことは、サッカーとアメフトを包摂する上位の類概念、たとえば「フットボール」を仮定して、「二種類(以上)のフットボールがある」と記述したとたんに、ことがらの真のダイナミズムが見えなくなってしまう、ということだ。フットボールという上位の類概念や上位の集合なしに、「サッカー」という概念から内発的にその否定(アメフト)が創出されると考えなくてはならない。同じことは、国家と教会についても言える。国家と教会とを包括する類概念、たとえば「政治的あるいは文化的な共同体」を前提にし、その二類型として国家と教会を位置づけてはならない。国家が、その内在的な欠陥を越えようとし、みずからの概念と合致したとき、つまり国家がまさに真の国家に到達したとき、国家ならざるもの（教会）へと変容するのである。

＊

ところで、国家の論理的な完成形態（歴史的な到達形態ではない）を教会に見出すこのような考え方は、ヨーロッパ公法と、そのもとにある近代的な主権国家は、キリスト教会（カトリック）からの独立によって実現されたとするカール・シュミットの認識——これは大方の認識とも合致すると思われるが——と真っ向から対立するのではないか？　そうではない。前章で述べたことだが、再論しておこう。

確かに、近代国家は、直接的に神学概念に依拠して命令を発することも、神学概念に法の妥当性の根拠を求めることもできない。ところで、ヨーロッパ公法が成り立っている限りで、普遍的な法が——内容をもたない形式として——存在していると見なすことができる、と述べておいた。そのために、各国の原理的には偶有的で特殊な法は、この「普遍的な法」を指向する（不完全な）実例としての意味をもつことができる。先の①の等式と関連づければ、左辺のAが「普遍的な法」に、そして右辺の集合の諸要素a, b, c,… が、各国の特殊な法に対応する。

では、どうして、ヨーロッパの領域に、適切な国際法（ヨーロッパ公法）が成り立ち定着しているのか。どうして、そこが、メタレベルの陸地取得の対象として囲い込まれ、ひとつのラウム秩序を構成しているのか。そこが、かつて教会の支配圏（カトリック圏）だったということが、唯一の根拠である。その意味では、近代国家の法も、なお教会に依存していると言える。カトリック教会は――「今や否定されたもの（かつて肯定されていたもの）」という形式で――、近代国家を支える可能条件となっているのだ。したがって、国家の論理的な完成形態が、そして「国家以上の国家」が教会であるというヘーゲル的な認定は、ヨーロッパ公法の意義を評価するシュミットの理論の中でも――シュミット自身は自覚していないが――維持されている。

これだけ準備しておけば、われわれは『大地のノモス』に戻ることができる。まず当面の疑問は、海洋帝国イギリスの両義的なポジションをどのように理解すればよいか、であった。この点については、すでにほとんど回答が提示されていると言ってよいところまで来ている。

1　前章で述べたように、これは、シュミットが明示的に論じたことではない。シュミットがヨーロッパ公法を特別に重要視し、これを評価した理由を、本人が自覚していないことを補って客観的に説明するならば、このようになる、という趣旨である。

2　カール・シュミット『大地のノモス――ヨーロッパ公法という国際法における』新田邦夫訳、慈学社出版、二〇〇七年（原著一九五〇年）、二一六頁。

3　同書、二一六―二一七頁。

4　もちろん、トマス・モアの著書においては、「ユートピア」は「良き場所 *Eutopie*」という意味である。トマス・モア『［改版］ユートピア』澤田昭夫訳、中公文庫、一九九三年。

5　『近代篇1』第6章。

6 ここでサッカーという例を活用したのには、理由がある。この例は、イギリス的なものとアメリカ的なものとの関連をよく示しているのだ。とすると、この話題は、シュミットの『大地のノモス』のテーマと直結している。サッカーは、イギリスのパブリック・スクールの経験の中から生まれた。サッカーのゲームは、パブリック・スクールの中で、あるいはパブリック・スクール間の対抗戦として実施されたのだ。パブリック・スクールに入ったのは、大英帝国の繁栄の中心にいたブルジョワジーの子弟であり、彼らもまた成人して父の仕事を引き継いだ。

7 オフサイド・ルールが、どのような意味で「中世的な残滓」なのか。そのことは、注5に記した『近代篇1』の章に書いてある。また次も参照。中村敏雄『〔増補〕オフサイドはなぜ反則か』平凡社ライブラリー、二〇〇一年。

8 ここでの論旨にとっては些細なことだが、気になる人のために書いておく。アメフトにも「オフサイド」と名付けられたルールはあるが、サッカーやラグビーのオフサイド・ルールとは趣旨が違うし、またさして重要な意味をもたない。

9 『近代篇1』四〇九―四一二頁。

10 どうしてそうなるのかは、ここでは説明する余裕はない。注9に記した箇所を参照されたい。

11 『ラモーの甥』は、一七六二年から一七七二年にかけて執筆されたが、ディドロの生前には公刊されなかった。この小説は、一八〇五年にゲーテによる独訳が発表されてから、世に知られるようになった。ヘーゲルはこれを読んで、すぐに自著に取り込んだことになる(『精神現象学』の公刊は一八〇七年)。ディドロ『ラモーの甥』本田喜代治・平岡昇訳、岩波文庫、一九六四年。

12 ヘーゲルによると、「哲学者」の単純な語りは「教養をつんだ精神が有する、あの率直で、みずから意識された雄弁さに比べれば、ただ片言めいたものでありうるだけである」。「みずから意識された雄弁さ」で語っている「音楽家」の方は、「高貴にして善と称されるものが、その本質にあってはじぶん自身を顚倒したもの〔下賤にして悪なるもの〕であって、これは劣ったものが逆に卓越したものであるのと同じことである」と自覚している。本注で引いた『精神現象学』の節は、熊野純彦訳である(ちくま学芸文庫、下、一四七頁、一四九頁、二〇一八年）。ただし、本文の解説で使用したヘーゲルの語彙の邦訳は、必ずしも熊野訳と同じではない。このプロジェクトのこれまでの語彙の選択と整合させるためである。

13 「¬」は、否定を意味する論理記号。

14 「PならばQである（P→Q）」という命題に対して、「QではないならばPではない（¬Q→¬P）」を対偶と呼ぶ。もとの命題と対偶は同値である（つまり同じ意味である）。

15 ヘーゲルはこう書いている。「国家にとって教会の分離は不幸ではなかろうかとか、不幸だったのではなかろうかと、考えるのは、とんでもないことであって、国家は教会の分離によってのみ、おのれの使命であるところのもの、すなわち自覚的な理性的状態と倫理態になりえたのである」（『法の哲学』§２７０、藤野渉・赤沢正敏訳、中公クラシックス）。

16 Slavoj Žižek, *Less Than Nothing*, London, New York: Verso, 2012, p.363.

17 ヘーゲルが、ごく若い頃に——二十代の終わり頃に——書いた断片が、こうした解釈の妥当性を証明している。「国家の原理が完全なる全体性にあるのだとすれば、そのとき教会と国家はおそらく無縁なものとすることができないだろう」（G.W.F. Hegel, *Frühe Schriften: Werke 1*, Frankfurt am Main: Suhrkamp, 1971, S.444）。これが若い頃だけのアイデアではなかったことは、彼の最後の講義（一八三一年の『宗教哲学講義』）でも、ほとんど同じことを語っていることからも明らかである。

第12章　大英帝国《ブリティッシュ・エンパイア》から

1　陸と海と

ラッセルの集合論についての逆説を時間的に展開するダイナミズムとして再解釈すると、ヘーゲルの具体的普遍の論理を得る。もう一度確認すれば、具体的要素ｘが概念Ａを現実化するとき、つまり要素ｘが集合Ａと直接に同一視できる状態になったとき、要素ｘは概念Ａに止まることができず、概念Ｂへと移行するのであった。このとき、重要なのは、「普遍性」が厳密にどこに位置づけられるのか、ということである。ＡとＢとを包摂する普遍性があらかじめ用意されているわけではない。あるいは、集合Ｂが、Ａを部分として含むような普遍性としてあらかじめ待っているわけでもない。普遍性は、Ａの内部からの（Ｂへと向かおうとする）移行そのものの内にある。言い換えれば、普遍性は、概念Ａと概念Ｂがそこにおいて重なるところの特殊で具体的な要素ｘそのものの内にある。それゆえ、ｘは、「具体的普遍」であると見なされる。

さて、われわれの見通しは、カール・シュミットの『大地のノモス』の中に明示的には書かれていない論理、それにもかかわらず、この本が叙述しようとしている過程のダイナミズムを説明する論理が、このヘーゲルの「具体的普遍」にある、ということである。具体的普遍がどのように適用できるのか。

すでに前章での議論の中でも十分に暗示されていることなので、先に結論的な構図を示してから、詳細を肉付けしていこう。カール・シュミットによれば、西洋史――シュミットにとっては「世界史」――の第二段階（新大陸の発見に始まり一九世紀の終わりまで続く期間）に、ヨーロッパ公法が成立する。ヨーロッパ公法は、ヨーロッパの主権国家間の秩序を規定している国際法である。この第二段階で、特権的な地位を占めているのが、イギリスである。

新大陸の発見を契機にしてヨーロッパ公法が生まれたことを考慮すれば、海に進出し、海を取得したイギリスこそは、第二段階の第二段階たる所以を具現していると言える。が、同時に、イギリスが我がものとしているその海のエレメントを媒介にして、ヨーロッパ公法を骨抜きにする第三段階への道が拓かれる。「イギリス的なもの」は、「アメリカ」によって代表される第三段階に順接しているのだ。とすれば、明らかであろう。大英帝国こそが、まさにあの、具体的普遍を受肉している要素xに対応することが、である。大英帝国は、第二段階Aの概念の直接の現実化である。まさにそれゆえにこそ、第二段階Aの否定である第三段階Bへの移行の動因となった。

第二段階において、イギリスがどのように行動していたのか、どの行動がこの移行に関与したことになるのか、シュミットの論をもとにしながら、少しだけ実態を見ておこう。ただし、ここでは主に、『大地のノモス』ではなく、その八年前に書かれた『陸と海と』の方を参照しよう。[*1]第10章に述べたが、『陸と海と』は、『大地のノモス』の基本的なアイデアを、凝縮させたかたちで先取りして提示している。用語についてては、まだ未確立のものもあるが、世界史（西洋史）を陸のエレメント（陸地を取得しようとする指向性）と海のエレメント（海洋へと進出しようとする指向性）の間の葛藤として描くことができる、という着想はここではじめて提起された。しかも、『陸と海と』の中心的な主題は、まさに、第二段階（という表現はここには登場しないが）におけるイギリスの活躍である。

この本の躍動感にあふれる叙述から明白に読み取ることができるのは、驚くべきことに、シュミットがイギリスを称賛していること、一種の憧憬の念をもってイギリスを見ていることである。この本が書かれ、発表された一九四二年は、第二次世界大戦の最中であり、イギリスは、ナチス・ドイツにとっては敵国である。

2　海賊と貿易商人

前章で述べたように、イギリスが、海のエレメントを体現しているとしても、彼らが、大洋航海者として世界史の舞台に出てきたのは、比較的遅かった。シュミットは、イギリスの本格的な海外政策の始まりを、最初の勅許会社、一五五五年に設立されたモスクワ会社に見ている。エリザベス女王即位（一五五八年）の少し前のことである。モスクワ会社は、モスクワ大公国との貿易を担い、独占した。この会社が、その半世紀後に設立された東インド会社（アジア向け貿易）や、一世紀強後のハドソン湾会社（新大陸向けの貿易）の先駆けとなった。シュミットは、イギリス人の大洋への進出がいかに遅かったかを示す事実としてほかに、イギリスの船が赤道を越えて南下したのは一五七〇年以後だったこと、初期航海者たちの記録や見聞を集めたリチャード・ハクルートの『主要な航海』が出版されたのが一六世紀の末期（一五八九年）だったこと等を挙げている。実際、ポルトガルが——アフリカの海岸沿いを中心にしてではあるが——航海に乗り出したのは、モスクワ会社の設立よりも百年以上も前だし、スペインは、一四九二年以降、アメリカの占領を始めていた。イギリスは、捕鯨や（新タイプの帆走技術に対応した）造船に関しても、オランダの後塵を拝するかたちとなっていた。[*2]

要するに、イギリスの海洋進出は——フランスとともに——、明らかに出遅れていた。しかし、最終的に、ヨーロッパのすべてのライバルに勝ち、大洋を支配することで世界を実質的に支配することになったのはイギリスだった。どのような経緯で逆転したのか。一般の歴史書にも書かれていることだが、基本的な筋だけ、『陸と海と』に論じられていることを——同書の叙述の順序にこだわらずに——引きながら、確認しておこう。

大洋に進出し、新大陸を目指したのがカトリックの二大強国だけ——つまりポルトガルとスペインのみ——であった頃は、土地をめぐる争いの解決は簡単だった。ローマ教皇が権原の創出者としての役割を果たすことができるからだ。すなわち、ローマ教皇が、新しい陸地取得に関して、それが正統であるかを認定し、土地の占取をめぐる争いを仲裁することができたからである。アメリカ発見の一年後（一四九三年）に早くも、スペイン王（カスティリアとレオンの王とその後継者）は、教皇の勅令を通じて、西インドの国々を教会の世俗的采邑《さいゆう》として贈与された。つまり、新大陸の先住民から見ればまったく理不尽なことに、新たに「発見」された土地は、もともと教皇に属していたものと勝手に解釈された上で、カトリックの王に「贈与」されているのだ。さらにその一年後には、スペイン王とポルトガル王は、「ベルデ諸島の西方三七〇レグア〔約二〇〇〇キロ〕」を通る子午線を境界にして、その西をスペインの土地、その東をポルトガルの土地とする協定、トルデシリャス条約に合意した。この条約も、最終的には、教皇の承認を受け、正統化されている。

スペイン王とポルトガル王は、教皇の授与権を根拠にして、その後、一世紀以上も、追いかけてくるライバルたち、つまりフランス、オランダ、イギリスの要求を拒み続けた。とはいえ、新大陸をねらう他国は、スペイン－ポルトガルの間の協定に拘束されない、という見解をとっていた。まして、宗教改革によってプロテスタントとなった者たちは、ローマ教皇の権威に公然と反抗した。こうして、新大陸の陸地取得をめぐる争いは、カトリシズム（スペイン）とプロテスタンティズム（フランスのユグノー派、オランダ人、イギリス人）の間の戦いとなった。[*3]

*

一六世紀から一七世紀にかけての――ユトレヒト条約（一七一三年）までのおよそ百五十年間の――海賊たちの活動は、この「カトリシズムとプロテスタンティズムの戦い」の一環として捉えなくてはならない。海賊に代表される冒険者たちが、シュミットの言う「海のエレメント」への転換に大きく関与していることは、容易に理解できるだろう。イギリスは、この期間を通じて、スペインを追い抜くわけだが、イギリスの海での活動の多くが、海賊（私掠船《しりやくせん》）による略奪資本主義の形態をとっていた。海賊は、はっきりとプロテスタント（イギリス）の側に立っており、カトリック国（スペイン）の船だけを襲い、そのことにいささかの良心のやましさを覚えることもなかった。それどころか、彼らは、カトリック国の船からの略奪は神に祝福された仕事であるとさえ考えていたのだ。[*4]海賊、あるいは海賊資本家は、プロテスタンティズム陣営の前衛として、カトリシズムの陣営と対抗していた。

イギリスの海賊たちの戦利品は、エリザベス女王をはじめとするイギリスの国王たちに、そしてまたイギリス本国に、富をもたらした。「海賊」について、現在のわれわれは、「裏社会」の稼業だと想像したくなるが、当時にあっては、そんなことはない。海賊は、しばしば、指導者層、エリートであり、ジェントルマンに属していた。

シュミットは、初期略奪資本主義の黄金時代の一例だとして、コーンウォール（南西イングランド）のキリグルー家を紹介している。エリザベス女王時代のこの家の家長は、コーンウォールの副提督であり、また王室知事でもあった。彼は、エリザベス女王の首相をはじめとする有力な政治家とも緊密な協働関係にあった。そして、何より海賊であった。彼の父親や伯父もすでに海賊であり、そのほか、親戚には多くの海賊の関係者がいた。優雅な貴婦人、キリグルー夫人からして、やはり「ジェントルマン海賊」であった父親のアシスタントとしての経験をもち、夫の海賊行為を補佐する有能な協力者だった。[*5]

＊

一七世紀後半からは、イギリスの海洋での活動の中心は、海賊行為ではなく、自由貿易となる。イギリスは自由貿易の推進者であり、そして、そこから莫大な利益を得た。カール・シュミットの『陸と海と』や『大地のノモス』よりも後に出た研究によって、関連する歴史的事実を補っておこう。この文脈で参照するのにふさわしいのは、貿易・海事史の研究家として著名なラルフ・デイヴィズによる「イギリス商業革命《コマーシャル・レヴォリューション》」についての学説だろう。[*6] デイヴィズによると、イギリスでは、——産業革命に先立って——商業革命があった。ここでいう商業革命とは、一六六〇年のイギリスの王政復古からアメリカ独立戦争直前の一七七五年までの一世紀あまりの期間に生じた、イギリスの貿易の量・質の劇的な変化のことである。

商業革命は、三つの側面をもつ。第一に、貿易規模が指数関数的に拡大した。第二に、貿易相手地域が、大きく変化した。商業革命以前は、イギリスの貿易相手は、トルコの地中海沿岸を別にすると、ほとんどヨーロッパの内部に限られていた。だが、商業革命を通じて、貿易の相手が激変する。最も大きく展開したのは、新大陸（カリブ海や北アメリカの植民地）との貿易であることは言うまでもないが、ほかに、アジアとの貿易（東インド会社を通じた）、アフリカとの貿易（主に奴隷貿易である）も急速に拡大した。アメリカ独立の直前には、アメリカ・アジア・アフリカの新市場での交易量は、ヨーロッパとの交易を上回っていた。

第三に——交易相手の変化と対応して——取引される商品にも大きな変化があった。伝統的には、イギリスの輸出品は、ほとんど一つしかなかった。毛織物で、これに関していえば、ずっと競争力を維持し、着実に伸びてはいたが、劇的に成長したわけでもない。激増した——というよりそれまでほとんどゼロだったのに急増して毛織物以上に重要になった——輸出品は、大きく三種類あった。まず、（毛織物以外の）雑工業製品。具体的には、繊維製品（綿織物やリネンなど）、金属製品（鍋、釘、農具など）、生活用品（書籍、家具など）である。ついで、植民地物産の再輸出。タバコ、茶、砂糖、綿織物などがこれに含まれる。そして、農業革命によって生産量が増えた穀物。これら三種類に加えて、貿易統計には記されていない、重要な取引商品があったことを忘れてはならない。奴隷、つまり「人間」である。

　このように、一七世紀から一八世紀にかけて、イギリスの海外貿易は量と質の両面において大きく変化し、ヨーロッパの他の諸国を圧倒した。ちなみに、商業革命の中で拡大した取引品目を見るだけでも想像できるように、今日、われわれが「イギリス風」と見なしているライフスタイルは、イギリスが海洋的存在として勝者になっていく過程で——商業革命の半世紀前から商業革命の全期間を通じて——確立された。[*7] たとえば、茶に砂糖を入れる習慣。それまで、どこの誰も、茶と砂糖とを一緒に食そうとは思わなかった。イギリスでは、エリザベス女王の時代——つまりシェイクスピアの時代——以来、ヨーロッパの外からの物産には、特別なステイタス・シンボルとしての価値が宿るようになった。遠く東洋から持ちこまれた紅茶に、はるか西のカリブ海から輸入された砂糖を入れるのは、ステイタス・シンボルを二つ重ねているので、効果は絶大であった。

　商業革命は、イギリスにおける貿易商人の地位を大きく押し上げた。一七世紀初頭までのイギリスの支配階級ジェントルマン（大地主、すなわち貴族とジェントリ）は、商人や製造業者を見下していた。商業を営む者には、ジェントルマンの資格がないと見なされていたのだ。[*8] しかし、商業革命によって、外国貿易商の地位は向上した。依然として低い地位にとどまっていた製造業者とは異なり、商人はジェントルマンと並んで国を指導する層になったのだ。

　海洋進出において出遅れたイギリスが、海賊を活用した略奪資本主義や商業革命を通じて、海の支配の頂点に立つまでの過程を大急ぎで見てきた。産業革命を経験した一九世紀に、大英帝国が、まさにヨーロッパ列強の全体を代表するようなかたちで、世界を支配したことについては、もはや解説する必要はないだろう。

3　文明化された民族たちの権利として

結局、次のような状況が出現する。以下は、『大地のノモス』の議論と対応させれば、第二段階の最終的な帰結として読むことができる。

陸で土地の占取という歴史的事件が大規模に進行していた間に、海ではもう一つそれに劣らず重要な別の地球の新分割が行なわれていた。それはイギリスによる海の占取であった。〔中略〕これによってはじめて全地球的な空間秩序の基本方向が定められるにいたった。その本質は海と陸との分離ということにある。陸は今や一ダースばかりの主権国家に属しているが、海はどの国にも属していないか、またはすべての国に属しているかであり、実際には結局一国、つまりイギリスのみに属することになる。[*9]

シュミットの理論との関連で重要なのは、以上のようなコンテクストの中で、ヨーロッパ公法がどのように意味づけられているのか、である。新大陸が発見されてから間もない時期には、ヨーロッパ諸国は、キリスト教の伝道という使命を掲げて、新大陸を侵略し、そこを占取した。この正統化の論法は、ポルトガルとスペインが、教皇からの授与という形式で新大陸の陸地を取得したという事実と、符合している。本来は、教皇に属する土地なのだから、そこの住民をキリスト教徒にしないわけにはいかない。

だが、侵略・占取の行為を正統化する使命は、次第に、世俗的なものへと変容する。すなわち、キリスト教の伝道という目的が、非ヨーロッパ圏の開化されていない民族に、ヨーロッパ文明を拡めるという使命へと置き換わることになる。このとき、非ヨーロッパ圏の土地を占取し、そこの住民を支配するヨーロッパの（キリスト教の）民族たちの利害共同体が生まれる。この利害共同体に対する法として創り出されたのが「ヨーロッパ公法」である。[*10]

このように、ヨーロッパ公法は、文明化された民族（キリスト教系の民族）と文明化されていない民族（非キリスト教の諸民族）の区別を基礎に成り立っている。ヨーロッパ公法が、主体として認めているのは、前者の文明化された民族だけである。先の引用で「一ダースばかりの主権国家」と呼ばれていたものが、これにあたる。これらヨーロッパの文明化された民族・国家は、同じ使命と利害を共有する一種の家族である。後者の民族、すなわち文明化されていない民族は、純粋に対象、所有の対象だ。ヨーロッパ公法の核心は、つまるところ、文明化されていない世界の分割と所有に対する許可証である。ヨーロッパの文明化された民族が、新世界の土地を占取し、分割し、そして植民地として所有することを正統化している法が、ヨーロッパ公法にほかならない。

ヨーロッパ公法の中に主体として包摂されている諸国家が、非ヨーロッパ世界の土地を占取し、そこを支配することが妥当であるとされる根拠は、シュミットによれば——そして非ヨーロッパ世界に属するわれわれからすると、はなはだしく不愉快なことに——、キリスト教・ヨーロッパ（だけ）が、文明化されている、ということにある。『大地のノモス』では、この点について、「どうしてヨーロッパとそのほかの世界との出会いが、前者による後者の『発見』と呼ばれるのか」という問いに答える形式で説明されている。発見をまさに発見として資格づける権原は、発見された側の同意にあるわけではなく（たとえば発見された君主が発行する入国ビザにあるわけではなく）、それよりももっと高い正統性に、すなわち、発見者の側が「自己の知識や意識でもって発見されたものを把握するに十分なほどに精神的および歴史的に優越している」という事実にある、と。[*11]要するに、西洋の合理主義の優越によって、ヨーロッパ諸国が他の世界の陸地を自由に取得することが正統化されているのである。

シュミットが述べていることを言い換えれば、次のようになるだろう。西洋に属する観念、つまり西洋の法や知識には普遍的な妥当性がある、と。それに対して、非西洋世界の観念は、ローカルな共同体の中でのみ受け入れ可能なものであり、その意味での特殊性を免れない。このような見解を、単純に、シュミットが西洋人であることに由来する、それ自体、特殊主義的な偏見、一種の自民族中心主義として斥けただけでは、シュミットの政治思想も、またそれが密かに——ときには公然と——支持しているファシズムも乗り越えることはできない。なるほど、確かに、最終的な結論としては、これは自民族中心主義的な偏見かもしれないが、シュミットの眼に——すでに近代的な啓蒙を経由したあとの知性に——、西洋的な観念がより普遍的なものとして見える理由を問う必要がある。

もっとも、この点について、われわれはすでに回答を得ている。第10章に論じたことが、それである。ヨーロッパ公法がその中で意味をもつようなラウム秩序が成り立つとき、すなわちヨーロッパの主権国家たちがその内部で共存し共同しているような陸地が取得されているとき、それら主権国家の法に、「普遍性」が宿るのだ、と。ヨーロッパ公法のラウム秩序の中にある主権国

家の法は普遍的であるか
のように機能することができる。このことを成り立たせている機制、そのからくりについては、ここでは再論しない。

ただ、次のことは、もう一度、確認しておこう。ヨーロッパ公法は、キリスト教の教義や神学からは解放されているので、主体である個々の国家に、具体的な内容をもった命令をくだしはしない。それは、それら主権国家の間の共存を――道徳的な意味をもたない限定的な戦争を許容した上での共存を――可能にする形式的な枠組みである。主権国家がその内部で共存する空間を定める「メタレベルの陸地取得」が成り立っていることが、そうした形式的な枠組みの存在の保証となっている。シュミットは次のように論じている。

「キリスト教・ヨーロッパ民族の共同体」はもちろん穏和な小羊の一群のように想像してはならない。かれらは仲間同士でお互いに血なまぐさい戦争を行なった。しかし、このことはキリスト教・ヨーロッパの文明的な共同性と秩序という歴史的な事実を抹殺するものではない。[*12]

これは、『陸と海と』の一節なので、まだ「ヨーロッパ公法」という概念はない。が、ここで述べられている「歴史的な事実」をもたらした仕組みこそが、ヨーロッパ公法である。

4　なぜイギリスだったのか？

本章のここまでの議論の中で、われわれは、最も大事な疑問にまだ答えていない。なぜイギリスだったのか？　前節の冒頭に引用したシュミットの一節が述べているように、海は、結局、イギリスによって取得された。イギリスのみが、海のエレメントを受肉し、海洋を取得しえたがゆえに、イギリスは、『大地のノモス』が設定する世界史（西洋史）の第二段階の現実化として解釈することができるわけだが、どうして、この歴史的な役割がイギリスによって担われることになったのか？　イギリスが、ヨーロッパ諸国の海洋進出の競争の中で、出遅れながらも最後に勝者になるまでの過程については、本章の第2節で、ごく簡単に記しておいた。しかし、なぜイギリスが勝者になったのか、その理由についてはまだ説明してはいない。この理由を示さなければ、本章の冒頭で述べたことを、つまり大英帝国がヘーゲルの「具体的普遍」の実例となっているという命題を証明することはできない。

イギリスが、陸のエレメントから海のエレメントへの決定的な転回の担い手になったのはどうしてなのか？　この問いに対する安易な回答は、イギリスが島だからだ、というものだ。しかし、この地理学的な事実を指摘しただけでは、まったく不十分だ。シュミットも述べているように、イギリスの他にも島はたくさんある。シチリアも、アイルランドも、マダガスカルも、セイロンも、そして日本も島である。だが、それらの島は、イギリスのような働きを担うことはなかった。そもそも、イギリス自身が、ずっと前から島だったわけだが、海への衝動を宿すようになったのは、一六世紀の後半になってからである。

イギリス人が海の民になったということは、彼らが、土地を、海の方から——より厳密に言えば「陸ならざるところ」から見るようになった、ということである。われわれは普通、海岸に立つと、陸の方から海を見る。このとき、視点は陸に根づいており、われわれの身体は陸のエレメントを構成している。海のエレメントを十全に担う者は、逆側から陸の方を見るのでなくてはならない。このとき初めて、島は、まさに島として現れる。つまり、島が、海の中に浮かぶ陸の断片として現れることになる。シュミットは、さらに強調して、次のように言う。島は、海そのものの一部に、つまり一隻の船や一匹の魚のごときものになるのだ、と。

海の側から土地を見る者にとっては、大陸でさえも、結局は島であり、船であり、そして巨大な魚である。つまり、海（陸ならざる場所）から見る者は、大陸もまた、海の中で、囲われた――そのことで統一されている――陸地として認識する。ところでわれわれは、『大地のノモス』の基本的な設定をそのまま延長させれば、――今し方も復習したように――ヨーロッパ公法秩序は、メタレベルの陸地取得の産物だと見なさなくてはならない、と述べた。そのメタレベルの陸地取得、大陸のスケールで切り取られた陸地を把握することができるのは、海の方に属する視点である。ヨーロッパ公法の成立にとって、海のエレメントをトータルに担うエージェントとしてのイギリスが必要になるのは、このためである。イギリスに託された視線を通じてはじめて、メタレベルの陸地取得が実効的なものとして現れるのである。

では、あらためて問うことになる。イギリスをして、海（陸地ならざる場所）からの視線の担い手とした契機は何であったのか？　その契機こそが、イギリスの勝利を説明するわけだが、それは一体何なのか？　『陸と海と』の叙述の全体を通じて、この問いに対してはひとつの答えが暗示されている。決定的な契機は、カルヴァン派の精神的伝統である、と。あの予定説を信じるカルヴァン派である。プロテスタンティズム一般ではなくカルヴァン派、つまりルター派ではなくカルヴァン派である。ここが重要なポイントだ。イギリスは、海に、とりわけ大西洋に面しており、そして何より、カルヴァン派が優勢な地域であった。海への進出の積極的な担い手は、イギリスのカルヴァン派である。政治的なカルヴィニズムとヨーロッパの――最終的にはイギリスに集約される――海洋エネルギーとを結びつける歴史的な兄弟関係があった、というのがシュミットの認識である。[*13]

このことは、海洋進出や植民地獲得の競争において、フランスがどうしてイギリスに負けたのかを、説明してくれる。フランスも、イギリスと同様に、ポルトガルやスペインに対して出遅れていた。が、やはりイギリスと同様に、フランスは大々的に海へと進出し、カトリックの二大強国にすぐに追いつき、彼らを追い抜いた。こうして、フランスとイギリスは互いに拮抗しあうライバルとなった。しかし、フランスは、結局は、後退することとなった。何が、フランスとイギリスの運命を分けたのか。フランスが海へと勢いよく突進していたとき、その推進力は、ユグノー派（フランスのカルヴァン派）から得ていた。しかし、聖バルテルミの虐殺（一五七二年）があり、そしてアンリ四世が――彼はもとはと言えばユグノー派の盟主だったにもかかわらず――カトリックに改宗した。これらの事実が示しているように、フランスは、最終的には、ユグノー派を敵とし、カトリックの味方になることを選んだのだ。こうして――シュミットによれば――フランスは海ではなく、陸に生きることが決定的になった。

だが、なお疑問が残る。「カルヴァン派」と「海（非‐陸）から陸を見る視線」とは、どう関係しているのか？　どのような意味で、カルヴァン派が、陸の外から陸を見る視線に親和性があったのか？　シュミットは何も説明してはいない。が、実は、われわれ自身が、このプロジェクトの中で――『近代篇1』第13章で――すでにこの疑問に答えている。[*14]ゆえに、ここでは詳しくは繰り返さないが、鍵になることだけを述べておこう。ポイントはやはり、予定説にある。

世界史上、陸地に広がる大帝国はいくつもあったが、大洋へと進出して、一種の帝国を築いたのはヨーロッパ人だけだった。そのヨーロッパ人を代表しているのがイギリス人だ、とわれわれは今――シュミットの議論をもとに――述べている。海へと進出することは、陸への進行とは違い、根本的に未知なる空間へと向かうことであり、確固たる足場がないところに身体を投げ出すことである。このことからくる不安・恐怖は、どのような条件のもとで克服されるのか。われわれはそれを――海の彼方の存在を――知らないが、われわれ自身よりも信頼できる誰かが、つまり超越者（第三者の審級）が、それをすでに知っているのだとしたらどうか。そのような知を所有する超越的な主体の存在に対して、確信をもてるとしたらどうか。このとき、海へと向かうことの恐怖や不安は克服されよう。

ところで予定説とは何であったか。われわれ人間は、それを知らない。私は、私が神の国に入ることができるのかどうかを知らない。原理的に知ることができないのだ。しかし、神は知っている。神は、終末のそのときまでのすべてをすでに知っている――予定している。われわれ自身が本源的に知らないことについて、知っているはずの超越的な他者が存在している、との確信をもつこと。「知」についてのこの構成こそ、海への積極的な進出に必要なものではあるまいか。「知」のこうした様態が、不安と恐怖を払拭し、海へと突進するのに必要な勇気を与えるのだ。

このわれわれにとって未知なるものをすでに見ているはずの視点――予定説においては神のものとされる視点――こそは、陸を外から捉え、島を海の中の一つのまとまりと見なす視点でもある。カルヴァン派と海のエレメントの結びつきは、ここにある。

＊

さて、ここまで論じてようやく、イギリスの海洋帝国の歴史的な役割を、ヘーゲルの具体的普遍の論理の実例と見なす解釈に対して、積極的な論拠を与えることができる。『大地のノモス』の叙述によれば、世界史（西洋史）の第一段階から第二段階への転換とともに、ヨーロッパ公法が生まれるのであった。ヨーロッパ公法は、この第二段階を通じて成熟する。ヨーロッパ公法が成り立つためには――シュミット自身は述べてはいないのだが彼が導入した原則をそのまま適用すれば――、それぞれの主権国家の領土を内部に包摂する、メタレベルの陸地取得が必要になる。

ところで、今し方も述べたように、海のエレメントと一体化したイギリスは、自らの陸地を、海の中の島として、海に浮かぶ船として、あるいは海に遊ぶ魚として把握する視線を獲得する。この同じ視線が、ヨーロッパ公法が成り立つ包括的なメタレベルの陸地を、まとまって取得されている一つの空間領域として切り取り、認定することができる。要するに、その視線は、そのメタレベルの陸地（ヨーロッパの大陸）をも、やはり海の中の大きな船として、あるいは鯨のごとき巨大な魚として認めることになるだろう。[＊15]

ということは、ヨーロッパ公法のラウム秩序を可能なものとしている視線と、大英帝国が自国を見つめる視線とは、同じものだということになる。すると、われわれは次のように言ってよいはずだ。イギリスは、ヨーロッパ公法の共同体Aの一メンバーxであると同時に、この共同体Aの精神をそのまま現実化してもいるのだ、と。つまり、“x∈A”でありかつ“x＝A”である。これは、前章の第4節で示した等式、①と②にそれぞれ対応している。集合Aは、自分自身を要素xとして含む集合である。

イギリスのこのような視線は、つまり自分自身とヨーロッパ公法の世界とを同時に見つめるイギリスの視線は、プロテスタント・カルヴァン派の世界観に準拠している。このことは、目下のわれわれの主張にさらなる論拠を提供する。ヨーロッパ公法の源流には、カトリック的な世界観がある。カトリック、つまり西側のキリスト教こそ、ヨーロッパのアイデンティティの歴史的な原点である。プロテスタンティズムは、もちろん、カトリックに対抗するものだが、カトリックの単純な否定ではない。プロテスタンティズムは、カトリックの中にある反キリスト教的な夾雑物を取り除こうとした結果だからだ。前章で述べたことを思い起こそう。アメリカン・フットボールやバスケットボールは、サッカーの単純な否定ではなく、サッカー以上のサッカーだと述べた。サッカーの中にある反サッカー的な残滓（オフサイド・ルール）を消去することで、アメフトやバスケットボールが生まれる。同じことは、カトリシズムとプロテスタンティズムの関係にも言える。たとえば贖宥状は、カトリックの中にある反キリスト教的因子であり、プロテスタントは、これを拒絶した。

プロテスタンティズムを生み出したこの衝動を極限にまで押し進めたのがカルヴァン派——いや厳密に言えば予定説である。予定説は、キリスト教の一神教としてのアスペクトを、論理的に純化したときに必然的に導かれる教義である。[*16] ヨーロッパ的なるものAが、キリスト教に基づいているとすれば、予定説を重視するカルヴァン派に加担したイギリスxに関して、あらためて、“x＝A”という等式を確認することができる。大英帝国xにおいて、概念としてのヨーロッパ性

Aが現実化しているのだ、と。

繰り返せば、予定説は、超越的な唯一神への信仰としてのキリスト教の純化であり、その徹底化である。だが、ここには逆説もある。キリスト教がこうして徹底されることを通じて、逆に、脱宗教的・脱神学的な観念が生まれることになったからである。ヨーロッパ公法は、そうした産物（のひとつ）である。

ところで、ヘーゲルの具体的普遍の論理によれば、ある概念Aを十全に現実化する具体的な個物xは、必然的に、概念Aを否定する別の概念Bへと移行する。個物xは、Bにならずして、真に十全にAであることはできない。イギリスとヨーロッパ公法に関しても、この命題は妥当する。シュミットによれば、イギリス的な精神を媒介にして、ヨーロッパ公法Aは、二〇世紀のグローバルな国際法Bへと変質する。これはヨーロッパ公法の制覇に見える。が、実際には、グローバルな国際法はヨーロッパ公法の正統性を切り崩すものである……とシュミットの目には映る。どのような意味で、グローバルな国際法はヨーロッパ公法を損ねているのか。この点を明晰に抽出することができれば、シュミットが、ナチズム（ファシズム）に何を託そうとしていたのかをも示すことができる。

われわれが今、何を目的として探究しているのかを忘れてはならない。シュミットの著書の読解が目的ではない。シュミットをフィルターにして、ファシズムが――その最も高い可能性においてとらえたとき――何であったのか、そのおよその姿を捉えておくことが目的である。そうすれば、ヒトラーを含むあの三人の「もうひとりのモーゼ」たちのすべてを視野にいれた包括的な探究への戦端を開くことができる。ところで、読者は気づいているに違いない。ナチズムを標的にした考察であるにもかかわらず、本章にドイツがまったく出てきていないことに、である。ドイツは、この構図の中のどこに位置を占めるのか。

1 カール・シュミット『陸と海と——世界史的一考察』生松敬三・前野光弘訳、慈学社出版、二〇〇六年（原著一九四二年）。
2 同書、五八—五九頁。
3 同書、八九頁。
4 法的にはピラート Pirat（英 pirate）とコルザール Korsar（英 corsair）の間に区別があった。コルザールは、政府の委任状や王からの敵船拿捕免許状をもっている海賊で、船に自国の国旗を掲げることが許されていた。ピラートは、合法的な委任状や免許状をもたない海賊（つまり非合法の略奪者）であり、黒い海賊旗を掲げるほかなかった。このように、法律上は明確な違いがあったが、実際上は、両者の区別はしばしば困難だったようだ（同書、四九—五〇頁）。
5 同書、五三—五六頁。キリグルー家の海賊活動が、王室の役所に妨害されることはほとんどなかったが、シュミットによると、一度だけ、一五八二年に妨害行為に遭った。その顛末が興味深いので、紹介しておこう。スペイン人所有の船が、嵐のため、キリグルーの屋敷（海賊活動の拠点であり、海に接して建てられ、海への秘密の通路をもつ）の向かいに停泊した。熟練した海賊的鑑識眼をもつキリグルー夫人は、ただちにその船に高価な積荷があると見抜き、夜、武装した部下たちを自ら率いて船を奇襲し、乗組員を虐殺した上で、オランダ毛織物をはじめとする高価な品々を略奪した。船はなぜかアイルランドへと消え去った。運よく難を逃れた、船の所有者である二人のスペイン人は、この件を、コーンウォールの裁判所に訴えたが、裁判所は、おざなりな調査の後、真相究明は不可能だと結論した。だが、二人のスペイン人はたまたまイギリスの中央政界に縁故をもっていたので、自分たちの訴訟を、ロンドンの上級の裁判所に持ち込むことに成功した。ロンドンの裁判所は、夫人を有罪とし、死刑の判決を出した。夫人はしかし、危ういところで恩赦を受けた（共犯者は処刑されたが）。このように、キリグルー家の海賊行為が役所から罰せられたわけだが、しかし、以上の経緯は、この海賊家族が、地方の裁判所ではとうてい有罪にできないほどの名門であったこと、中央の裁判所の判決さえも最後には恩赦によって事実上、覆してしまうほどの有力者であったこと、をも示している。要するに、海賊は犯罪者ではない、ということである。

6　Ralph Davis, *A Commercial Revolution: English Overseas Trade in 17th and 18th Centuries*, The Historical Association, General Series No.64, 1967.

7　この主題に関しては、次の文献を参照。川北稔『イギリス　繁栄のあとさき』講談社学術文庫、二〇一四年。

8　先に見た通り、略奪者である海賊は、すぐにジェントルマンの一員とされたが、商人はそうではなかった。（王に公認されて）奪う者の方が、市場で取り引きする者よりも、高いプレスティージをもったのだ。

9　シュミット、前掲書、九八頁。

10　『大地のノモス』では決定的な意味をもつこの「ヨーロッパ公法 Jus publicum Europaeum」という語は、『陸と海と』にはまだ登場しない。ただし、後者でも、「キリスト教・ヨーロッパ的な国際法」等のごく普通の語彙で、実質的には、後に「ヨーロッパ公法」と呼ばれるものが指し示されてはいる。

11　カール・シュミット『大地のノモス――ヨーロッパ公法という国際法における』新田邦夫訳、慈学社出版、二〇〇七年（原著一九五〇年）、一四八頁。

12　『陸と海と』、八三頁。

13　同書、九七頁。

14　『近代篇1　〈主体〉の誕生』講談社、二〇二一年、三二四―三四五頁。なお、関連する問いは、『近世篇』第2章で提起している。

15　実際、エドマンド・バークは、スペインのことを鯨――ヨーロッパの海岸に打ち上げられた鯨――であると言っている（『陸と海と』、一〇七頁）。

16　『近代篇1』、二一二―二一五頁。

第13章　第三帝国《ダス・ドリテ・ライヒ》へ

1　まぬけな端役

カール・シュミットの『大地のノモス』の展開の中に隠れている論理は、ヘーゲルの「具体的普遍」の概念を用いることで抽出し、明晰化することができる。われわれはこのように論じている。「具体的普遍」によって表現されている論理とは何か。第11章の第4節で、初歩的な集合論を用いて示しておいたことを、ここであらためて確認しておこう。

概念Aは、次のような集合として記述することができる。

A ＝ {a, b, c,…x}　…①

ここで、a, b, c,…は、概念Aを例示する特殊ケースである。この中に、特異的な個体xがある。その個体xに関して、次の等式が成り立つ。

x=A　…②

つまり、個体xにおいて、要素と集合とが交叉する。具体的要素xは、普遍概念Aの直接の現実化と見ることができるのだ。このような要素xを通じて、必然的に、次のような移行が生ずる。これがヘーゲルの洞察の中心部分である。

$$x=A \rightarrow x=\neg A=B \quad \cdots③$$

概念Bは、概念Aの否定（¬A）である。個体xは、概念Bへと移行することによってこそ、十全に概念Aを現実化する。言い換えれば、個体xは、概念Bへと移行することなしには、概念Aを現実化することはできない。

この具体的普遍の論理が、『大地のノモス』とどう対応しているかは、前章の最後に述べておいた通りである。シュミットによれば、新大陸の発見に始まる第一次空間革命とともに、ヨーロッパ公法が成立する。ヨーロッパ公法の、まさにヨーロッパ公法たる所以を具現しているのが、大英帝国であった。つまり、「A＝ヨーロッパ公法」、「x＝大英帝国」である。そして、概念Bにあたる『大地のノモス』の中の対応物は、二〇世紀のグローバルな国際法であった。

＊

ところで、われわれの探究の目的は、『大地のノモス』の正確な解釈ではなく、シュミットがナチスに託していたことが何であったかを取り出すことであった。となれば、当然、ドイツに注目しなくてはならないわけだが、ここまでの展開の中では、ドイツはさして重要な役割を果たしてはいない。ドイツはどこにいるのか。

世界史（西洋史）の「第二段階」の主役が、イギリスであるとすれば、ドイツは、明らかに脇役、いや端役、しかもまぬけな端役である。この段階でドイツが、世界史――もちろんシュミットが描く世界史――において、中心から外された端役でしかないということをよく示しているのが、一七世紀前半の三十年戦争（一六一八～一六四八年）である。この戦争は、一般には、カトリック勢力とプロテスタント勢力の間の対立であったと見なされている。ドイツ(神聖ローマ帝国)は、ルターが出てきた国であり、宗教改革の発祥地だ。つまり、ドイツは、その「国内」に、カトリシズムとプロテスタンティズムの対立を抱えていた。三十年戦争は、まさに、このドイツを舞台にしている。もともと、ドイツ国内の、プロテスタントの諸侯(ウニオン)とカトリックの諸侯(リーガ)の間の「内戦」であった。スペイン、デンマーク、スウェーデン、フランス等のヨーロッパ諸国は、ドイツの内戦に便乗するように、この戦争に後から参加した。そうであるとすれば、三十年戦争こそ、ドイツが主役であったと見なしてよいのではないか。

だが、そうではないのだ。ドイツの国内問題に端を発し、ドイツが戦場となったこの戦争こそが、逆に却って、世界史(西洋史)のこの段階においては、ドイツがいかに周辺的な役割しか担っていなかったか、ということを示しているのである。シュミットは、『陸と海と』で、このような解釈を提示している。この部分は、シュミットの、歴史に対する深い洞察力を証明してもいるので、紹介しておこう。[*1]

ウェストファリア条約で決着する三十年戦争は、確かに、ヨーロッパの歴史の画期をなす出来事であった。しかし、当初の対立、つまりドイツの国内問題にとどまっていたら、この戦争は、それほど特別な歴史的意義をもつことはなかったろう。ドイツ国内の葛藤を触媒のように利用して、世界征服を意図していた当時の列強の戦いへと発展したがゆえに、三十年戦争は銘記に値する事件となったのだ。何と何が争っていたのかを、正確に見定めるのが肝要である。カトリシズムとプロテスタンティズムに決まっているではないか。そう思うかもしれないが、そうではない。この当初の対立と無縁ではないが、もっとはるかに先鋭化され、明確なものになっている。

対立していたのは、――シュミットによれば――、ジェスイット派（イエズス会）とカルヴァン派である。カトリック勢力の中でも、ジェスイット派であり、プロテスタントの中でもカルヴァン主義にまで先鋭化した者たちだ。前章の最後に述べたように、世界史を駆動している二つのエレメントのうち、海のエレメントを代表しているのが、カルヴァン派であった。そして、カトリック教会の中にあってジェスイットは、反宗教改革の旗手であった。対立の中心をこのように見ているシュミットは、三十年戦争の本質を次のように解釈していることになる。すなわち、ヨーロッパの主要国の間の覇権争いとして現れているこの戦争は、海の彼方の土地（新大陸の土地）の占取戦争であり、そして究極的には、伝統的な陸への指向性を基調とした態度と新たに登場してきた海への指向性を基調とした態度の間の争いだった、と。

そうだとすると、三十年戦争は、その当時、ヨーロッパ諸国による新大陸占領の争いから除外されていたドイツにとっては、どうでもよい戦争だった、ということになるのではあるまいか。その通りである。ドイツの国内の小さな諍いが利用され、そして何よりドイツの諸侯と貴族たちは、西ヨーロッパ諸国の抗争の中に引きずり込まれてしまったのだ。ドイツにおいて対立関係にあったのは、ジェスイット派ではないカトリックとカルヴァン派ではないプロテスタントである。ジェスイット派とカルヴァン派は、スペイン、オランダ、イギリスを通じて、ドイツの諸侯に二者択一を迫った。彼らは、自分たちにとってさして重要ではない争いから逃げようとするが、うまくいかない。十分な自力や断固たる態度に欠けていたからである。「その結果、ドイツは自身では土地の占取に参加することもなく、自分にとって本質的には無縁な、海の彼方の土地占取戦争の戦場となってしまった」。

このように、シュミットが描く世界史（西洋史）の第二段階までの展開の中で、ドイツの役割は明らかに周辺的である。ナチスに希望を見たとき、シュミットは、ドイツに何を託したのか。ドイツに何が可能だと考えたのか。

2 グローバルな国際法――「正義」の欺瞞

この点を明らかにするためには、『大地のノモス』が記述する世界史（西洋史）の最終段階、つまり世界史の第三段階が何であったかを見なければならない。[*2] 第三段階において、それまでの古いヨーロッパの国際法（ヨーロッパ公法）が、新しいグローバルな国際法にとって代わられる。[*3] グローバルな国際法は、ヨーロッパ諸国のみならず、非ヨーロッパ諸国をも対象としている。ヨーロッパ公法は、ヨーロッパ内の諸国民・諸国家という意味での家族的共同体を想定していたが、今や、家族が棲まう「家」は、地球全体に開放された。シュミットの観点からは、これは、まったく新しい次元への移行である。どこに、新しさの中核があるのか。ヨーロッパ公法とは違って、新しい国際法の場合は、その適用範囲を規定するラウム（空間）や土地がないということ、これである。グローバルに、人類の全体にどこまでも、国際法が侵入していくので、それが適用される場所確定が不可能になるのだ。シュミットの眼には、この変化は、決定的な転落に見えている。なぜ、この変化は否定的なものなのか、この点を理解することが肝要である。

第二段階から第三段階の移行期間は、シュミットによれば、一八九〇年頃から一九三九年の間である。とりわけ、第一次世界大戦の後が――したがっていわゆる戦間期の二十年間が――重要だ。この移行の推進者であり、また新しい国際法の積極的な担い手となったのが、イギリスとアメリカ、とりわけ後者だ。この移行期間を通じて、イギリスが担っていた役割をアメリカが引き受けるようになった、いや端的に、第二段階にとっての「イギリス（大英帝国）」が、第三段階にとっての「アメリカ」だった、と言うべきだろう。もう一度、この章の最初に見た、具体的普遍の論理が確認できる。Aがヨーロッパ公法で、Bが新しいグローバルな国際法、そしてx＝大英帝国（＝アメリカ合衆国）と。

　第二段階の国際法と第三段階の国際法の間の本質的な違いは何か。単に、法の適用の対象となっているメンバーが拡大されただけではないか。そうではない。そのことは、戦争概念の変化の中に見てとることができる。シュミットは、第一次世界大戦とその戦後処理をめぐる一連の会議に、なかでもとくにヴェルサイユ条約に注目している。そこには、ヨーロッパ公法が想定してはいなかった戦争概念がはっきりと現れている。ヨーロッパ公法の下では、主権国家の間の戦争それ自体は許容されており、合法的であった。戦争に関して犯罪が問題にされるとすれば、交戦法規に違反しているときだけであって、戦争自体が犯罪だったわけではない。しかし、ヴェルサイユ条約においては、戦争そのものが犯罪になりうる、というアイデアが提起された。自ら攻撃的な戦争を仕掛けた側の犯罪が、主題化されたのである。これに合わせて、責任主体も主権国家ではなく、国家元首であるとされた。ドイツの皇帝ヴィルヘルム二世の犯罪が告発されたのだ。

　伝統的なヨーロッパ公法の段階から、何かが根本的に変化したのだ。変化は、普遍的な「正義」の導入である。あるタイプの戦争が犯罪だとされるのは、「正義」の概念が前提になっているからだ。普遍的に妥当する――と当事者には見えている――正義が、積極的な内容をもつものとして、措定されている。その内容をもつ正義に照らして、（ある）戦争は犯罪と解釈される。その点では、ヨーロッパ公法の「無差別的戦争」概念より前の、宗教的内戦の時代と同じである。戦争そのものに、正当なものと不当なものとの差別が導入される。[*4]

ここで留意しなくてはならない。新しい国際法が場所確定・場所限定と無関係であるということと、内容をもつ「正義」の概念が前提にされているということ、この二つは相関関係がある。場所限定なしに、諸国家を同じ国際法のもとに包摂するということは——たとえば国際連盟のメンバーと見なすということは——、諸国家をすべて、基本的に同質だと認定したことを意味している。そうであるとすれば、同質性を保証する実質的な内容をもつ条件が必要である。それが、正義、すなわち同一の正義へのコミットメントである。

＊

以上が、第三段階にあたるグローバルな国際法への転換において生じたことの要諦である。問題は、どうして、これが否定的なこととして、つまり頽落《たいらく》として解釈されているのか、である。普通のヨーロッパの法学者であれば、この同じ事態をすばらしくよいことと見なすだろう。これは、ヨーロッパによる国際法の制覇であって、寿《ことほ》ぐべきことだ、と。どうして、シュミットは、ヨーロッパ公法にとって勝利に見えることを、逆に、決定的な敗北と見なしたのか。

ここでわれわれは慎重にならなくてはいけない。この点を正確に理解するためには、シュミットが暗黙の前提としていることを考慮に入れる必要がある。そうしないと、シュミットの言っていることは、支離滅裂なものに見えてしまう。[*5]『大地のノモス』の叙述にただつき従うのではなく、シュミットが——この著書の中では明示的に語ることなく——前提にしていることを掘り起こしながら、論を進めよう。先に述べておけば、この暗黙の前提は、浅薄な思い込みのようなものではない。逆にそれは、シュミットが、「近代性」の条件を、普通の国際法学者よりもはるかに深く認識していたことを示している。

まず、ワイマール期のシュミットの決断主義のことを思い起こしておこう。例外状況に関して、決定をくだす者が主権者である、と。決定すべき最も重要なことがらは、友／敵の区別だ。[*6] この区別が『大地のノモス』では、ラウム取得、陸地取得として具体化されているのだった。

決断主義の主張において、シュミットは、前近代の専制君主や絶対主義的な王のようなものを念頭においているわけではない。想定されている状況は、まったく逆である。前近代の王たちがそこから権威を引き出すことができたような道徳や価値観などがすべて説得力を失っているということ、それらがもはや普遍的な妥当性を有するものとして信じられてはいないということ、このことこそが、決断主義を要請する。決断主義はだから、近代なるものによって生じた変化を全面的に引き受けたことから導かれる結果である。主権者が決断すべき内容は、あらかじめ決まっているわけではなく、また決断内容をそこから演繹できる真理や正義が与えられているわけでもない。それゆえ、シュミットの決断主義においては、決断の本質存在（何を決断するか）に決断の事実存在（何であれ決断が存在していること）が優先している。以前、そのように述べておいた。

主権者による決断が必要になるのは、近代社会の前提となっている条件からは、つまり合理的な個人の間の相互作用を規定する純粋に中立的で普遍的なルールだけからでは、現実的に意味をもつような具体的な社会秩序を導くことができないからである。前者のルールが指定しうる秩序は、あまりにも自由度が高く、過剰な可能性を含んでいる。主権者の純粋な意思に発する決断(決定)がここに介入し、この過剰な可能性を、現実化しうる秩序へと絞り込むのだ。

決断が、このような構成から導かれ、そのことにおいて効力を得ているとすれば、具体的な決断に先立って、中立的・普遍的なルールが許容する決断の形式的な枠組み――可能な決断の範囲を規定する形式的な枠組み――が存在していなくてはならない。つまり、決断の具体的な内容がそこに充塡されるような形式が、普遍的な妥当性を有するものとして前提にされていなくてはならない。数学的な比喩を用いるならば、次のようになろう。たとえば(2, 4)という整数の組は、ただそれ自体として捉えるならば、まったくの偶発的なものであって、なにごとをも意味してはいないが、$y=x^2$という関数が与えられていれば、まさにその関数の特定値としての意味をもつことができる。同様に、主権者の、それ自体としては気まぐれな決断が受け入れられるのは、普遍的な妥当性を有する形式があらかじめ前提になっており、主権者が決断した内容が、そうした形式の具体例として現れるからである。

ここで死活的に重要なポイントは、普遍性は内容をもたない形式の水準でのみ確保されている、ということである。内容の点では空虚だが、少なくとも形式のレベルで、法や政治的決定の普遍的な妥当性が確保されているという前提。この前提が成り立つ保証はどこにあるのか。それこそ、シュミットにとっては、ヨーロッパ公法の存在だったのだ。ここまで説明すれば、明らかであろう。今述べていることは、第10章第3節で論じたことの再確認である。ヨーロッパ公法の内容が、普遍的に妥当だ、と言っているのではない。ヨーロッパ公法によって包摂されている諸国家の間に秩序が成り立っているという事実が、形式的な水準で――すなわち内容をもたない形式としてのみ――普遍的に妥当する法が存在していることを保証している。
　しからばヨーロッパ公法は、どのようにして成立可能だったのか。それはラウム秩序として、つまりひとつの限定された陸地を囲うことでのみ、成立する。われわれは、ヨーロッパ公法を成り立たせている陸地取得を、――シュミットが使った語ではないが――「メタレベルの陸地取得」と呼んでおいた。したがって、結局、カール・シュミットの理論の中では、ラウム秩序が存在しなければ、主権者の決断や法に妥当性を宿らせる、形式レベルの普遍性は確保されない。

＊

　さて、以上のことを踏まえれば、シュミットがどうして、「世界史」の第三段階に現れるグローバルな国際法に批判的だったのか、どうして、グローバルな国際法をヨーロッパ公法の発展とは解さず、むしろそこからの転落と見たのか、その理由が明らかになる。グローバルな国際法は、ヨーロッパ公法とは違い、対応する――他から明確に区別された――ラウム（空間）や土地をもたない。グローバルな国際法の適用範囲は、どこども限定されない空間に茫漠と広がっているのだ。外部から境界区分されたラウムをもたないことの補償として、積極的な内容をもつ普遍的な正義が唱えられるのだった。

　しかし、シュミットの観点からは、ここに問題がある。普遍性は、内容をもたない形式の水準でのみ確保される。内容を充填してしまえば、どのような規範的な命令も、特殊な信念、特殊な価値観の表明でしかない。それを、「普遍的な正義」として提起するのは、――当人には自覚がなくても客観的には――誤りであり、欺瞞である。

シュミットが明示的には言語化できていない部分を補って説明するならば、結局、彼が二〇世紀のグローバルな国際法に強い拒否反応を示した理由は、このようになるだろう。だから、ヨーロッパ公法がグローバルな国際法に置き換わったとき、国際法のもとに包摂されている国の数や人口は大きく拡大しているわけだが、法の意味的な普遍性は逆に――シュミットから見れば――失われてしまう。率直に言ってしまえば――シュミットはこう思っていたに違いない――文明化されていない（つまり非キリスト教系の）諸民族がメンバーに加わったとしても、そのことは、法の普遍化には何らの寄与もない。逆に、そうした諸民族の参入は、法の普遍性を毀損する。

第二次世界大戦の後には、ヨーロッパ公法は、完全に退潮する。代わりに現れたのが、冷戦体制だ。冷戦体制とは、アメリカとソ連が、それぞれ、普遍主義的なイデオロギーをかかげて世界を支配しようとし、対立している状態だ。ソ連は、共産主義を、アメリカは、自由主義的な民主主義を、それぞれ、普遍的に妥当な正義として標榜している。しかし、シュミットの観点からは、どちらも特殊な固有の信仰であって、普遍性には値しない。[*7]

3　第三帝国 Das Dritte Reich

『大地のノモス』のこうした展開を念頭におくと、シュミットが、ナチスの第三帝国に何を託していたのか、第三帝国が何をなしうると期待していたのかを推測することができる。もちろん、『大地のノモス』に、直接、そんなことは書かれてはいない。この本が書かれたのは、ナチス・ドイツが戦争に負けた後なのだから。しかし、『大地のノモス』の議論からの、一種の「逆算」

によって、われわれは、シュミットにとって第三帝国が何であったかを導くことができる。

本章の冒頭にあらためて提示した、ヘーゲルの具体的普遍の論理の集合論的な書き換えを活用して、それを、明快に示してみよう。繰り返し述べてきたように、「x＝大英帝国」は、ヨーロッパ公法（A）からグローバルな国際法（B）への転換の媒介になった。シュミットにとって、グローバルな国際法は、強い拒否の対象である。シュミットが求めていたのは、①と②の等式はなりたつが、③に表現された移行が生じない状況だ。そうである。シュミットは、①式において、

x＝第三帝国

として、②は成り立つが、③が否定されること、このような状況を求めていたのではないか。集合Aの特異的な要素xが、大英帝国であったときには、③式が示す転換が生じたわけだが、その同じ特異的な要素xが、第三帝国であったとき、③の転換が防止できるとしたらどうか。それこそが、シュミットが第三帝国に賭けたことではなかろうか。

しかし、求められている、そのような事態は不可能なことだ。もちろん、シュミット当人には、そのような自覚はない。しかし、客観的には、これは不可能なことへの要求である。なぜなら、③に表現された移行は必然だからだ。②をとれば、③を拒否することはできない。ヘーゲルが「具体的普遍」に関して繰り返し論じたことは、このような含意をもっている。あるいは、われわれも、ラッセルが集合論に見出した逆説を活用することで——その逆説をいわば時間化することで——、③が必然的に成り立つことを示した（第11章）。したがって、シュミットは、勝ち目のないものに賭けていることになる。

シュミットがこのような立場をとっていたということの傍証となるのが、「ライヒReich」概

念に対する彼の特別な思い入れである。[*8] ナチス・ドイツは、自らを「第三帝国」と称した。このときの「帝国」は Reich である。[*9] シュミットは、類義語である「インペリウム Imperium」や「エンパイア Empire」と「ライヒ」とをはっきりと区別している。「エンパイア」は、民族を超えた世界や人類をすべて——どこにも境界設定することなく——包括しており、それゆえ、(内容を充塡された) 普遍主義的概念である。一方、「ライヒ」は、シュミットによれば、具体的な秩序を指し示しており、基本的に民族的である。『大地のノモス』で導入した用語を用いれば、ライヒは、陸地取得を通じて空間的に限定されているが、エンパイアには、そのような限定がなされていない。イギリスはエンパイアだったが、ナチス・ドイツはライヒである。要するに、「ライヒ」は、③の公式に表現されているような展開に結びつかない帝国の様態を表している。

シュミットが、第三帝国のあるべき姿をこのように描いていたとして、現実のナチス・ドイツはどうだったのか。結論を言えば、ナチス・ドイツは、まさに、シュミットが期待していたようなものになろうとしていた。シュミットの夢はナチス・ドイツの夢でもあった。

もちろん、今述べたように、シュミットは不可能なことを第三帝国に求めていたのだから、それが直接に現実化することはない。その不可能性は、ナチス・ドイツの侵略戦争の不合理でエクセントリックな性格として現れている。言い換えれば、ヒトラーが仕掛けた戦争に見られる、戦略上は無意味で、通常の政治目的を明らかに逸脱している部分は、今述べてきたような論理が働いていたと想定したとき、つまり等式①と②は成り立つが公式③が否定されるような不可能性が追求されていたと仮定したとき、はじめて説明可能なものとなる。

4　絶滅戦争への執着

ナチスは、いやヒトラーは、そもそも何のために戦争を始めたのか。彼らの目標は何だったのか。三百年前の三十年戦争の場合とは異なり、ドイツは、偶発的な流れの中で、意図に反して戦争に巻き込まれたわけではない。徹底した準備の上で自らが仕掛けたのが、第二次世界大戦である。今度は、戦争をすることの必然性はドイツの側にあり、ドイツの方こそ、他国を戦争に巻き込んだのだ。ナチスは、政権獲得後すぐに、国家予算の多くを軍備に充てている。たとえば一九三八年の軍備のための支出は、国家支出の七十四パーセントに達し、その額は、資本主義国が戦時期以外の期間に軍備に振り分けた額としては史上最も大きい。では、そうして周到に準備されていた戦争の最終目標は何か。ヒトラーは、一九三三年二月の閣議で明言している。目標は、「東部における新たな生存圏《レーベンスラウム》」の暴力的な「征服と、その容赦なきゲルマン化」である、と。[*10]

まず、ここでドイツの戦争が陸の上での侵出、大陸内の進攻という形態をとっていることに注目すべきであろう。ナチス・ドイツは、陸の大国であろうとしていた。シュミットの『陸と海と』では、世界史は陸への指向性と海への指向性の葛藤として描かれるのであった。そして、大英帝国が、ヨーロッパ公法（A）からグローバルな国際法（B）への媒介者となったのは、この国が、はじめて純粋に海のエレメントを体現したからだ。そうであるとすれば、AからBへの移行が生じないようにするためには、陸のエレメントの方に留まる必要がある。実際、ナチス・ドイツは、そのような意志を示している。

イギリスは海へと進出した。その目指すところは、アメリカ、新大陸であった。このイギリスの、海へと向かうベクトルを、ナチス・ドイツは、ヨーロッパの東側の陸地へと向かうベクトルに置き換えたことになる。ドイツの東への視線の先、東への進出の目的地は、もちろんソ連である。イギリスにとっての新大陸の代わりに、ドイツにとってはソ連がある。この点に関して、ヒトラーは注目すべきことを語っている。彼は、部下たちへの話の中で、イギリスのインド支配やアメリカによる西部征服にしばしば言及してきたわけだが、ソ連の住民は、「インディアン」のようなものであり、彼らと同様に扱われるべきである、と述べている。[*11] この喩えは、ヒトラーが、ソ連を、（イギリスにとっての）新大陸の代替物だと見なしていたことをよく示している。

＊

ナチス・ドイツは、東にも、西にも侵攻したが、ポーランドやソ連といった東側に対する態度と西側への態度は、相当に異なっている。簡単に言えば、東に向けられた攻撃性の方が、はるかに過激だった。占領地に対する政策にも、違いがはっきりと現れている。[*12] ヒトラーは、ポーランドの行政に、現地の人々が参加することを拒絶した。実際には、現地当局による支援なしには、ドイツ人はポーランドを統治できなかったので、ポーランド人たちによる「中央扶助委員会」なるものの結成が許容されたのだが、本来は、ドイツ人のみによってポーランドは治められるべきだと考えられていた。だから、ポーランドのエリート層、つまりポーランド知識人は、殺害されるか、あるいは強制収容所へと送致されるかであった。ナチスは、ポーランド人指導者はもはや生まれる必要はない――いや生まれてはならない――と考えたのだ。ヒムラーは、「東部の非ドイツ系住民にとって、国民学校四年生以上の高度の学校は必要ない」とまで語っている。

それに対して、西欧や北欧の占領地域では、現地の行政機関が業務を継続し、ドイツ人は、「行政監督」として行動するのみだった。オランダ、ノルウェー、デンマークでは、現地行政と監督役の占領者ドイツとの協力がたいへんうまく機能した（もちろん、住民の大多数はドイツに反感をもっていたが）。ドイツと現地の行政機関の「協力（コラボラシオン）」の最もよく知られた成功ケースは、フランスであろう。フランスは、北部の占領地域と南部の非占領地域に分割され、前者は、千人にも満たないドイツ軍将校や軍の行政官が行政を監督しただけであり、後者は、ペタン元帥をトップに据えた傀儡政権（ヴィシー政権）が、ドイツに協力的な姿勢を見せた。

ナチス・ドイツが、東と西に対して、まったく異なった態度、異なった政策で臨んだのはどうしてなのか。彼らが言うゲルマン民族とは、アーリア人のことであり、結局のところ、ヨーロッパ人のことだからだ。ナチスにとって、西ヨーロッパ――本来のヨーロッパ――は、ほんとうの敵ではない。逆にドイツは、統一ヨーロッパの代表であり盟主である……これが、ナチスの自己イメージである。彼らは、文明化されたヨーロッパのために戦争を遂行しているつもりなのだ。誰と戦っていることになるのか。敵とは誰か。東側の非ドイツ人、とりわけ共産主義ソ連である。

このようなナチスの自己イメージは、現にナチス・ドイツと戦争し、ドイツの占領政策に抵抗していた西側の人々からすれば、「冗談も休み休み言え」と罵声を浴びせたくなるような、あまりにも愚かなものだが、ナチスは本気だった。たとえば――スターリングラード攻防戦に敗北し赤軍の脅威に怯えていた頃には――次のように呼びかけられた。「ヨーロッパ諸民族は今やあらゆる違いを忘却すべきであること、家族間での争いは戦後まで延期すべきであること、そして今重要なのは、全員の家から火事〔赤軍〕を遠ざけておくこと」である。[*13]
こうした感覚は、カール・シュミットにわれわれが見出したこと、『大地のノモス』の叙述をもとにいわば発掘したことと正確に対応している。第三帝国（x）は、ヨーロッパ公法のもとに包摂されている諸民族の集合（A）のメンバーでありつつ、同時にその集合（A）と自らを同一視している。これはそのまま、等式①と等式②が意味していることであろう。

＊

ナチスの東方への戦争には、極端な――非合理的なまでに過剰な――攻撃性があった。ナチスは、ソ連の全住民の絶滅をねらっていたと思われる。ソ連への侵攻（バルバロッサ作戦）は、一九四一年六月二十二日に開始された。ヒトラーは、そのおよそ三ヵ月前に、将官たちにはっきりと「これは絶滅戦争である」と宣言している。だが、どうしたら、そんな途方もないことを実現できるというのか。どうやって、全住民を殺戮するつもりだったのか。最もシンプルで野蛮な方法が検討されている。つまり餓死させるつもりだったらしい。侵攻のおよそ一ヵ月半強ほど前の、戦時経済の計画立案を担当していた部局と国防軍当局の会合では、次のような観測が披歴されている。国防軍への食糧供給は、三年目にはロシアから行われることで戦争は継続可能であり、その結果として、数千万人の現地住民が餓死することになるだろう、と。[*14]
ソ連以前に、ポーランドへの侵攻もまた絶滅戦争として企図されていた。ヒトラーは、ポーランドへの戦争目標は、軍事的なものをこえ、諸勢力の除去、ポーランドの絶滅にある、と、国防軍の司令官に向けて――戦闘開始の一週間前に――宣言している。[*15] ヒトラーが、東部にドイツ人のための生存圏を確保する、と述べたとき、主として彼の念頭にあるのは、先に述べたように、ソ連だが、その構想が、ソ連の手前のポーランドにまずは適用されたのである。

東欧の非ドイツ系の住民、そしてソ連の住民が、絶滅すべき対象とされていた。これらの人々は、ナチスにとっての最大の敵であるユダヤ人とどのように関係していたのか。ユダヤ人に関しても、ジェノサイドが決定された。決断がくだされたのは、一九四一年十月末から十一月末までのあいだ――ソ連への軍事侵攻を始めてから四ヵ月ほど経過した後――だったと分かっている。ユダヤ人とソ連の共産主義（ボリシェヴィズム）とは、ナチスにとっては、隠喩的な連合関係をなしており、ほとんど同じものである。もちろん、客観的には、両者はまったく別のものだ。しかし、ナチスは、根拠もなく、共産主義をユダヤ人のしわざだと見ており、「ボリシェヴィズムの絶滅」という表現で、最初から「ユダヤ人の絶滅」をも意味していた。

どのような視点から捉えると、ユダヤ人と共産主義者（ボリシェヴィキ）が同じものに見えてくるのか。今、この点はおくとして、確実なことは、ナチス・ドイツは、一つの同じ衝動から、ユダヤ人とソ連の人々（共産主義者）と東欧の非ドイツ系住民の絶滅計画へと駆り立てられていた、ということである。[*16] だが、どうして、「絶滅」させなくてはならなかったのか。ジェノサイドのコストは非常に大きく、絶滅計画は戦略的には合理性を欠いている。戦争中、ナチス・ドイツは労働力の不足に悩まされていたので、占領地の東欧の住民を、労働力として効果的に使用すれば、かなりの利益が得られたはずだ。[*17] それなのに、ナチスは、異様な執念で「絶滅」に拘った。どうしてなのか。

＊

この疑問は、ナチスの軍事行動が、あの③の公式が含意する移行の否認を含意していた、と仮定すると解くことができる。ここで、一九三七年のある秘密会議でヒトラーが提起した奇妙な概念が、理解の助けとなる。ヒトラーは席上、中東欧に「無民族圏 volkloser Raum（民族なき空間）」が必要だ、と主張した。[*18] この語は何を意味しているのか。文字通り取れば、誰もいない砂漠のような空間が連想されるが、彼が問題とした地域は、多くの民族であふれている場所である。

さて、③の式は、x＝Aからx＝Bへの移行を表現している。集合Aは、ヨーロッパ公法の範囲である。そして要素xが大英帝国だったときには、集合Bは、グローバルな国際法の範囲に対応している。集合Aが集合Bへと拡大したことによって、つまり集合Aに非ヨーロッパ地域の――文明化されていない――民族が加わることで、集合Aにおいては維持されていた「普遍性」としての意味が崩壊してしまう、というのがシュミットの考えであった。

そうだとすれば、③の移行の否認とは、結局、集合Aに新たなメンバーが加えられないこと、集合Aに孕まれた拡張への傾向性は、空集合によって満たされなくてはならないということを意味している。その空集合こそ、無民族圏である。こうして、③の変換は、「x＝A→x＝A」というトートロジカルなものに置き換わる。

次のように言っても同じことである。概念Aの普遍性が維持されるということは、この概念に対応する集合Aが、より包括的な集合Bの部分集合として相対化さ*れ*な*い*ことを意味する。部分集合であるとすれば、それは、「特殊性」として位置づけられていることになるからだ。普遍性は、定義上、その外部をもたない。公式③の変換を否認し、概念A（ヨーロッパ）の普遍性を維持するためには、概念Aに対応している空間的領域（生存圏）は、常に包括的であり、その外部が存在しない――概念Aと対等な価値をもつ他者を外部にもたない――、という状態を保持しなくてはならない。だからナチス・ドイツは、東方へと拡大しながら、新たに獲得された陸地（ラウム）の中にいる他者たちの――ヨーロッパを相対化してしまう他者たち（非ドイツ系の東方の民族たち）の――絶滅を目指さないわけにはいかなかった。

大英帝国―アメリカが主たる担い手であった、国際法の適用範囲の拡大においては、ヨーロッパは、より包括的な国際秩序の部分として相対化され、特殊化された。しかし、ナチス・ドイツは、ゲルマン民族（x）＝ヨーロッパ（A）が占拠している陸地（生存圏）を拡大しながら、決してヨーロッパ（A）が相対化されず、その普遍的な意義を保ち続ける（不可能な）世界を夢想した。不可能なことを求めた代償が、絶滅戦争への不合理な拘りである。

ナチスの行動、とりわけ彼らの東方への軍事行動は、彼らが、『大地のノモス』から遡及的に見出したあの論理、シュミットが第三帝国に託した論理（等式①と②は成り立つが、③の変換が退けられること）に従っていたことを示している。もちろん、ナチスは、そのような論理を意識していたわけではない。彼らは、無意識の衝動に基づいて行動していただけだ。その行動が、どのような論理に規定されていたのかを、われわれは明らかにしてきたのだ。

＊

こうした考察から何を引き出すことができるのか。ナチズム（ファシズム）は、普遍性と特殊性の間の葛藤と戯れの中から生まれてきている。普遍性には、特殊性へと転落するかもしれないという不安がつきまとっている。ナチズムは、不可能な方法で、この転落を拒否しようとしたのだ。このように理解しておけば、われわれは、探究を広く一般的な枠組みの中にあらためて置き直すことができる。われわれは、ヨーロッパ（ファシズム）、アメリカ（ニューディール）、そしてロシア（スターリニズム）を一つの視野に収める一般的な理論が必要だと述べておいた（第9章、第10章）。そのような理論は何に着眼すべきか、その基本的な方針がはっきりと見えてきたのだ。

1　カール・シュミット『陸と海と』、九二―九五頁。

2　カール・シュミット『大地のノモス』第四部。以下、細かく典拠の頁を示さないが、本節の前半のシュミットの議論の紹介は、この部分をもとにしている。

3　シュミットが言うところの二〇世紀の新しい国際法を、われわれはずっと「グローバルな国際法」と呼んできた。シュミット自身は、このような表現を用いてはいない。新しい国際法に関しては、「ヨーロッパ公法」に匹敵するような明確な術語は導入されてはいない。新しい国際法は、この後に論じるように、シュミットからすれば、失敗した国際法、本質的には成り立たない国際法だからであろう。シュミット自身は、新しい国際法を、「ユニバーサルな国際法」「人類的な国際法」等の語彙で指し示している。われわれとしては、――「ユニバーサル（普遍的）」という概念の特殊な含みを温存しておく必要があるので――、主として「グローバルな国際法」という語を使うが、意味していることはシュミットが見た「新しい国際法」である。

4　第10章第3節参照。

5　たとえば、シュミットは、新しい国際法のもとで現れる正義の概念が、「絶滅戦争」を正当化することを批判している。正義の名のもとに差別化された敵対国は、「悪魔」「邪悪」であって、殲滅されても仕方がない、と見なされるからだ。このようなシュミットの議論は、ナチス・ドイツがユダヤ人を全殺戮しようとしたことを棚上げた身勝手な主張、論理的に混乱した主張だという印象を与える。だが、シュミットは、そこまで愚かではない。ナチスによるユダヤ人の虐殺はもちろん、どんな理由によっても正当化できないが、ここでは、シュミットの視点から、新しい国際法のもとでの敵の殲滅は許しがたいが、ナチス・ドイツによるユダヤ人の全殺戮は問題ない、と見えたのはどうしてなのかを考えなくてはならない。どのような前提をおくと、こんなに露骨な不整合が、問題のないものに見えるのだろうか。

6　第7章第3節、第4節。

7　念のために述べておこう。冷戦体制のもとで、西側陣営も東側陣営も、当然のことながら、地球上の特定の空間を占めていた。これらは、ラウム秩序と見なすことはできないのか。できない。どちらの陣営も、本来は、自分たちが地表の全体を支配すべきである、と見なしているからである。西側陣営、東側陣営がそれぞれ占拠していた領域は、国際的な力関係への現実的な妥協の産物であって、積極的に――これで十分であるというかたちで――取得されたものではない。どちらも普遍主義的なイデオロギーを掲げているがゆえに、相手に対する戦争は、一種の正戦である。それは、ヨーロッパ公法の中での無差別戦争とは、根本的に性格を異にする。

8　カール・シュミット「域外列強の干渉禁止を伴う国際法的広域秩序――国際法上のライヒ概念への寄与」（第四版、一九四一年）岡田泉訳、『ナチスとシュミット――三重国家と広域秩序』木鐸社、一九七六年所収。

9　よく知られているように、ナチス・ドイツが「第三」帝国と自称したのは、神聖ローマ帝国を第一帝国、ビスマルクによって統一されたドイツを第二帝国と見なしているからである。もっとも、ワイマール共和国もまた、皇帝はいないのだが、「ライヒ（帝国）」と呼ばれることがある。たとえば、共和国の大統領は「ライヒの大統領」、国立銀行は「ライヒの銀行」だった。この場合、ライヒは、共和国を構成する個々のラントとは区別された国家レベルを指している。しかし、ナチス・ドイツが「第三帝国」という名前を使用しているときには、ワイマール共和国はライヒとしてカウントされていない。ナチス・ドイツは、ワイマール共和国を否定して、自らを第三帝国としたのだ。第三帝国の皇帝は、もちろん、総統ヒトラーである。

10　ウルリヒ・ヘルベルト『第三帝国――ある独裁の歴史』小野寺拓也訳、角川新書、二〇二一年（原著二〇一八年）、九二頁。

11　同書、一五七頁。

12　同書、第十三章。

13　同書、二二七頁。Ulrich Herbert, *Fremdarbeiter: Politik und Praxis des "Ausländer-Einsatzes" in der Kriegswirtschaft des Dritten Reiches*, Berlin-Bonn: Verlag Dietz, 1985, S.240.

14　ヘルベルト『第三帝国』、一五七―一五九頁。

15　同書、一四一頁。

16　この問題に関しては、今日では、ティモシー・スナイダーの二つの大著を無視することができない。『ブラッドランド――ヒトラーとスターリン　大虐殺の真実』布施由紀子訳、筑摩書房、二〇一五年（原著二〇一〇年）。『ブラックアース――ホロコーストの歴史と警告』池田年穂訳、慶應義塾大学出版会、二〇一六年（原著二〇一五年）。今ここでは詳しく紹介する余裕はないが、『ブラッドランド』では、戦争が終わる一九四五年までの十二年の間に、「ブラッドランズ（流血の土地）」と名付けるべきポーランド、ウクライナ、ベラルーシ、バルト諸国、ロシア西部で、千四百万人もの命が奪われたと推定されている。ただし、この大量殺戮の責任は、ヒトラーのナチス・ドイツにだけあったわけではない。同じくらい重い責任が、スターリンのソ連にもあった。『ブラックアース』は、強制収容所以外の場所でのホロコーストを主題としている。

17　実際、ナチスは、捕らえたユダヤ人やポーランド人、ロシア人等を、労働力として使用している。しかし、最終的には殺戮されることが既定路線なので、つまり死んでしまってもかまわないという扱いを受けるので、捕虜たちは、まともな食事を与えられず、過酷な環境の中に置かれていた。彼らは著しく弱体化しており、有効な労働力とはとうてい言い難いものになった。

18　この語に注目したのは、ジョルジョ・アガンベンである。『アウシュヴィッツの残りのもの――アルシーヴと証言』上村忠男・廣石正和訳、月曜社、二〇〇一年（原著一九九八年）。

第14章　特殊と普遍の弁証法的関係

1　普遍性にとり憑かれた特殊性

これまで述べてきたように、ファシズム（ナチズム）を戦争やユダヤ人虐殺へと駆り立てていた衝動は、ヘーゲルの「具体的普遍」の概念によって記述することができる。具体的普遍の概念の十全なる展開として、ではない。そうではなく、この概念が含意する論理の必然性への、不可能な抵抗として、である。

自らの主張の普遍性を標榜している者に対して向けられるよくある批判を、ちょうど裏返しにしたことが、ここでは起きている。普遍的な意義をもつとされている概念や命題が、実際には、特殊な集団や文化において自明視され、継承されてきた前提によって歪められたり、特定の文化的前提を受け入れている者を利するものになっていたりすることがあり、しばしば批判の対象となってきた。たとえば、「普遍的な人権」とされていたものが、ほんとうは、「白人男性の権利」でしかなかったではないか、等と。しかし、われわれがファシズムに即して見出してきたことは、普遍性と特殊性との関係が、この標準的な批判におけるものとは真逆になっている。

表面に現れて自己主張しているのは特殊性の方である。しかし、それは、普遍性への情熱にとり憑かれ、規定されている。ナチスは、「アーリア人」あるいは（同じことだが）「ゲルマン民族」といった特定の人種の優越をあからさまに主張する。だが、こうした人種・民族は、ナチスにとっては、類的な普遍性（人類）の代理物である。もちろん、人種的・民族的な特殊性と類的な普遍性との間には——ナチスの観点からは当然あってはならないはずの——ギャップが生じてしまう。ナチスは、そのギャップを、最もシンプルな方法で抹消しようとした。すなわち、そのギャップを代表している民族、ギャップを可視化している人々、要するにユダヤ人や東欧（とくにソ連）の住民を全殺戮することで、ギャップを無化しようとしたのだ。さすれば、アーリア人（ゲルマン民族）による制覇は、類そのものの勝利と、経験的に——理念的にではなく経験的に——同じものになる、というわけだ。

一般的な批判の対象になっているのは、普遍性に特殊性がとり憑いている状態、特殊性が普遍性の仮面をつけ、偽装している状態である。それに対して、ファシズムにおいてわれわれが見出したのは、特殊性の方に普遍性がとり憑いている状態だ。普遍性の方が、特殊性の仮面によって偽装している。

第11章で導入した——そして前章でも示した——具体的普遍の公式との対応を、再び確認しておこう。具体的普遍についての③式が示す転換、すなわち「x=A→x=B」こそ、概念の普遍化のダイナミズムを表現している。概念Aの直接の現実化と見なしうる特権的な個体xを媒介にして、偽の普遍性（A）が真正の普遍性（B）に置き換わる。この変換を、次のようなトートロジー、

x=A　→　x=A　…④

に留めようとする保守的な衝動が、ファシズムの条件となっている。ここで、xにあたるのが、

ナチスの「第三帝国」である。
特殊性に普遍性がとり憑いているというのは、④が示す状態が③の変換への指向性を隠し持っているからである。③が、④へと変形されて表出されているのだ。④だけ見れば、それは、平穏な定常状態の表現に見える。しかし、④という外観を社会システムが保つためには、③のダイナミズムを否定し、抑圧しなくてはならない。実際、ナチ体制下の社会は、対内的には、ユダヤ人をはじめとするマイノリティを弾圧し、殺害し、そして対外的には、積極的に戦争をしかけているのであって、スタティックな状態とはとうてい言い難い。まるで、革命が起きているようにすら見える。しかし、その「革命」が全体として目指していることは、④が示すような不変性である。かくして、ファシズムに対しては、「保守革命」といった自家撞着的な語を適用するほかない。[*1]
もし、普遍的な妥当性を表明しつつ追求される特殊な利害や欲望が告発されなくてはならないのだとすれば、逆も同様である。固有で特殊な立場の顕揚が、普遍的なものへの——しばしば無意識の——希求によって支持されているとすれば、それも暴かれなくてはならない。カール・シュミットは、二〇世紀のグローバルな国際法を、まさに「普遍的である」ということを理由に拒否し、ヨーロッパ公法や第三帝国を支持した。が、彼がグローバルな国際法に（偽の）普遍性を見たのは、彼が、ヨーロッパ公法や第三帝国の特殊性の方に、真の普遍性を直観していたからである。本人は、確たる自覚はなしに、そのように見ていたのである。

＊

このように、ファシズムは、普遍性 universality にとり憑かれた特殊主義 particularism（の一形態）である。ところで、「特殊性」への欲望や執着が「普遍的なるもの」への潜在的な指向性にこそ駆り立てられているという点に関しては、その究極の実例とも見なすべき社会現象がある。しかも、ファシズムの場合には、規定因であるところの普遍性への指向性は否認され、抑圧されていたわけだが、その「究極の実例」においては、そんな屈折は組み込まれていない。つまり、そこでは、普遍性への指向性ははっきりと肯定され、自覚もされており、ゆえに、欲望の対象として措定される特殊性は、すぐに魅力を欠いたものへと転換され、その度に棄却されていく。その究極の実例にあたる社会現象とは、何か。答えははっきりしている。資本主義である。

どこまでも剰余価値を求めて競争しあう資本たちが、われわれの生活世界にどのようなインパクトをもたらしているかを思えば、いま述べたことはすぐに理解できるだろう。人々に求められ、買われる商品を提供するということは、資本の集合が協働して、固有で特殊な生活世界を提案しているに等しい。それは、文化を形成し、新しい伝統を構築してさえいる。しかし、剰余価値をいつまでも産み出すためには、資本は、特定の生活世界にとどまり、安住するわけにはいかない。消費者のさらなる欲望の対象となる新たな商品をもたらすことを通じて、既存の特殊な生活世界や文化を解体し、生活世界を絶えず変容させていかなくてはならない。「流行」のような現象を思い浮かべると、最もわかりやすいだろう。

資本主義は、われわれの経験の地平をたえず普遍化していく運動であり、こうした普遍化への指向性の対自化である。資本主義に関しては、普遍化への指向と特殊性への執着との間の厳密な区別は不可能だ。資本のふるまいに関して、「それは、既存の生活世界を否定する普遍化のメカニズムなのか、それとも新商品への欲望によって規定された特殊な生活世界を肯定していることになるのか」と問うこと自体が無意味だろう。資本主義は、人々を特定の生活世界から絶えず引き抜き、新たな特殊な生活世界へと埋め込む巨大な力である。

　すると、われわれはこう推論することが許されるだろう。資本主義の本質的な条件となる普遍性と特殊性との間の交錯が、独特の形態で現象しているのが、ファシズムだったのではないか、と。

2 「特殊性と普遍性の間の弁証法的関係」

　われわれは今、第9章の最後に――あるいは第10章の最初の節で――提起しておいた問い、厳密に言えば本格的に問うための暫定的な問いに、答えを出しうるところに来ている。三人の「もうひとりのモーゼ」に対応する三つの体制、つまりファシズム（ヨーロッパ）、スターリニズム（ロシア）、ニューディール体制（アメリカ）を統一的に説明する理論が可能ではないか、というのがわれわれの見通しだった。だが、問題は、どのような視点を設定したときに、三者がひとつの視野の中に収まるのか、であった。「資本主義」が鍵になるだろう、という点については、最初から予想しておいたことである。[*2] 重要なことは、しかし、資本主義をどのように論ずるか、資本主義のどのような側面を主題化するか、にある。

　この点を明らかにするために、資本主義との肯定的／否定的な関係という点で、三つの体制の中で中間的な位置にあるファシズムに関してのみ、暫定的かつ仮説的に、それを成り立たせている論理を、一個の理念型として抽出してみたのだった。その際、カール・シュミットの議論を、現実に起きたさまざまな偶発的な出来事に左右されずに、論理だけを純粋に浮上させるためのフィルターとして活用した。その結果として、どのような結論が導かれたのか。

資本主義を「特殊性と普遍性との間の弁証法的な関係」として説明すること。これが、さしあたって見えてきている方針である。特殊性と普遍性との間には、多様な関係の形式があるように見える。単純に両者を単一の軸の上の対立する方向としてとらえれば、抽象的普遍／具体的特殊という常識的な二項を得るだけだが、両者の関係はもっと複雑だ。その複雑さを把握するための概念（のひとつ）として、ヘーゲルの「具体的普遍」もある。ファシズムにおいては、この概念から導かれる普遍化のダイナミズムが即自的かつ否定的に働いている。資本主義においては、同じダイナミズムが肯定され、かつ対自化されているように見える。資本主義において作用している、特殊性と普遍性の間の関係のヴァリエーションとして、三つの体制を説明することができるのではないか。このような仮説的な見通しを立てることができる。

*

だが、スターリニズムはどうなっているのか。スターリニズムもまた、同じ弁証法的な関係の中に位置づけることができるのだろうか。この点についても、ごく概括的に、予告めいたことを述べておこう。

初期のソヴィエトの体制と普遍主義的なイデオロギーとの関係というトピックに関連して誰もが最初に思いつくのは、共産主義インターナショナル（コミンテルン）の意義であろう。ソ連の成立以前にあった社会主義者の国際組織、第二インターナショナルは、第一次世界大戦の勃発とともに、実質的には崩壊した。戦争が始まると、ヨーロッパ各国の社会民主主義政党は、突然、ナショナリズムに覚醒し、それぞれ自国の戦争を支持したからである。そのため、ロシア革命から間もない時期に（一九一九年三月）、ロシア共産党（ボリシェヴィキ）の呼びかけであらためて結成された共産主義者の国際組織が、共産主義インターナショナルである。[*3] では、スターリン時代、ソ連は、自国の利益よりも、共産主義インターナショナルの世界革命の理念や利害を優先させただろうか。否、と答えざるをえない。[*4] スターリンにとって、共産主義インターナショナルは、むしろ国益追求のためのひとつの手段だった。「世界革命」なるものがもし許容されるのだとしたら、それは、二つの条件、つまりソ連の国益が侵されないこと、そしてソヴィエト共産党が直接統制するなかで実現されること、これらがともに満たされる場合に限られた。[*5]

するとスターリンの指導下にあったとき、ソ連は、露骨にナショナリスティックなだけで、普遍主義への指向は、きわめて弱かったと見なすべきなのだろうか。だが、ナショナリズムが、普遍主義的な世界革命よりも優先されたということは、それほど重要なことではない。ファシストは、ソ連よりもはるかに露骨に民族共同体を称揚していたが、その民族共同体への特殊主義的な執着自体が、普遍主義的な衝動に裏打ちされていたのだから。

実際には、スターリン体制のソ連は、普遍性と特殊性の間の——ファシズムよりももっと——厳しい緊張関係の上に成り立っていた、と考えられる。その「緊張関係」とは何か、詳しく論ずるのは、後になる。しかし、こうした緊張関係こそが、この体制の根幹だったということは、ごく素朴な疑問を発してみるだけで、直観することができる。ソ連という社会主義体制は、ひとつしか階級がない社会なのに、どうして階級支配があったのか？　ソ連は、労働者階級だけから成る社会である。それなのに、階級社会、階級支配のある社会でもある。これは矛盾ではないか。ひとつしか階級がないのであれば、ある階級が支配し、別の階級が従属している、という関係は不可能ではないか。資本家階級が労働者階級を支配する、といったタイプの支配はありえないはずではないか。

普通は、次のように説明されている。直接支配していたのは、官僚制であり、高級官僚の人事権を握っていたノーメンクラトゥーラが支配階級だった、云々と。しかし、「ノーメンクラトゥーラ」は、社会科学の厳密な意味での階級ではない。この「通説」的な理解は、起きていたことのただの記述であって、単一の階級のもとでの階級支配という逆説の理論的な説明にはなっていない。

では、どう説明すればよいのか。ここでは暫定的なことだけを述べておく。唯一とされている階級、つまり労働者階級に内的な分裂が孕まれたと考えなくてはならない。どのような分裂か。本来的には存在しないはずの支配階級（としての労働者階級）と現に存在している労働者階級との分裂である。問題は、どうしてこのような分裂が可能だったか、にある。この分裂が、普遍性／特殊性の差異に合致していることを見抜くことがポイントである。[*6] 存在しないはずの支配階級は、普遍性に――普遍的な歴史法則を代表する理念的な普遍性に――対応している。経験的な実体として現に存在している労働者階級は、具体的な特殊性に対応している。要するに、単一の階級を普遍性／特殊性の差異と重ねあわせるメカニズムを内蔵していたがゆえに、スターリン体制は可能だったのだ。したがって、ファシズムだけではなく、スターリニズムもまた、普遍性と特殊性の間の弁証法的な関係のひとつのヴァリアントとして説明できる可能性が高い。このように予想することには、十分な合理性がある。

さらに、次の事実は、認めざるをえない。すなわち、第一次世界大戦の後、イタリアのファシズムやドイツのナチズムなどのラディカルな右派が台頭したのは、ロシアに社会主義体制が成立したことの脅威があったからだ、という事実である。ファシズムは、共産党の脅威に対する二次的な反応である。[*7]

エルンスト・ノルテは、一九八〇年代に、ナチスの蛮行は、ロシア革命以降の過程の中でなされたことの模倣であって、ロシア共産党に刺激されただけだ、という趣旨のことを主張したが、これは、とんでもなく不当なこととして斥けなくてはならない。[*8]だが、ファシズムを無罪放免しようという意図によって誇張された部分をさしひいた、ノルテの純粋に学問的な主張に関しては、一定の真実を含んでいると認めざるをえない。ファシズムは、共産主義の成功に対する防衛反応としての側面を、明らかにもっている。そうだとすると――この点にわれわれの考察にとっての意味があるのだが――、論理的にみても、ファシズムは、スターリニズムという極限に対する反応であり、そこからの変形としての側面をもっているのかもしれない。今後の考察において、留意すべき論点である。

＊

繰り返そう。スターリニズム、ファシズム、そしてニューディール体制を一望できる理論的な枠組みが用意されつつある。着眼点は、普遍性と特殊性の間の弁証法的な関係である。この関係の原型、この関係の自由で十全なる展開こそ、資本主義だ。そうだとすれば、資本主義とは何か、それはどのような帰結に向かうダイナミズムなのかを、あらためて根本から見直す作業の中で、つまりそうした作業の産物として、三つの体制の論理的な布置をも明らかにするのが、最も分かりやすいはずだ。

ならば、われわれの次なる探究のフィールドははっきりした。「アメリカ」である。アメリカこそ、まさに資本主義の国であり、アメリカの歴史は資本主義の歴史と重なっている。たとえば、歴史学者ジョナサン・レヴィの浩瀚な近著『アメリカ資本主義の諸時代（Ages of American Capitalism）』の副題は、「合衆国の歴史（A History of The United States）」である。[*9] この書は、一七世紀後半から、リーマンショック後の現在までのアメリカ資本主義の歴史を、四つの時代に区分して論じたものだが、（アメリカの）資本主義の歴史を叙述することは、結局、アメリカの歴史を叙述することでもあるという強い確信が、タイトルにすでに表明されている。

われわれもまた、アメリカなるものの本質を、二〇世紀から遠く離れ、その源流に遡った上で、問わなくてはならない。そして、二〇世紀前半のニューディールの時代に帰ってこなくてはならない。「〈世界史〉の哲学」と銘打ったこのプロジェクトのここまでの考察の中で、われわれは何回か、「アメリカ」に言及してきてはいる。特に、『近代篇1』の中では、アメリカのピューリタンについて論じた。しかし、それらのケースに関していえば、他の主題を論じる中で「アメリカ」が登場したというだけであって、アメリカなるものをそれ自体として主題化したことはなかった。アメリカを固有に取り出して論ずることの意味、とりわけ西欧から切り離して対象化することの意味は、二〇世紀現代から振り返らないとわからないからだ。

およそ二百年前、つまり一九世紀の序盤、ヘーゲルは、「歴史哲学」を講ずる中で、アメリカについて次のような趣旨のことを述べている。アメリカは未来の国であり、その世界史的な意義は目下のところわからない、と。[*10] このとき、独立革命はすでに終わっているが、南北戦争は、まだ三十年以上後のことである。というわけで、ヘーゲルの『歴史哲学講義』の中では、アメリカには、あまり重要な役割が与えられてはいない。ただ、ヘーゲルのこうした物言いには、アメリカの意義に関する予感も秘められているだろう。[*11] いずれにせよ、われわれは、ヘーゲルにとっての「未来」にいる。アメリカが確かにとてつもなく大きな世界史的意義を担ったことを知りうる「未来」に、である。

3 ゲマインシャフトからゲゼルシャフトへ

アメリカをめぐる探究は、巻をあらためて着手しよう。本書を結ぶにあたっては、ここまで述べてきたような方針で考察を進めることで、何を説明しなければならないのか、あるいは何が解明されることになるのか、その展望を、——もう少しファシズムという話題にこだわり続けることで——示しておこう。そのために、ひとつの問いを設定してみよう。ファシズムはナショナリズムの一種か？　なぜ、この問いを立てたのか。ナショナリズムこそ、普遍化への指向と特殊性への指向の絶妙な均衡の上に成り立っている現象だからだ。ナショナリズムは、普遍主義と特殊主義の特異な接合の産物であると見なすことができる。どう特異なのか、こそ重要なので、この点については、このあとすぐに説明することになるが、[*12] いずれにせよ、「ナショナリズム」という現象は、普遍性と特殊性の間の弁証法的な関係という議論の設定が有効であるかどうかを調べる試金石になりうる。
だから、問おう。ファシズムはナショナリズムの一形態なのか？　ファシストたちのゲルマン民族への強烈な愛着は、彼らがナショナリストであることを示しているようにも見える。だが、少なくとも、ファシズムは、普通のナショナリズムではない。ファシズムのエクセントリックな性格、その過剰さは、ファシズムがナショナリズムと何かにおいて根本的に異なっていることを示している。[13] 標準的なナショナリズムとファシズムの間の外見や行動の極端な違いは、どこから来るのか。何がどう違うことが原因で、両者の行動様式に違いが生じているのか。

*

その点を説明するには、近代化という社会変動の要諦がどこにあるのかを、大急ぎで復習しなくてはならない。ナショナリズムは、『近代篇2』第13章で述べたように、近代的な現象だからだ。では近代化とは何か。社会学史上最も有名な概念を使って言えば、それは、支配的な社会形態が、ゲマインシャフトからゲゼルシャフトへと移行することである。[14]

人間は、最初は、自分が意識的に選んだわけではない特殊な生活様式をもつ共同体（ゲマインシャフト）に、生まれたときから、全人格的に組み込まれている。家族、親族集団、（村落のような）地域共同体に、である。近代化とは、個人が、このような原初的なゲマインシャフトへの全人格的な埋没を断ち切って、自律的な主体となることである。だが、このことは、個人が、ゲマインシャフトとの関係を断つ、という否定的な所作だけによっては果たされない。個人は、原初的なゲマインシャフトへの忠誠心を、別のタイプの共同体の方に移植し、その別の共同体の中での承認によって、自分自身のアイデンティティを見出さなくてはならない。その別のタイプの共同体が、ゲゼルシャフトである。

ゲゼルシャフトは、いくつかの性質において、ゲマインシャフトと対照的である。まず、ゲゼルシャフトは、加入が自由で意識的な選択に基づいているという意味で、より普遍的である（メンバーシップが開かれている）。ゲゼルシャフトは、ゲマインシャフトと違い、個人にとって原初的でも、自然でもない。個人は、最初からそこに組み込まれているわけではないし、常に自発的・自覚的に活動していなくては関係を維持することができないからだ。ゲゼルシャフトにおいて、関係は、直接的・自然発生的ではなく、間接的・媒介的なものになる。たとえば、村落共同体はゲマインシャフトだが、都市はゲゼルシャフトである。親方と徒弟の間の全人格的な関係は、ゲマインシャフトに属するものだが、雇用契約を結んで、企業で賃労働するとすれば、それは、ゲゼルシャフトとしての企業での仕事だということになる。

と、ここまでは、大学一年生の社会学の教科書の最初の章に書いてあるようなことである。興味深いことは、そのときに働いているメカニズムだ。ゲマインシャフトへの原初的なコミットメントからゲゼルシャフトへの派生的なコミットメントへの移行が生じる際に、ゲマインシャフトへのコミットメントは、単純に否定され、消去されるのではなく、その性格を根本的に変容させて生き残り、後者のゲゼルシャフトへのコミットメントに実効性を与える要素として——つまりゲゼルシャフトへのコミットメントに命を吹き込む要素として——機能するのだ。具体的には、たとえば、私は、家族（ゲマインシャフト）の中のよき父であるということを通じて、都市共同体（ゲゼルシャフト）の繁栄や円滑な運営に貢献している、といったようなことである。あるいは、大企業の中で、私が属する小さな部署は、メンバーが非常に親密で、ほとんど家族のようになっており、一種のゲマインシャフトと化しているとしよう。そのゲマインシャフトの中で、私がなすべき仕事をきちんと果たすことが、結果的には、大企業（ゲゼルシャフト）の業績を上げるのに貢献したことになる。

今、原初的なゲマインシャフトへの献身を GmC と、ゲゼルシャフトへの献身を GsC と表記しよう。GmC から GsC への移行が果たされたとき、GmC が *GmC* へと変容し、GsC を活性化する「GsC の内的な要素」となる。これを次のように表すことができる（「⇩」は、近代化の過程、つまりゲマインシャフトからゲゼルシャフトへの移行を表現している）。

GmC ⇩ GsC,　GsC ＝｛*GmC*｝

このメカニズムを最初に（実質的に）見出したのは、またしてもヘーゲルである。フェルディナンド・テンニースが、「ゲマインシャフト／ゲゼルシャフト」という社会類型を提起したのは、一九世紀の末期なので、その半世紀以上前に、ヘーゲルは、テンニースの概念の有効な活用に資するアイデアを用意していたことになる。このアイデアは、社会学への時期尚早の贈り物、誕生日より前にもらった誕生日プレゼントのようなものだ。

それにしても、どうして、「ゲゼルシャフトへのコミットメント GsC」に、本来は克服の対象であったはずの「ゲマインシャフトへのコミットメント GmC」が取り込まれなくてはならないのか。ゲゼルシャフトは——普遍的なものだったとしても——、それ自体としては、個人にとっては疎遠で、あまりに抽象的だからである。まして、GsC と GmC は対立するものであって、GsC への移行は GmC の放棄を含意するとされたら、個人にとってのゲゼルシャフトの疎遠性・

抽象性はますます強化されることになる。だが、*GmC*を通じてGsCが実現されるのだとしたら、つまりあなたにとって親密で固有なゲマインシャフトへのコミットメント*GmC*こそが、ゲゼルシャフトへのコミットメントGsCの実質的な姿であると解釈されたらどうだろうか。抽象的な普遍性と具体的な特殊性とが媒介される通路が生まれ、人は、普遍的なゲゼルシャフトに深い忠誠心をもつことができるだろう。

4　ナショナリズムとファシズム

さて、われわれの関心の中心はネーションにある。近代化についてのこの構図の中で、ネーションには特別な位置が与えられる。ネーションは、いや近代においてネーションだけは、GsCの対象であると同時に*GmC*の対象でもあるという、二重の機能を有するのだ。

まず、ネーションは、ゲゼルシャフトであって、そのメンバーである個人は、それぞれ自分独自の共同の現場（ゲマインシャフト）で社会生活を送り、仕事をすることで、ネーションに参加し、ネーションのために活動したことになる。労働者であること、経営者であること、職人であること、あるいは母であること、学生であること……がすべて、ネーションに貢献する独自の方法である。

同時に、ネーションは、ゲマインシャフトでもある。ネーションは、メンバーたちによって活きいきとイメージされるほどに十分に豊かな具体性や個性をもつ。そして、人々は自らが所属するネーションを、一個の物語（歴史）をもった運命共同体、共同のプロジェクトとして思い描く。この場合には、ゲマインシャフトとしてのネーションにコミットすることを通じて、人は、より包括的で普遍的な共同性（ゲゼルシャフト）に参与したことになる。

このときの「より包括的で普遍的な共同性」とは何か。つまりゲマインシャフトとしてのネーションに対応するゲゼルシャフトは何か。ネーションが *GmC* の対象だとして、それに相関した GsC の対象とは何であろうか。フランス人や、イギリス人や、ドイツ人や……にとっては、それは、長い間、ヨーロッパそのものであった。たとえば、よきフランス人であることこそが文明化されたヨーロッパ共同体の一員であることを意味している、といった具合に、である。ヨーロッパ諸国のナショナリズムは、誰が、どの国が最も真のヨーロッパにふさわしいか、誰までが、ヨーロッパ共同体の一員に含まれるか、[*15]の争いという側面をもってきた（現在でもそうである）。[*16]そして、究極的には、ゲマインシャフトたるネーションへのコミットメントがそれへのコミットメントのひとつの具体的な姿である、とされるところの「それ」は、人類である。たとえばよき日本人であることを通じて、立派な人間になること。いきなり抽象的な「人間」にコミットすることは不可能だ。しかし、日本人であること、フランス人であること、〇〇人であることが、普遍的な人間であることとの通路であるとされれば、人は、「人間」なるものに、主体的にコミットすることができるだろう。

このように、ネーションは GsC の対象であり、かつ *GmC* の対象でもある。実のところ、社会学者や政治学者は、近代のネーション（国民）をゲマインシャフトに分類すべきか、ゲゼルシャフトに分類すべきか悩んできた。境界的であるというより、どちらの典型にも見えてくるのだ。人々は、たいてい自分が所属するネーションを、超大型の家族や村落のようなものとして思い描く。そうだとすると、ネーションは、ゲマインシャフトだということになる。しかし、歴史の研究が教えるところでは、ナショナリズムやネーションの意識は十分に都市化が進捗した社会にしか現れない。実際、ネーションは大規模で、そのメンバーたちは互いに面識がなく、一生会うことすらなく、全人格的な親密さからはほど遠い。だとすると、ネーションは、ゲゼルシャフトと見なさざるをえない。ネーションのこの極端な二重性はどこから来るのか。その原因をわれわれは知ったことになる。ネーションが、GsC に関しても、*GmC* に関してもその焦点に措定される、近代において唯一の共同体であること、それが原因だ。

＊

ここまで準備しておけば、ファシズムはナショナリズムなのか、ファシズムはどの点においてナショナリズムと異なっているのか、という疑問に正確に答えることができる。ファシズムにおいては、ナショナリズムを成り立たせている志向性のベクトルに逆転が生じているのだ。説明が必要だろう。

述べてきたように、ナショナリズムにおいては、一般に、特殊な共同体としてのゲマインシャフトへの原初的なコミットメント *GmC* の現れを媒介にして、実質的には、普遍的なゲゼルシャフトへのコミットメント GsC が果たされる。フランス人であることを通じて、人類にコミットする、と。このとき、「*GmC* から GsC へ」という方向で、忠誠の志向性が働いているのが分かるだろう。直接的な献身の対象になっているのは特殊なゲマインシャフトだが、真の目標は、その向こう側にあり、その特殊なゲマインシャフトを一部として包摂する、より包括的で普遍的な共同体としてのゲゼルシャフトである。このベクトル「*GmC*→GsC」が逆転すると、つまり「GsC→*GmC*」となるとファシズムになる。

一般のナショナリズムにおいては、民族共同体にコミットし、同一化しているように見えて、ほんとうは、それ以上の集団への同一化がひそかに目指されている。それに対して、ファシズムにおいては、直接的で家族的な親密性のイメージを投入することができる民族共同体への同一化が、またそのような民族共同体の中での安住が究極の目標になっている。特殊（*GmC*）を媒介にして普遍（GsC）へという力が働かず、いきなり、特殊な共同体への没入が生じているのである。

が、ここで、絶対に見まちがえてはならない重要なポイントがある。ファシズムにおいて生じていることを、前近代の単純な「ゲマインシャフトへのコミットメント」への退行と解釈してはならない。ファシズムの「民族共同体へのコミットメント」は、ナショナリズムの後にやってきていること、それは、ナショナリズムの心性にすでに媒介されているということを考慮すべきである。ファシズムの「GsC→*GmC*」は、ナショナリズムの「*GmC*→GsC」に媒介されている。後者の心的な動きが、行き場を失って逆流してきたかのようにして、ファシズムは生まれているのだ。したがって、ファシズムにおいては、ナショナリズムにおける普遍的なゲゼルシャフトへの忠誠心GsCが、民族共同体への忠誠心*GmC*に投入されている、と考えなくてはならない。ナショナリズムにおいては、国民の大義に尽くしたときに間接的に得ることができる、抽象的な普遍性（人類）への貢献が、ファシズムにあっては、親密さを感受できる特定の民族共同体への没我的な献身というかたちで、現実化できる……ように感じられるのだ。ファシズムに、（ナショナリズムを超える）圧倒的な過剰性が宿るのは、このためである。*[17]

このように説明してくれば、すでに気づいていることだろう。われわれは今回の冒頭で論じたことに回帰しているのだ。ファシズムにおけるコミットメントのベクトル「$GsC \to GmC$」は、ナショナリズムにおけるコミットメントのベクトル「$GmC \to GsC$」に媒介されている、つまり前者は後者の逆転として解さなくてはならない。今、このように論じた。これは、冒頭で述べたこと、すなわち④式は、具体的普遍についての③式からの転換である、という主張と同じ趣旨である。③式と④式で表現していることは、歴史的・通時的な過程である。本節の議論は、同じことを、共時的な心的構成へと翻訳したことになる。

いずれにせよ、真の問題は、ファシズムとして現れた、述べてきたような「逆転」が、どうして生じたのか、である。この問題にもわれわれはいずれ答えなくてはならない。そのためにも、われわれは探究の眼差しを、アメリカへと向けなくてはならない。資本主義の運命を純粋状態に近いかたちで具現しているアメリカへと。

1　今し方③式の概念Bを、「真正の普遍性」と呼んだ。しかし、言うまでもないが、次の局面では、その概念Bの虚偽性が明らかになり、それは概念Cへと置き換わる。③式の過程は、繰り返される。

2　第9章第5節。

3　ボリシェヴィキは、第一次大戦が勃発したとき、戦争に参加する自国政府を支持しなかった、ごく少数の社会主義系の政党のひとつだった。

4　共産主義インターナショナル（コミンテルン）は、独ソ戦の勃発後、ソ連が、イギリス、フランス、そしてアメリカと連合したことで、完全にその存在意義を失い、一九四三年五月に解散した。ちなみに、後継組織と見なしうるコミンフォルムは、戦後、一九四七年九月に設立された。こちらは、スターリン没後の、いわゆるスターリン批判が原因になって、廃止された（一九五六年）。

5　エリック・ホブズボーム『20世紀の歴史――両極端の時代』大井由紀訳、ちくま学芸文庫、二〇一八年（原著一九九四年）、上、一六一頁。

6　この点に関しては、以下を参照。Slavoj Žižek, *Ils ne savent pas ce qu'ils font*, Point Hors Ligne, 1990, p.118.

7　ホブズボーム、前掲書、上、二六二―二六三頁。

8　Ernst Nolte, *Der Europäische Bürgerkrieg, 1917-1945: Nationalsozialismus und Bolschewismus*, Propyläen: Stuttgart, 1987.

9　Jonathan Levy, *Ages of American Capitalism: A History of the United States*, Random House: New York, 2021.

10　ヘーゲル『歴史哲学講義』長谷川宏訳、岩波文庫、一九九四年、上、一四九―一五〇頁。これは、ヘーゲルの死後に編集され出版されたものだが、もとになる実際の講義は、一八二二年から一八三一年にかけて行われたとされている。

11　ヘーゲルのこの講義が終わってから四年後には、アレクシ・ド・トクヴィルが『アメリカのデモクラシー』（第一巻）を著し、発表している。彼は、この本の序文で、「私はアメリカの中にアメリカを超えるものを見た」（『アメリカのデモクラシー』第一巻（上）松本礼二訳、岩波文庫、二〇〇五年、二七頁）と書いた。トクヴィルにとっても、アメリカは未来の国だが、すでに現在において認めうる未来の国である。

12　厳密で本格的な説明に関しては、以下を参照。大澤真幸『ナショナリズムの由来』講談社、二〇〇七年、第一部I。

13　ホブズボームは、はっきりとこう書いている。ファシズムとナショナリズムを同一視するありがちな混乱を取り除かねばならない、と（ホブズボーム、前掲書、上、二八三頁）。

14　フェルディナンド・テンニエス『ゲマインシャフトとゲゼルシャフト――純粋社会学の基本概念』杉之原寿一訳、岩波文庫（上・下）、一九五七年（原著初版一八八七年）。

15　ヨーロッパとは、基本的には西ヨーロッパのことである。「東ヨーロッパ」というカテゴリーには、単にヨーロッパの中の地域区分ということをこえた文化的な含みがある。つまり「東ヨーロッパ」には、文化的に「ヨーロッパの外」という言外の含みがある。「東」に分類されかねない国が、自分が「東」であることを断固として拒否するときにしばしば、「中央ヨーロッパ」という表現が使われる。

16　ここで気づくだろう。カール・シュミットが、ヨーロッパ公法を特別視したときに、前提になっていたのは、このメカニズムである（第10章第3節参照）。

17　ナショナリズムとファシズムの関係をめぐるより厳密な詳細については、以下を参照。大澤真幸、前掲書、補論。

あとがき

私は、本書を含むこの「〈世界史〉の哲学」の探究が、〈心のある道〉であって欲しいと思っている。〈心のある道〉は、先頃逝去した我が師、見田宗介＝真木悠介が大事にした言葉のひとつである。

私たちは、どこか目的地があって旅に出る。だが、もしここで、旅の意味が目的地に到達できるかどうかにだけあるのだとすれば、私たちは、その目的地への道を通ってはいるが、しかし、道をほんとうには歩いていることにはならない。過程は、目的地との関係でしか意味をもちえないからだ。この場合、目的地にたどりつけなかったら、過程はまったく無駄で空虚なものとなる。

〈心のある道〉とは、これとは逆に、過程であるその道を、一歩一歩真に歩くことである。つまり、意味が「目的地」に外在することなく、歩む過程そのものに内在している状態が、〈心のある道〉である。目的地に到達することだけではなく、そのときどきの歩みそのものに、それ自体として楽しさや歓びがあるような旅。

「〈世界史〉の哲学」は、問いに問いを重ねる長い探究になっている。最終的な結論がどうであるかということとは独立に、探究の過程が〈心のある道〉となっていて、どの部分においても問い進めることがそれ自体で楽しいものでなくてはならない。そう思いながら私としては書いている。私自身には、探究の過程を、探究の道をまさに歩んでいるという確かな実感がある。

ところで、旅には、一緒に歩いてくれる同伴者が必要だ。同伴者がいるから旅は楽しく、まさに〈心のある道〉になる。本書の第1章から第8章にあたる部分を『群像』に連載したときの旅の同伴者は森川晃輔さん、第9章から第14章までの連載と単行本化の過程を同伴してくださったのは横山建城さん。おふたりのそれぞれに個性的なコメントが――森川さんの理論的なコメントと横山さんの歴史学的コメントが――、励みになり、またさらなる展開のためのヒントにもなった。二人の同伴者に、お礼を申し上げたい。

あとは、この〈心のある道〉に読者が加わり、一緒に歩み、考えてくださることを願うばかりだ。

二〇二二年　六月一七日

大澤真幸

初出「群像」二〇二〇年八月号〜二〇二二年二月号
(二〇二〇年一〇月号、二〇二一年三月号、四月号、六月号、二〇二二年一月号をのぞく)

大澤真幸（おおさわ・まさち）
1958年、長野県生まれ。東京大学大学院社会学研究科博士課程修了。社会学博士。思想誌『THINKING「O」』主宰。2007年『ナショナリズムの由来』で毎日出版文化賞、2015年『自由という牢獄』で河合隼雄学芸賞をそれぞれ受賞。ほかの著書に『不可能性の時代』『〈自由〉の条件』『社会は絶えず夢を見ている』『夢よりも深い覚醒へ』『可能なる革命』『日本史のなぞ』など多数。共著に『ふしぎなキリスト教』『おどろきの中国』『げんきな日本論』などがある。

〈世界史《せかいし》〉の哲学《てつがく》 現代篇《げんだいへん》1
フロイトからファシズムへ

二〇二二年七月一九日 第一刷発行

著者 大澤《おおさわ》真《ま》幸《さち》
発行者 鈴木章一
発行所 株式会社講談社
〒一一二―八〇〇一 東京都文京区音羽二―一二―二一
出版 〇三―五三九五―三五〇四
販売 〇三―五三九五―五八一七
業務 〇三―五三九五―三六一五
印刷所 凸版印刷株式会社
製本所 株式会社国宝社

ISBN978-4-06-528448-3 Printed in Japan

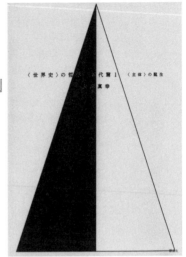

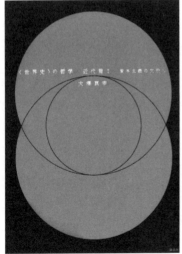